図解即戦力

オールカラーの豊富な図解と
丁寧な解説でわかりやすい!

介護ビジネス業界の
しくみと仕事が
しっかりわかる
教科書

これ1冊で

改訂2版

髙山善文
Takayama Yoshifumi

技術評論社

ご注意：ご購入・ご利用の前に必ずお読みください

■免責

本書に記載された内容は、情報の提供のみを目的としています。したがって、本書を用いた運用は、必ずお客様自身の責任と判断によって行ってください。これらの情報の運用の結果について、技術評論社および著者または監修者は、いかなる責任も負いません。

また、本書に記載された情報は、特に断りのない限り、2024年5月末日現在での情報を元にしています。情報は予告なく変更される場合があります。

以上の注意事項をご承諾いただいた上で、本書をご利用願います。これらの注意事項をお読み頂かずにお問い合わせ頂いても、技術評論社および著者または監修者は対処しかねます。あらかじめご承知おきください。

■商標、登録商標について

本書中に記載されている会社名、団体名、製品名、サービス名などは、それぞれの会社・団体の商標、登録商標、商品名です。なお、本文中に™マーク、®マークは明記しておりません。

はじめに

2021年の初版発行から3年、社会と共に介護業界も大きく様変わりしたことを受け、今回の改訂版執筆が決まりました。

改訂版執筆にあたり、介護業界の情報収集をした結果、3年前からいくつかの点で重大な変化が起こっていました。

第一に、「人手不足」です。介護業界も多くの業界と同様に様々な分野で人材が不足しています。この状況を踏まえ、国は介護職員の待遇改善に努めつつ、外国人介護職員の採用を推進しています。

第二に、「介護サービス事業者の再編」です。事業者間のM&Aが活発化し、特に外資系ファンドによる売買が目立ちます。

第三に、「ホスピス型住宅」が急増しました。これは超高齢社会、ひいては多死社会において重要な役割を担いつつあります。

第四に、「認知症高齢者の増加」に対し、国を挙げての対策が進められています。

今後、団塊の世代が後期高齢者になるにつれて、さらに介護のニーズが増加すると予想されます。同時に認知症の高齢者数も増加し、多様な社会問題が顕在化すると予測されています。そして、医療の進歩とともに、多くの人々が天寿を全うする時代が訪れるのです。

2024年は介護保険制度の改正年度であり、介護報酬改定では前回以上に新しい社会状況に対応した多くの施策が盛り込まれています。

本書では、これらの改定情報をはじめ、介護保険制度の基本や介護関連ビジネス、介護業界の将来性についても広く触れています。

いつか誰もが老い、介護が必要になる可能性があります。また、誰もがいつ認知症になるか分からない、そんなリスクを背負っています。介護問題は、長寿を実現した現代における世界的な課題となりました。介護保険制度だけがすべてのニーズを満たすわけではなく、個々人の多様な介護のニーズは多くのビジネスチャンスを秘めています。

本書が「高齢社会先進国」日本から新たな世界的介護ビジネスを創出する一助となれば、著者としてこれ以上の喜びはありません。

2024年6月　　高山善文

CONTENTS

Chapter 3

介護保険の「居宅サービス」の基礎知識

Chapter 4

「介護保険施設」と「高齢者向け住まい」の基礎知識

Chapter 5

介護保険における「地域密着型サービス」

Chapter 6

高齢者を対象としたビジネス

Chapter 7

「介護人材」に関わるビジネス

Chapter 8

高齢者のための「モノ」のビジネス

Chapter 11

介護業界・介護ビジネスの未来

第 1 章

介護業界を取り巻く現状と介護保険制度

介護保険制度が誕生して24年。2024年は3年に1度の介護保険制度見直しの年でした。現在、介護業界がどのような状況にあり、これからどのようになると予想されているのか見ていきましょう。

Chapter1
01

少子高齢化の現状と課題

団塊ジュニア世代が高齢者になる2040年、ますます進む少子高齢化によって、国内市場の縮小や労働力人口の減少、介護保険制度の維持ができなくなるなど、様々な問題が発生することが予想されています。

戦後、日本は2度の人口増加時期があった

日本の総人口は2018年をピークに毎年減少し続けています。厚生労働省が発表した人口動態統計速報によれば、2023年の出生数は72万7,277人と明治32年の調査開始以来過去最少を更新し、合計特殊出生率は1.20となりました。

戦後日本では、人口増加のピークが2度ありました。1度目は団塊の世代（1947～1949年生まれ）と呼ばれ、年間約270万人の子どもが生まれていました。2度目は団塊ジュニア世代（1971～74年生まれ）と呼ばれ、年間約200万人の子どもが生まれていました。現在と比較するとほぼ2.7倍の子どもが誕生していたことになります。

合計特殊出生率
1人の女性が生涯に産む子どもの数。

団塊の世代
2024年での年齢が75～77歳の人。人口構成の中で大きなかたまり（団塊）を形成していることから「団塊の世代」という。

団塊ジュニア世代
第二次ベビーブーム世代ともいう。2024年での年齢が50～53歳の人。

少子高齢化の問題点

総人口における65歳以上の人口が占める割合を「高齢化率」といいます。生まれてくる子どもが少なく、長寿化が進むと高齢化率も上昇します。

2023年の高齢化率を諸外国と比べてみると、1位が日本（29.1%）、2位イタリア（24.5%）、3位ドイツ（22.7%）と続きます。今後も日本の高齢化率は上昇を続け、団塊ジュニア世代が65歳以上になる2040年代には、35.3%になると見込まれています。

国は少子高齢化の問題点は主に4つあると考えています。1つ目は働き手が減少し、「経済規模が縮小」すること。2つ目は地方の「過疎化による自治体機能の維持ができなくなる」こと。3つ目は「社会保障制度の維持ができなくなる」こと。そして4つ目は「豊かさが失われる可能性があること」です。

主要国における高齢者人口の割合の比較（2023年）

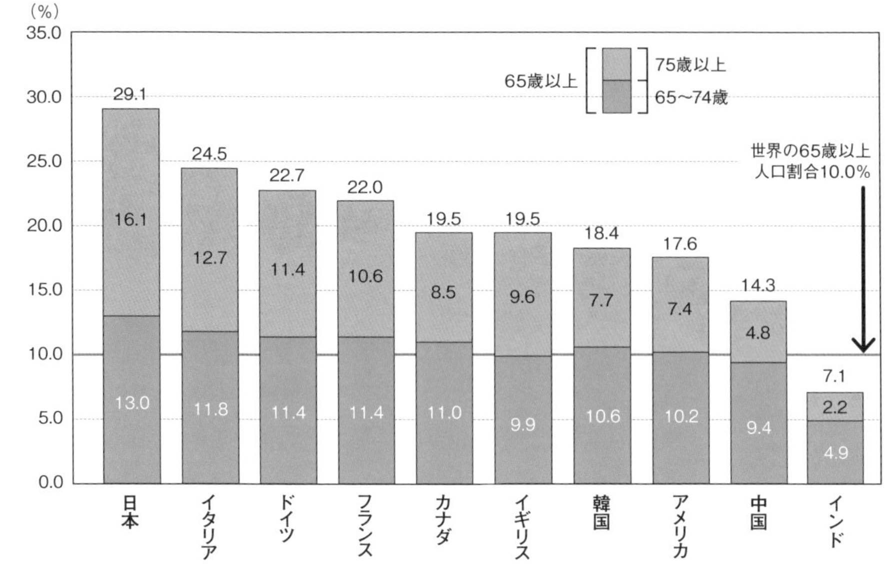

資料：日本の値は、「人口推計」の2023年９月15日現在、他国はWorld Population Prospects：The 2022 Revision(United Nations)における将来推計から、2023年７月１日現在の推計量を使用

出典：総務省「統計からみた我が国の高齢者」（令和５年）

人口急減・超高齢化が進む未来のイメージ図

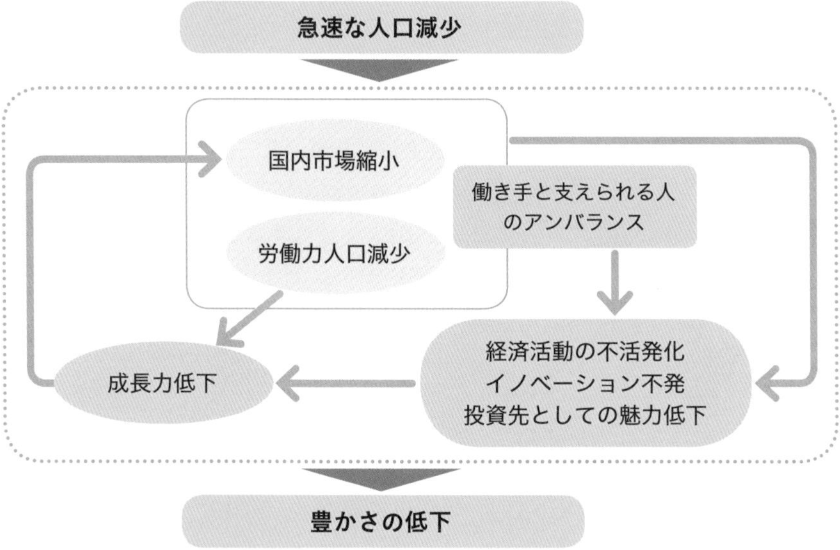

出典：内閣府HP「『選択する未来』委員会　第２章（3）」

Chapter1
02

介護保険制度

全世代対応型の持続可能な社会保障制度と介護保険制度改正

「介護保険改正」と「介護報酬改定」は、どちらも保険制度の変更や見直しを指しますが、対象が異なります。介護保険改正は、保険制度そのものを、報酬改定は、介護サービス事業者への報酬や指定基準の見直しを指します。

介護保険の改正プロセス

2024年度の介護保険法改正は、2023年5月12日の通常国会で成立しました。介護保険を適切に理解するためには、法令の階層とその相互関係、介護サービス事業者の業務や役割との関連性を把握することが重要です。一方、介護サービス事業者に対する介護報酬や指定基準の見直しは「介護報酬改定」と呼ばれ、この改定は通常施行年度前の年末から年始にかけて行われます。その後、３月頃に新たに適用される各サービスの基本報酬、加算、算定要件などの介護報酬改定に伴う関係告示が公布されます。

介護報酬
P.26参照。

指定基準
P.50参照。

全世代対応型の社会保障制度

今回の介護保険法改正は、「全世代対応型の持続可能な社会保障制度を構築するための健康保険法等の一部を改正する法律」として行われました。この改正法は、介護保険法だけでなく、健康保険法、国民健康保険法、高齢者医療確保法、医療提供体制改革に関する医療法も含まれており、改正の範囲が広がっています。一方、2021年の改正「地域共生社会の実現のための社会福祉法等の一部を改正する法律」と比較すると、介護保険に関連する改正項目は少なくなっています。今回の改正内容は、地域の患者ニーズに応じた病院や病床機能の役割分担、医療機関間および医療と介護の連携の強化を通じて、より効果的かつ効率的な医療・介護サービス提供体制の構築が示されています。そのための方法として、市町村における「医療・介護情報の収集・共有・活用」、国主導による「介護サービス事業者の財務内容の把握」などが挙げられています。

全世代対応型の持続可能な社会保障制度
年齢に関係なく、すべての国民がその能力に応じて負担し、互いに支え合うことで、それぞれの人生のステージに応じた必要な保障をバランスよく提供する趣旨。従来の給付が高齢者中心で、負担が現役世代中心となっている社会保障の構造を根本から見直すもの。

地域共生社会
子ども・高齢者・障がい者などすべての人々が地域、暮らし、生きがいを共に創り、高め合うことができる社会。

介護保険法令のイメージ

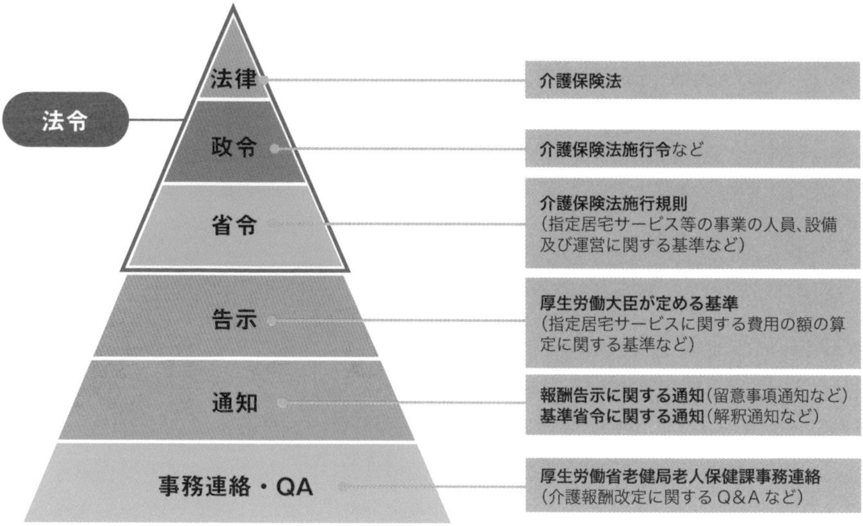

令和６年介護保険法改正について
（全世代対応型の持続可能な社会保障制度を構築するための健康保険法等の一部を改正する法律）

Ⅰ．介護情報基盤の整備	・被保険者、介護サービス事業者その他の関係者が当該被保険者に係る介護情報等を共有・活用することを促進する事業を地域支援事業として位置付ける ・市町村は、当該事業について、医療保険者等と共同して国保連・支払基金に委託できる
Ⅱ．介護サービス事業者の財務状況等の見える化	・介護サービス事業者の経営情報の収集及びデータベースの整備 ・収集した情報を国民に分かりやすくなるよう分析結果を公表する制度を創設
Ⅲ．介護サービス事業所等における生産性の向上に資する取組に係る努力義務	・都道府県に対し、介護サービスを提供する事業所又は施設の生産性の向上に資する取組が促進されるよう努める旨の規定を新設 ・都道府県介護保険事業支援計画の任意記載事項に、介護サービス事業所等の生産性の向上に資する事業に関する事項を追加
Ⅳ．看護小規模多機能型居宅介護のサービス内容の明確化	・看多機を、複合型サービスの一類型として、法律上に明確に位置付ける ・サービス内容について、サービス拠点での「通い」「泊まり」における看護サービス（療養上の世話又は必要な診療の補助）が含まれる旨を明確化
Ⅴ．地域包括支援センターの体制整備等	・要支援者に行う介護予防支援について、地域包括支援センターに加えて、居宅介護支援事業所（ケアマネ事業所）も市町村からの指定を受けて実施できることとする

出典：厚生労働省「介護保険制度の見直しに関する参考資料」（令和５年７月）をもとに作成

Chapter1 03

介護保険制度改正のポイント①

地域包括ケアシステムの深化・推進

2024年度の制度改正では、「地域包括ケアシステムの深化・推進」「自立支援と重度化防止」「良質な介護サービスの効率的な提供を目指した働きやすい職場の構築」などを基本的な視点とした各サービスの報酬改定が行われています。

地域の特性や実情に応じてケアシステムを強化

2025年から2040年にかけて団塊ジュニア世代が65歳以上に達し、高齢者人口がピークを迎えると予測されています。同時にこの期間には認知症患者や単身高齢者が増え、介護サービスの需要が拡大することが見込まれます。しかし、その進行は都市部と地方で異なるため、地域の特性や実情に応じたケアシステムの強化が重要とされています。介護保険法において「地域」は住民が日常生活を営む地理的な区域であり、人口、交通事情、サービスの整備状況などが考慮されます。また、慢性疾患や複数の疾患を抱える患者が増加しており、医療と介護の複合ニーズに対応する必要があります。この対応には、診療報酬や障害福祉サービスとの整合性を保ちながら、適切なケアマネジメントと高度な医療ニーズへのサービス提供が求められます。さらに、多死社会を迎え、看取りへの対応も強化されています。

地域包括ケアシステム
介護・医療・予防・住まい・生活支援が一体的（包括的）に連携されるサービスの提供体制。

診療報酬
医療機関が提供する医療サービスに対して国が定める報酬体系。

多死社会
高齢化によって死亡率が増加し、人口減少が加速する社会のこと。

医療機関との連携強化と認知症施策

パンデミックの経験から、医療と介護の連携強化、感染症対応力向上も推進されています。あわせて、感染症発生時や災害時にも継続的なサービス提供が可能な体制の構築、介護現場の安全性の確保も義務化されています。また、2024年1月には、「認知症基本法」が施行されました。この法律により、市町村では認知症の人々がその意向と能力を尊重され、良質かつ適切な医療や福祉サービスを切れ目なく受けられる体制の整備が進められます。介護サービス事業者は、介護保険法と認知症基本法の整合性にも注目していくことが必要です。

認知症基本法
「共生社会の実現を推進するための認知症基本法」ともいう。認知症の方が安心して暮らすための国や自治体の取り組みを定めたもの。2024年1月1日施行。

地域包括ケアシステムの姿

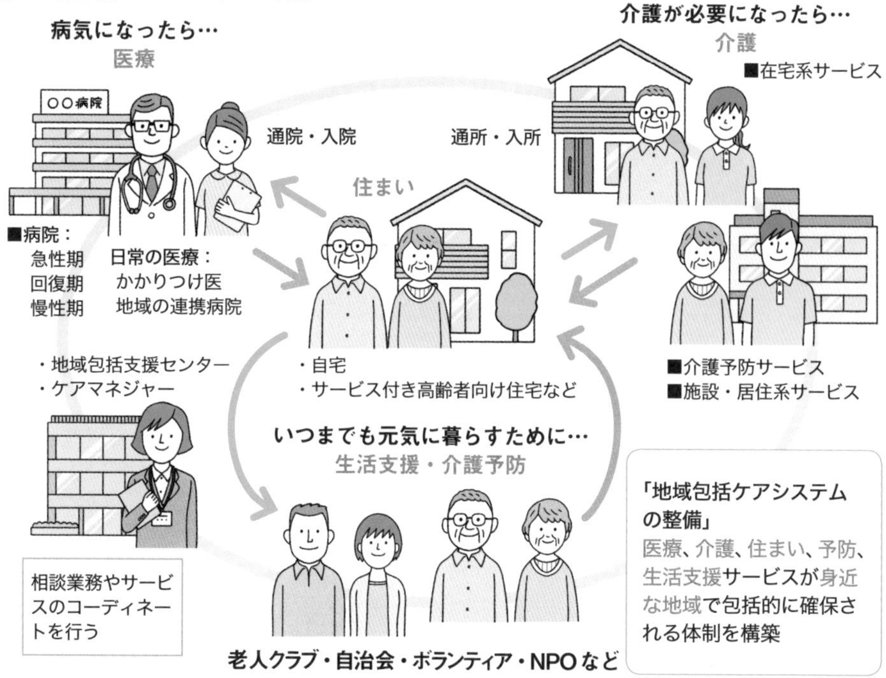

出典：厚生労働省「地域包括ケアシステムの実現へ向けて」をもとに作成

認知症への対応力向上

・各サービスにおける認知症加算の見直し
・認知症GH、介護保険施設などにおける平時からの認知症の行動・心理症状の予防、早期対応の推進

看取りへの対応強化

・各サービスにおける看取りに関する加算の見直し
・訪問看護などにおける情報通信機器を用いた死亡診断の補助に関する評価

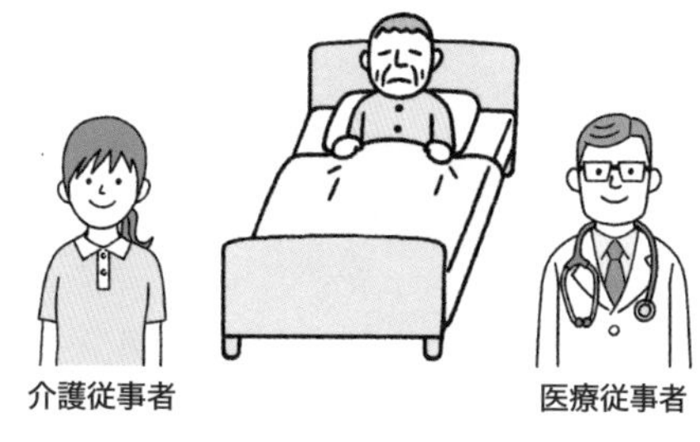

出典：厚生労働省「令和６年度介護報酬改定に関する審議報告」をもとに作成

Chapter1 04

自立支援・重度化防止に向けた対応

要介護者の自立支援・重度化防止のためには、多職種連携やデータ活用が重要です。リハビリテーション、口腔ケア、栄養管理の一体的な取り組みが推進され、これらを組み合わせた機能訓練も強化されます。

科学的介護の取り組みとエビデンスの必要性

医療分野では、数多くの症例や臨床結果が記録され、分析結果が論文で発表されることで「根拠（エビデンス）に基づく医療」が確立しています。一方、介護分野では「エビデンスに基づく介護」の構築が遅れています。介護サービスは利用者ごとに異なり、普遍的な法則に基づく研究が不足しているためです。さらに、介護の質を測る科学的枠組みが不明確で、介護従事者のスキルや努力が客観的に評価されていません。介護現場では、ケアプランの作成後、その計画に基づいたケアを実施し、その効果（アウトカム）を評価して計画を見直すPDCAサイクルが重要とされています。この一連の取り組みをサポートするため、介護現場でのケア結果を一定の基準で記録し、厚生労働省に送信、分析するシステムが構築されました。

科学的介護情報システム「LIFE」

介護現場では様々なケアが行われますが、その効果や他の介護サービス事業者間の比較を行うには、一定の基準でデータを取り、分析する必要があります。科学的介護情報システム（LIFE）は、厚生労働省が管理するデータベースです。介護サービス事業者は、ケア計画や実施内容、利用者の状態をこのシステムに入力し、インターネットを通じて送信します。厚生労働省はデータを分析し、事業者にフィードバックを提供します。これをもとに各事業所はPDCAサイクルを適用し、ケアの質を向上させます。また、LIFEの推進を支えるために介護報酬では科学的介護推進体制加算（LIFE加算）が設けられています。2024年の報酬改定では、LIFE関連加算と、データ提出頻度の見直しが行われました。

アウトカム
介護業界では、介護サービスによってもたらされた利用者の状態変化の結果をいう。「どんなケアを行ったか」ではなく「ケアを行った結果どうなったか」に着目する。

科学的介護情報システム（LIFE）
介護サービス事業所から提出される栄養や認知症などの項目を分析・評価する「CHASE」というデータベースと、通所・訪問リハビリの質の評価データシステム「VISIT」を統合したもの。これらの「データを活用した科学的介護」を全国的に統一した形で行うためのしくみ。「科学的介護」とは医療分野において実施されている「エビデンスに基づく医療」と同様、介護にもエビデンス確立を求める取り組みのこと。

科学的介護が設けられた背景

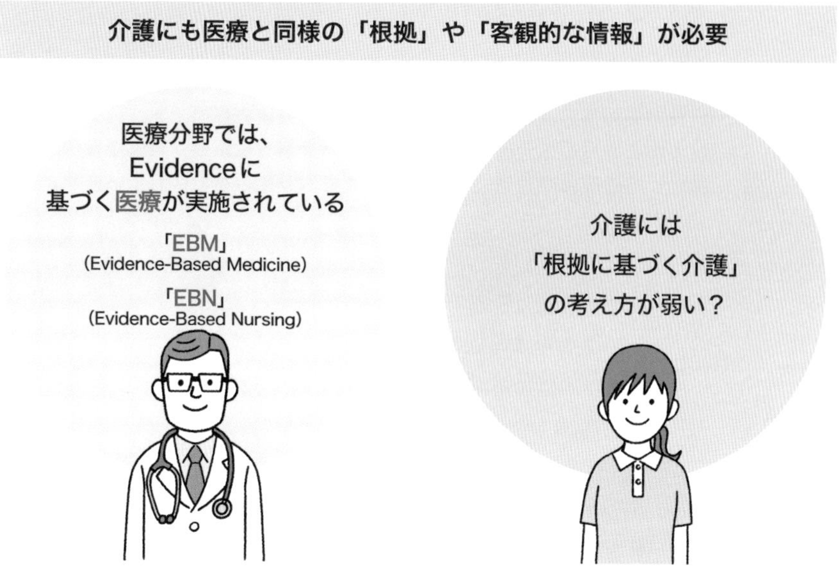

科学的介護情報システム（LIFE）の役割

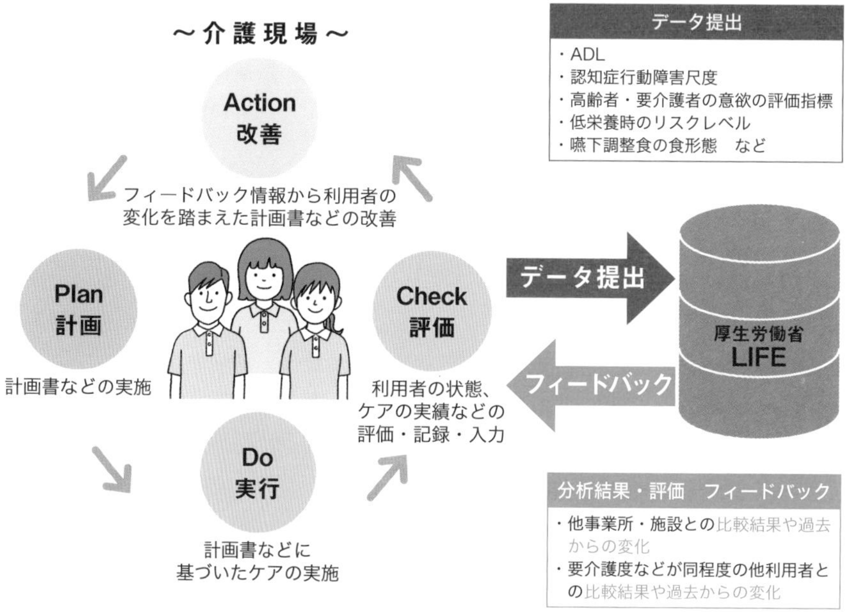

介護保険制度改正のポイント③

Chapter1
05

良質な介護サービスの効率的な提供に向けた働きやすい職場づくり

介護職員の待遇改善は、職員確保のための最優先事項です。国は介護人材不足の中でさらなる介護サービスの質を向上させるため、職場環境の改善を目指し、処遇改善や生産性の向上に関する取り組みを後押ししています。

生産性の向上と働きやすい職場環境の構築

介護業界は慢性的な人手不足と高い離職率に直面しており、これらの問題を解決するための施策が急務です。厚生労働省の試算によれば、介護人材の需要は今後も増加すると予測されているため、介護職員の処遇、特に賃金の改善は引き続き重要な課題です。2024年度の介護報酬改定では、介護職員の賃金改善をより促進することを目指すための新たなしくみが導入されました。

加えて、良質な介護サービスの提供のためには介護職員の生産性の向上と、働きやすい職場環境の整備も重要な取り組みです。具体的には、介護ロボットやICTの活用、介護助手の導入、外国人介護人材の配置基準の見直しが行われています。また、経営の協働化や大規模化、テレワークの推進も進められており、柔軟な働き方を可能とすることで、さらなる職場環境の改善を求めています。

改定された介護職員等処遇改善加算とは

「介護職員等処遇改善加算」とは、介護業務に直接従事する職員の賃金改善と職場環境整備のため、国から事業者へ支給される介護報酬のことです。この加算は、事業者がキャリアパス要件や職場環境等要件を満たすことで得られ、介護職員の賃金に適切に反映することを求めています。2024年度の介護報酬改定では、従来3種類に分かれていた加算を「介護職員等処遇改善加算」に一本化し、さらに分かりやすく使いやすい制度に改められました。この新制度では、加算による賃金は介護職員への配分を基本とし、経験・技能のある職員への重点的な配分が可能です。また、加算率も大幅に見直され、賃上げの実効性が期待されます。

キャリアパス要件
介護職員の職務に応じた任用基準と賃金体系の整備、継続的な研修の提供、経験や資格に基づく昇給システムの確立を求めるもの。これにより、介護職員のキャリア形成と職場での成長が支援される。

職場環境等要件
介護職員のキャリアアップを支援する職場改善策のこと。ICTの活用、職員の心身の健康管理、育児や介護との両立支援制度の整備などがある。

良質なサービスの効率的な提供に向けた働きやすい職場づくり（主なもの）

介護職員の処遇改善

介護職員処遇改善加算
＋
介護職員等特定処遇改善加算
＋
介護職員等ベースアップ等支援加算

→ 新加算

「介護職員等処遇改善加算」へ一本化

介護報酬を原資として、
介護職員の賃金のベースアップ
令和６年度に2.5％
令和７年度に2.0％

配分方法の工夫を行う

生産性の向上などを通じた働きやすい職場環境づくり

介護ロボットやICTなどのテクノロジーの活用促進

生産性の向上 ＝ 介護ロボット、ICT機器などの導入
・見守り機器（全居室設置）
・インカムなど（全介護職員使用）
・介護記録ソフト
→ 業務改善 → 介護報酬加算 →

対象サービス	加算名	介護報酬 利用者 1人につき※
短期入所系サービス、居住系サービス、多機能系サービス、施設系サービス共通	生産性向上推進体制加算(II)	100円／月
	生産性向上推進体制加算(I)	1,000円／月

※地域区分10円にて計算

外国人介護人材に係る人員配置基準上の取扱いの見直し

今まで

EPA介護福祉士候補者：訪日 → 訪日後研修 ベトナム2.5か月 インドネシア・フィリピン ６か月 ＋ 就労６か月 → 人員基準に算定

技能実習生：訪日 → 訪日後研修 ２か月 ＋ 実習 ６か月 → 人員基準に算定

外国人介護職員について、これまでは就労開始から６か月が経過しなければ、人員配置基準に算入できなかった

2024年度介護報酬改定

EPA介護福祉士候補者：訪日 → 人員基準に算定

技能実習生：訪日 → 人員基準に算定

一定の要件

・事業所が当該外国人介護職員を人員配置基準に参入することについて意思表示を行っている
・一定の経験のある職員とチームでケアを行う体制である
・安全対策担当者の配置や指針の整備、研修の実施など、安全対策実施のための組織的な体制を整備している

出典：厚生労働省「令和６年度介護報酬改定について」

Chapter1
06

制度の安定性・持続可能性の確保

介護保険制度は、制度改正を重ねるごとに財源確保の難しさが増しています。自己負担率２割の対象者拡大やケアマネジメントの有料化が想定される中、介護サービス事業者はこれらの変更に備えることが求められます。

日本の社会保障制度の課題と対策

日本の社会保障制度は社会保険料を中心に運営されていますが、現役世代に過度の負担が集中することを避けるため、税金や国債も利用されています。特に、将来世代への負担を先送りする形で赤字国債を使用し、税財源で賄うべき公費の一部を補填しています。この結果、高齢化に伴う社会保障給付費の増加と少子化による現役世代の減少が進み、制度の持続可能性が大きな課題となっています。これに対応するため、国は介護保険制度における利用者負担割合の見直しや介護保険給付の範囲の見直しを進めています。

赤字国債
普通国債のひとつで、特例国債ともいう。特例国債法に基づき、歳入不足を補うために発行される国債のこと。

事業者は国の方向性を見極め、戦略を策定

2024年の介護報酬改定では、「制度の持続可能性の確保」が引き続き重要な課題とされました。公費負担の増加により、給付と負担のバランスが崩れています。そのため、持続可能な制度を実現するためには給付と負担の見直しが必須です。しかし、今回の改定では、いくつかの論点が断念され、新サービス創設も見送られました。自己負担率を２割に引き上げる対象者の拡大、ケアマネジメントの有料化等は次回以降の改正に持ち越されています。

新サービス
「訪問介護＋通所介護」の新類型。デイサービスの職員が必要に応じて訪問介護にも従事するサービスの創設を予定していたが先送りされた。

介護保険ビジネスを行う事業者は、国が目指す介護費用の増加抑制という目標を理解し、それに応じた行動を取ることが求められます。加えて、事業者は常に次期制度改正を見据え、効果的な情報収集と中長期戦略の策定に努めるべきです。そのための参考情報としては、財務省の財政制度等審議会や厚生労働省の社会保障審議会資料が役立ちます。さらに、介護保険制度だけでなく、障害者福祉制度や後期高齢者医療制度など、高齢者を取り巻く諸制度との関係性を確認し、総合的な戦略を構築することが重要です。

総費用及び第１号保険料（全国平均）の推移

介護費用約13.8兆円（2023年度予算ベース）

高齢化などによる増

財源構造			
	税金約6.4兆円 国　：約3.0兆円 地方：約3.4兆円	**保険料負担** **約6.4兆円**	**利用者負担** **約1.0兆円**

財務省審議会における介護報酬の方向性

担い手の確保

- ◆職場環境の改善に向けた関係者の意識改革
- ◆ICTの活用・人員配置の柔軟化の促進
- ◆経営の協働化・大規模化の促進
- ・社会福祉連携推進法人の積極活用など
- ◆公的人材紹介の強化・人材紹介会社の規制強化
- ◆処遇改善加算の活用
- ◆経営情報の見える化の強化
- ・処遇改善加算取得にあたって職種別給与などの提出の要件化など

給付の適正化

- ◆事業拡大などに伴う効率化の単価への反映
- ・収支差が良好な分野の単価適正化など
- ◆サービス付き高齢者向け住宅などにおけるケアマネジメントの適正化
- ・画一的なケアプラン・利用者の囲い込みの是正
- ・訪問介護の同一建物減算の強化
- ◆急増する訪問看護への対応（ホスピスケア住宅）
- ・提供実態などを踏まえた医療保険給付の適正化
- ◆真に有効な加算への重点化・整理統合

保険制度の持続性を確保するための改革

- ◆第１号保険料の在り方の見直し
- ◆利用者負担（２割負担）の範囲の見直し
- ◆多床室の室料負担（老健施設・介護医療院）の見直し

介護報酬に影響

出典：財務省　財政制度分科会参考資料（令和５年11月）

介護保険制度改正のポイント⑤

介護報酬改定の目的とプロセス

介護報酬改定は、介護保険サービスの質向上と持続可能性を確保することを目的に、３年ごとに実施される重要な見直しです。物価や賃金動向を反映し、介護現場の課題解決を図ります。

介護報酬改定の目的

介護報酬改定とは、通常３年ごとに行われる、介護保険サービスを提供する事業者への報酬の見直しです。この改定の主な目的は、物価や賃金の動向を反映させて公定価格である介護報酬を調整することにあります。これにより、介護事業所や施設の経営の安定化を図り、介護現場の課題解決と介護サービスの質の向上を目指します。また、介護保険制度を持続可能な形で維持することも重要な目的です。改定では、報酬体系の見直しに加えて、サービス内容（基準）の改定も同時に行われます。各改定は、前回の改定で導入された変更の効果や影響を評価することから始まります。この評価結果をもとに、次回の改定計画が立案され、介護サービス全体の質の継続的な向上が図られます。

公定価格
国や政府などが公的に定める商品・サービスの価格。介護分野においては診療報酬、介護報酬、子ども・子育て支援制度などのサービスなどの対価がこれにあたる。

介護報酬改定のスケジュール

介護報酬改定のスケジュールは、前回の改定内容の評価から始まります。実施された変更がどの程度効果を上げたか、またどのような課題が発生したかを詳しく分析します。この評価をもとに、新たな改定の必要性や優先順位が決定されます。次に、医療・介護関係者や関係団体、専門家の意見を集め、具体的な改定案を作成します。この段階では、現場の声や最新のデータが重要な役割を果たします。改定案がまとまったら、関係機関との協議や調整を経て、最終的な改定内容が確定されます。具体的なスケジュールとしては、年末から年明けにかけて改定内容が概ね決まり、報酬告示の公布は通常３月になります。介護サービス事業者は公布から施行までの短期間でサービス内容や事務の変更に対応する必要があるため、多くの業務負担が生じます。

報酬告示
厚生労働大臣が決定した介護報酬やその算定基準などを広く知らせること。

介護保険制度改正・報酬改定のスケジュール（イメージ）

出典：厚生労働省資料をもとに著者改変

※次期報酬改定の根拠とされる各種調査・研究等

- ●介護報酬改定の効果検証及び調査研究
- ●老人保健健康増進等事業（老健事業）など
- ●介護従事者の処遇改善及び処遇改善加算に関する事項
  - ・介護従事者処遇状況等調査
- ●介護サービスの経営状況などに関する事項
  - ・介護事業経営概況調査
  - ・介護事業経営実態調査

2024年度介護報酬改定に関してヒアリングが行われた関係団体

それぞれの立場から意見を述べ、改定内容の検討に貢献

全国ホームヘルパー協議会
日本ホームヘルパー協会
日本認知症グループホーム協会
全国小規模多機能型居宅介護事業者連絡会
全国定期巡回・随時対応型訪問介護看護協議会
地域共生ケア全国ネットワーク
全国介護事業者連盟
日本福祉用具供給協会
日本福祉用具・生活支援用具協会
高齢者住まい事業者団体連合会
全国有料老人ホーム協会
全国介護付きホーム協会、高齢者住宅協会
全国個室ユニット型施設推進協議会
介護人材政策研究会

全国軽費老人ホーム協議会
日本ケアテック協会
全国社会福祉法人経営者協議会
日本病院会、全日本病院協会、日本医療法人協会
日本精神科病院協会
全国訪問看護事業協会
日本訪問看護財団
日本栄養士会
全国リハビリテーション医療関連団体協議会（日本リハビリテーション医学会、日本リハビリテーション病院・施設協会、日本訪問リハビリテーション協会、全国デイ・ケア協会）
日本作業療法士協会、日本言語聴覚士協会
日本理学療法士協会

出典：厚生労働省「社会保障審議会介護給付費分科会（第226回）」令和5年10月2日

介護ビジネスとは①

介護保険ビジネスは制度ビジネス

介護保険ビジネスは介護保険制度に基づいて運営されるため、常に政策の変更に影響を受けます。しかし、国の施策の方向性を適切に見極める事業者には、比較的リスクが小さく、安定したビジネスモデルといえます。

介護保険ビジネスの特徴

介護保険ビジネスには、一般のビジネスと異なる特徴が主に2つあります。第一の特徴は、介護サービス事業者の収入が公的資金に依存しているため、事業リスクが比較的小さく、安定した収入が期待できる点です。この安定性により、小規模事業者も健全な経営を行えば、大きな利益は望めないものの、長期的なサービス提供が可能です。第二の特徴は、介護保険財政や自治体の財政事情によってサービス価格が政策的に管理されることです。これは、介護保険が国の社会保障財政と連動しているため、介護サービスの価格（介護報酬）は厚生労働省の社会保障審議会介護給付費分科会で検討され、３年ごとに変動することが理由です。

介護報酬
3年ごとに国が価格を決める介護サービスの値段。介護保険が適用される介護サービスを提供した事業所・施設に支払われる。

介護保険ビジネスで収益性を高めるためには

介護ビジネスで収益性を高めるためには、国の施策方向を把握し、サービス利用率の向上と販管費の効果的な管理に注力する必要があります。黒字経営を実現している事業者はコスト管理に長けており、適切な人員配置、人件費のコントロール、不要な固定費の削減に努めています。その中でも、人材の定着率を高めることは特に重要です。例えば、職場環境を改善することで、業界平均14％といわれる介護人材の離職率を５％台に抑えている事業者も存在します。一方、大規模事業者では「規模の経済性」を活かし、固定費の削減と人員配置の効率化により機会損失を低減しています。これらの方法に加えて、制度の理解、国の政策変更への対応、サービス品質の向上も収益性を向上させるためには不可欠です。

規模の経済性
事業規模が大きくなればなるほど、単位当たりのコストが小さくなり、競争上有利になる効果。

介護ビジネスのイメージ

介護保険ビジネスの特徴

- 公的資金が財源のため、資金回収リスクが少ない
- 介護保険財政や自治体の財政事情によってサービスの価格が政策的に管理・操作されるため、制度による売上変動リスクがある

介護保険ビジネスにおいて収益性を高めるための方策（例）

効率的な運営とコスト管理	人件費の管理	人員基準を遵守したうえでの適切な人員配置と人件費コントロール 職員の定着率を高めるための職場環境の整備
	固定費の最小化	不必要な固定費の削減
利用率の向上	マーケティングとサービスの質	地域に根ざした広報・マーケティング・営業活動の展開 サービスの質を保持することで、新規利用者の獲得と既存顧客の維持を図る
	ニーズに応じたサービスの拡充	利用者の多様なニーズに応えるサービスを提供 ※介護保険外サービスを含む
政策と規制の変更への対応	情報収集と分析	介護政策や規制の最新動向を常に把握。制度改正が事業に与える影響を評価
	柔軟な事業戦略	制度改正や市場の変化に対応できるよう、事業戦略を柔軟に調整
サービスの質の向上と専門性の強化	研修と教育	職員に対する継続的な研修と教育を行い、専門性とサービス提供能力を高める
	技術の活用	情報技術やデジタルツールを活用。生産性の向上と顧客満足度の向上

Chapter1
09

介護ビジネスとは②

介護保険ビジネスの収入と将来性

2040年には、65歳以上の高齢者数がピークに達し、約3,920万人、高齢化率は35.3%になると予測されています。高齢者の増加に伴い、介護需要も拡大する一方、財源不足と人材不足が今後の大きな課題です。

介護保険ビジネスの収入および利益率について

介護サービス事業者の収益は、主に提供する介護サービスから得られる介護報酬、すなわち介護料収入に依存しています。厚生労働省は「介護事業経営概況調査」「介護事業経営実態調査」を行い、その結果を次期介護報酬の検討材料としています。2023年度の介護事業経営実態調査によると、1事業所あたりの月間収入（介護事業収益および介護事業外収益を含む）は、訪問介護が292万円、訪問看護300万円、通所介護が508万円、有料老人ホーム（特定施設入居者生活介護）が1,069万円、福祉用具貸与が557万円、認知症対応型共同生活介護が467万円であると報告されています。また、収益から費用を差し引いた収支差率（利益率）は全サービス平均で2.4%となっています。

介護事業経営概況調査
介護報酬の改定後2年目に実施。介護サービスの状況、施設の設備、職員配置などのデータを2年分収集し、介護保険制度改正の基礎資料として利用。

介護事業経営実態調査
介護報酬改定後3年目に実施。改定後2年目のデータを1年分収集し、次回の報酬改定前の資料として利用。

収支差率
（介護サービスの収入額－介護サービスの支出額）÷介護サービスの収入額。

介護保険ビジネスの将来性

2040年の高齢者数は3,920万人に達し、ピークを迎えると予想されています。このため、今後の介護保険ビジネスは、要介護者の増加に伴い、特に都市部で介護市場の拡大が見込まれます。一方で、働き手の減少が続いており、2025年度以降は現役世代の人口減少による就業者数の急減が予想されます。これにより、人材だけでなく、保険財源の支え手不足も問題となり、介護人材不足がさらに拡大する可能性があります。財源の問題から介護の給付対象が絞られる可能性もあるため、事業者は介護ニーズがあるにも関わらず、介護人材不足によりサービスを提供できなくなる事態も考えられます。介護サービス事業者にとって、「介護人材の確保」は今後、経営の最重要課題になるでしょう。

介護サービスの収入と人件費率・利益率（主なサービス）(P.235参照)

※令和４年度決算

	介護料収入（1月当たり）	延べ利用者1人当たり収入（1日当たり）	延べ利用者1人当たり支出（1日当たり）	収入に対する給与費の割合	収支差率 ※（　）内は税引後
訪問介護	292万2千円	3,965円 ※1	3,653円 ※1	72.2%	7.8%
訪問看護（介護予防を含む）	300万9千円	8,463円 ※1	7,966円 ※1	74.6%	5.9%
通所介護	508万7千円	9,338円	9,200円	63.8%	1.5%
特定施設入居者生活介護（介護予防を含む）	1,069万6千円	15,208円	14,773円	43.3%	2.9%
福祉用具貸与（介護予防を含む）	557万3千円	14.137円 ※2	13,236円 ※2	35.3%	6.4%
認知症対応型共同生活介護（介護予防を含む）	467万6千円	15,014円	14,482円	64.0%	3.5%
				全サービス平均	2.4%

※1.訪問１回当たり
※2.実利用者１人当たり（１か月）
出典：厚生労働省「令和５年度介護事業経営実態調査結果（令和４年度決算）」をもとに作成

介護ビジネスの将来性

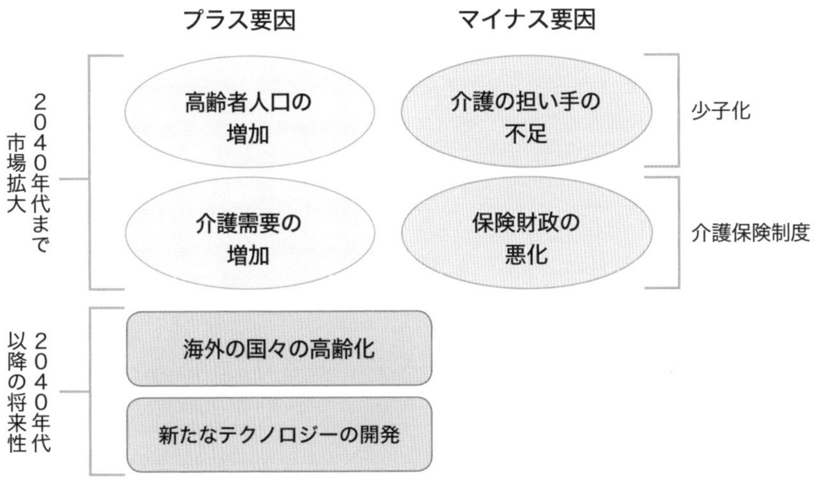

COLUMN 1

社会事業と渋沢栄一

2024年7月に新一万円札の顔となる渋沢栄一が再び注目されています。渋沢は、480あまりの企業の設立や運営に関わったことから実業家として知られる一方で、同時期に600近くの福祉や教育などの慈善・社会事業にも尽力したといいます。

渋沢が活躍した明治から大正時代のはじめは、福祉がほとんど何もない状況から制度を立ち上げていく発展期でした。渋沢はこの時期に様々な形で福祉に関わります。渋沢は今でいうホームレスを収容するために設立された施設「養育院」の院長となり、亡くなるまで福祉事業に心をくだきました。渋沢の福祉に対する思いを感じることができるエピソードがあります。養育院は地方税で運営されていましたが、明治15年に養育院の地方税を廃止すべきだという案に対して、渋沢は貧民を公費で養うのは「人道」、「仁政」であると真っ向から反対論を唱えました。そして養育院存続のために自ら寄付を行うとともに、寄付金を財界人達から積極的に集めてまわったといいます。「養育院」は現在、地方独立行政法人東京都健康長寿医療センターとして引き継がれ、運営されています。

渋沢の残した有名なモットーが「論語と算盤（ソロバン）」です。渋沢はビジネスの利益追求は、道徳とバランスをとらないと社会は健全に発展しないと説きました。渋沢の「論語と算盤」は数種類の中国語訳版が刊行されています。中国の古典である「論語」なので里帰りとも思ったのですが、そうではないようです。中国では1990年代から資本主義化が進み、2000年代初頭に「モラルなき資本主義では国がもたない」ということから、渋沢の考え方が注目されてきたというのです。

新紙幣は額面数字を見やすいように大きくし、目の不自由な方が紙幣の種類を指で判別するためのマークの形状や位置を変更するユニバーサルデザインが取り入れられています。

近代以降、日本の福祉は、渋沢をはじめとした先駆者の努力の積み重ねで発展してきたことへの重みを改めて感じます。

第2章

介護ビジネスの基礎となる介護保険制度

介護ビジネスは介護保険制度をもとに成り立っています。しくみや財源、主なサービスについてなど、ビジネスを行うための介護保険制度の基礎的な知識を学びましょう。

Chapter2
01

介護保険の始まり

社会保険のひとつである「介護保険」

介護保険制度は社会保険の５番目の制度として2000年から始まりました。制度創設から20数年を経た現在、要介護高齢者は増加し、介護保険制度の役割はますます大きくなっています。

要介護高齢者の増加と家族形態の変化

戦後、生活水準の向上や医療の進歩によって日本人の平均寿命は伸び続けています。その一方で、慢性疾患があり、心身の機能が低下した、いわゆる寝たきりや認知症によって介護が必要な高齢者が増えています。これは要介護期間の長期化を意味しています。

かつて日本の家族は、３世代が同居し、親の介護は子どもや家族が行うものとされていましたが、1960年代頃からは核家族化が進み、家族が高齢者の介護を行うのが難しくなってきました。そして家族が介護を行えない場合、要介護高齢者は病院に入院したままとなり、その結果医療費が増大していきました。こうした中、家族の負担を軽減し、介護を社会全体で支えることを目的に、2000年に創設されたのが「介護保険制度」です。

慢性疾患
治療も経過も長期に及び、治癒の期待できない病気の総称。

３世代
祖父母、夫婦、子ども。

介護保険は社会保険のひとつ

介護保険は私たちの暮らしを守る社会保障制度の中の医療、年金、雇用、労災保険と同じ社会保険です。介護保険では65歳以上の人が要介護状態になった場合に在宅や施設でのサービスの提供や福祉用具の購入、住宅改修などの現金給付を受けることができます。

介護保険が始まる前の介護サービスは、行政措置というしくみであったため、利用者の希望でサービスの内容を決めることができませんでした。そして介護サービスを提供する事業者も社会福祉法人をはじめとした一部の事業者に限られていました。

介護保険制度によって、利用者は誰もが自らの意思でサービスを選べることになりました。これは同時によりよいサービスを提供するため事業者間で競争が生まれたことを意味しています。

社会保険
けがや病気などに備えて保険料を支払うとともに、その費用の一部を公的な機関が負担する制度。

行政措置
行政がその公的責任において、ニーズの判定、サービスの提供内容、費用負担などを決定すること。

介護保険制度創設の背景

少子・高齢化による高齢者人口の増加

要介護高齢者の増加、
介護期間の長期化

核家族化の進行、
老老介護

従来の老人福祉・老人医
療制度による対応に限界

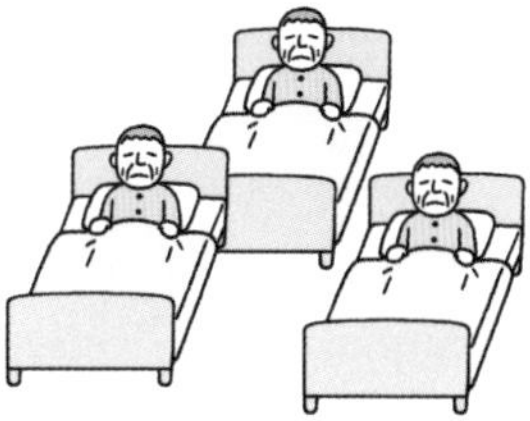

高齢者の介護を社会全体で支え合うしくみ
2000年に介護保険制度開始

利用者本位　自立支援　保険方式

介護保険は社会保険のひとつ

社会保障制度の中の社会保険

	（保険の種類）	（保険事故）
社会保険	医療保険	病気やけが（仕事以外）
	年金保険	老齢・障がい、死亡（遺族）
	雇用保険	失業など
	労災保険	仕事上の病気・けが
	介護保険	要介護・要支援状態

出典：厚生労働省HPをもとに作成

高齢者を社会全体で支える

Chapter2

02

介護保険制度のしくみ

高齢になって介護が必要になったとき、その人を社会全体で支えるしくみが介護保険制度です。「保険」の名のとおり、国民が保険料を負担し、介護が必要になったときにサービスが提供されます。

介護サービスを利用できる人

介護保険制度は、加齢に伴う身体機能の変化や病気により、介護を必要とする状態（要介護状態）になった場合に、介護サービスを受けることができる制度です。

加齢
生まれてから死ぬまでの全過程。老化は、生殖期以後に、身体の生理的機能が低下ないし衰退する現象である。

介護保険制度を利用して介護サービスを受けることができるのは、65歳以上（第１号被保険者）と、40歳から64歳までの医療保険加入者（第２号被保険者）に分けられます。

第１号被保険者は、原因を問わずに要介護認定を受けたときに介護サービスを受けることができますが、第２号被保険者は、加齢に伴う疾病（特定疾病）が原因で要介護状態と認定された場合でなければ介護サービスを受けることができません。

特定疾病
厚生労働省が定める16種類の病気のこと。この病気を抱える40～64歳の医療保険加入者は、介護保険の第2号被保険者の対象となる。

保険者と介護サービス事業者

介護保険の運営主体は市町村が行い、「保険者」と呼ばれます。保険者は被保険者から保険料を集め、介護保険証を交付し、要介護認定を行います。また、保険給付としての費用の支払いを行います。

介護保険証
介護保険被保険者証。65歳以上の第1号被保険者全員に交付される。医療機関で提示する健康保険証とは別のもの。

一方、介護サービス事業者は、訪問介護などの居宅サービスや施設サービスを提供します。介護保険サービスを提供できるのは、都道府県・市町村から認可・指定を受けた事業者だけです。

利用者は介護サービスを受ける場合、原則として費用の１割を負担しなければなりません。ただし、年収が一定以上ある場合には、２割、または３割の自己負担が必要になります。

保険者（市町村）は、住民にとっての総合相談窓口であり、また介護サービス事業者にとっては、利用者に関することや介護保険法令に疑問が生じたときに相談できる窓口ともなっています。

介護保険制度のしくみ

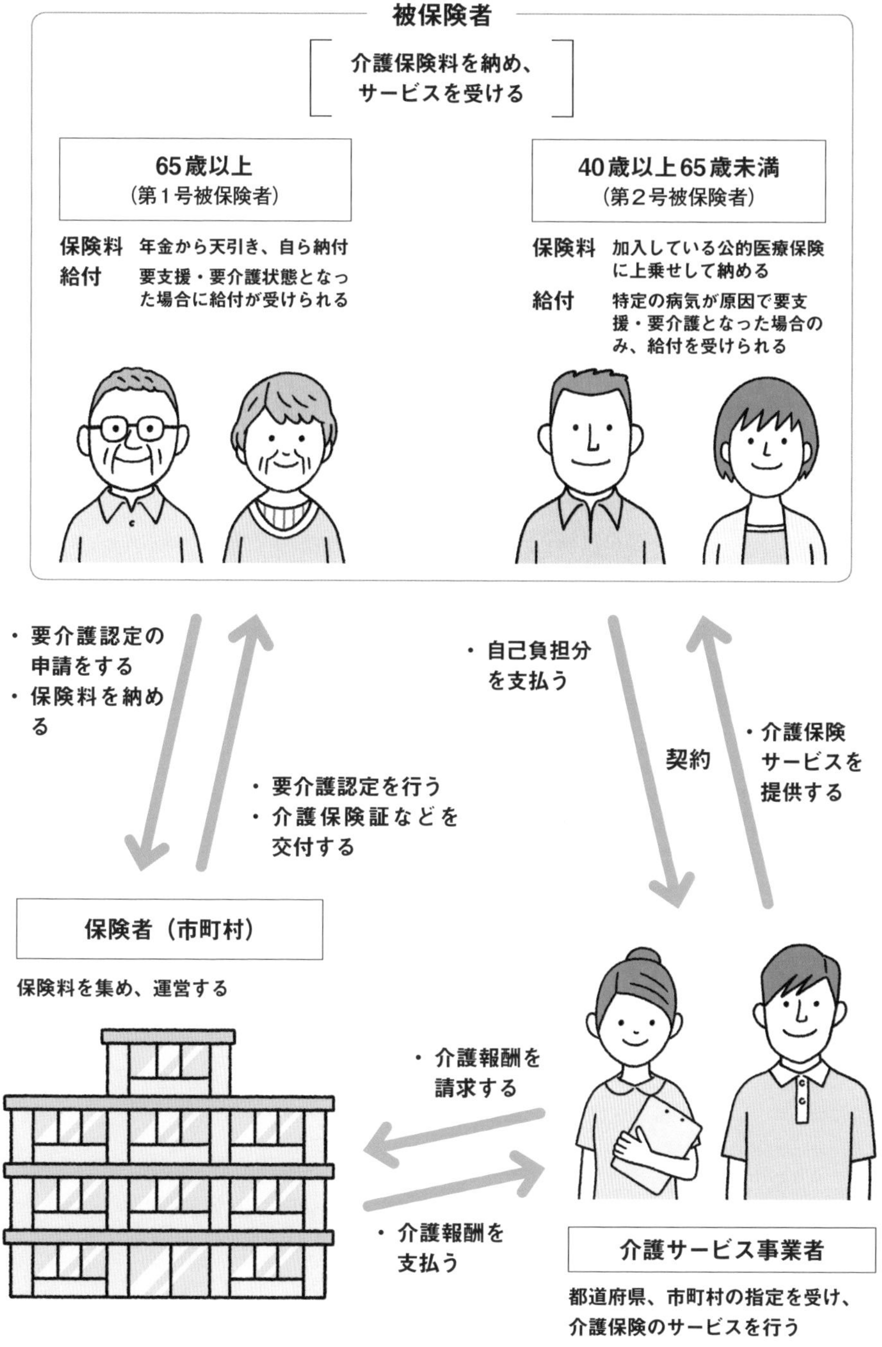
被保険者
介護保険料を納め、
サービスを受ける
65歳以上
（第1号被保険者）
保険料　年金から天引き、自ら納付
給付　要支援・要介護状態となった場合に給付が受けられる
40歳以上65歳未満
（第2号被保険者）
保険料　加入している公的医療保険に上乗せして納める
給付　特定の病気が原因で要支援・要介護となった場合のみ、給付を受けられる
・要介護認定の申請をする
・保険料を納める
・要介護認定を行う
・介護保険証などを交付する
・自己負担分を支払う
契約
・介護保険サービスを提供する
保険者（市町村）
保険料を集め、運営する
・介護報酬を請求する
・介護報酬を支払う
介護サービス事業者
都道府県、市町村の指定を受け、
介護保険のサービスを行う

Chapter2
03

介護保険は保険料と税金で賄われる

介護保険制度では、利用者の負担を少なくするために、その費用を第1号被保険者、第2号被保険者の「保険料」と、国、都道府県、市町村が負担する「公費」で賄っています。

介護保険の財源は保険料と税金

介護保険制度は、国民健康保険や国民年金などと同じ公的保険です。保険は国民から集めたお金（保険料）をもとに共有の財源をつくり、介護が必要となったときに、その財源からお金を給付する「相互扶助」のしくみです。

介護保険の財源は、50％が公費で、残りの50％は65歳以上および40～64歳の人が負担する保険料で構成されています。公費は国、都道府県、市町村がそれぞれ負担していますが、市町村間には財政力に差があるため国が調整交付金として5％を負担しています。2022年度に介護保険にかかった介護費用（公費と保険料、利用者負担の総額）は11兆円を超えています。介護保険ビジネスの市場規模はこの金額を示すことが一般的です。また、この金額は要介護高齢者の増加とともに増えていきます。

公費
介護保険の公費とは「国＋都道府県＋市町村」の税金。

第1号被保険者の保険料の金額は市町村が決める

第1号被保険者（65歳以上）の保険料は、それぞれの市町村が条例によって定めるため、その額は市町村ごとに異なります。さらに、所得に応じて、原則13段階の保険料率が課せられます。保険料の徴収は年金から天引きされる方法（特別徴収）と納入通知書で郵便局やコンビニエンスストアで自ら納付する方法（普通徴収）があります。

第2号被保険者（40歳～64歳で医療保険加入者）の介護保険料は満40歳に達したときから徴収が始まります。保険料は医療保険者ごとに異なり、医療保険の保険料と一緒に徴収されます。第2号被保険者は、満65歳に達すると、第1号被保険者となるため、市町村より保険料が徴収されるようになります。

医療保険者
医療保険を運営する団体・組織。国民健康保険では市町村または各国保組合。企業などの場合は、健康保険組合、全国健康保険協会、共済組合などがある。

介護保険の財源構成

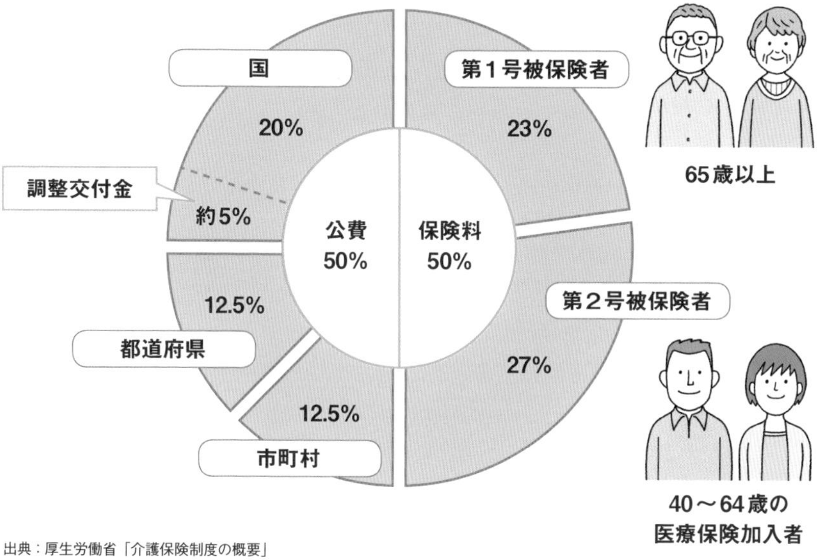

出典：厚生労働省「介護保険制度の概要」

第1号被保険者の保険料の2つの徴収方法

第2号被保険者の保険料の徴収方法

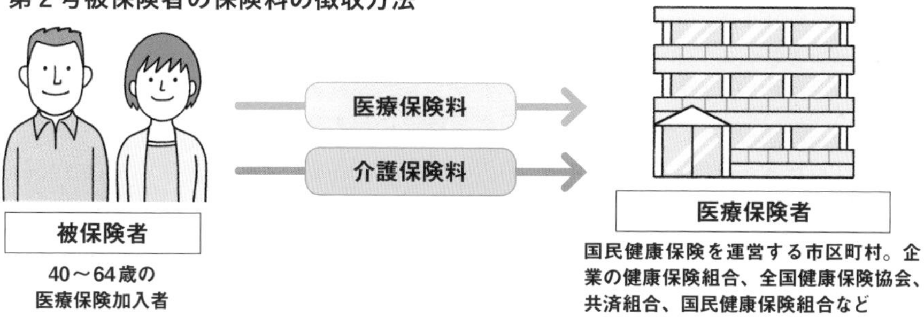

Chapter2
04

要介護認定の流れ

介護が必要になってサービスを利用するためには、要介護認定を受けなければなりません。要介護には1から5、要支援には1と2があり、介護認定審査会の判定をもとに必要なサービスを受けることができるようになります。

要介護認定のしくみ

被保険者が介護サービスを利用するためには、介護サービスの必要度を判断する要介護認定を受ける必要があります。要介護認定はどのくらい介護サービスを行う必要があるかの必要性を量る「ものさし」であり、その人の病気の重さと介護度の高さは必ずしも一致しません。被保険者が要介護認定を受けるためには、保険者に要介護認定の申請を行います。保険者は、被保険者から認定申請があると、「**認定調査**」と「**主治医の意見書**」による1次判定を行います。1次判定の結果を踏まえ、保険者は「**介護認定審査会**」に2次判定を委託します。介護認定審査会は、審査・判定結果を保険者に通知します。保険者は認定の決定を行い、被保険者に通知します。要介護にも要支援にも該当しない（非該当／自立）場合にも、審査の結果を被保険者に通知します。

要支援・要介護度の決定と通知

要介護認定の結果、要支援の場合は「要支援1・2」、要介護の場合には「要介護1～5」の認定がされます。そして、要支援の場合には介護予防サービス、要介護の場合には介護サービスを受けることができます。また、非該当になった場合でも市町村が実施する介護予防・日常生活支援総合事業（総合事業）のサービス（P.52参照）を受けることができます。

要介護・要支援認定結果には有効期間があり、サービスを継続するためには期間内に更新申請が必要です。初めて認定申請を行い、要支援・要介護となった場合は原則6か月に一度認定を受け、継続更新では原則12か月ごとの申請となっています。なお、2021年の改正で更新の有効期間が最大48か月になりました。

認定調査
全国共通の調査票を用いて、市町村の職員などが被保険者と面接する調査。訪問調査ともいう。

主治医の意見書
被保険者の主治医が記載する医学的な意見の記載された書類。

介護認定審査会
保健・医療・福祉の専門家で構成された要介護認定などの審査・判定を行う機関。

要介護認定
介護の必要程度を7区分し、「要支援1・2」は日常生活を営むのに支障があると見込まれる状態、「要介護1～5」は継続して常時介護を必要とする状態と認定すること。

要介護認定の流れ

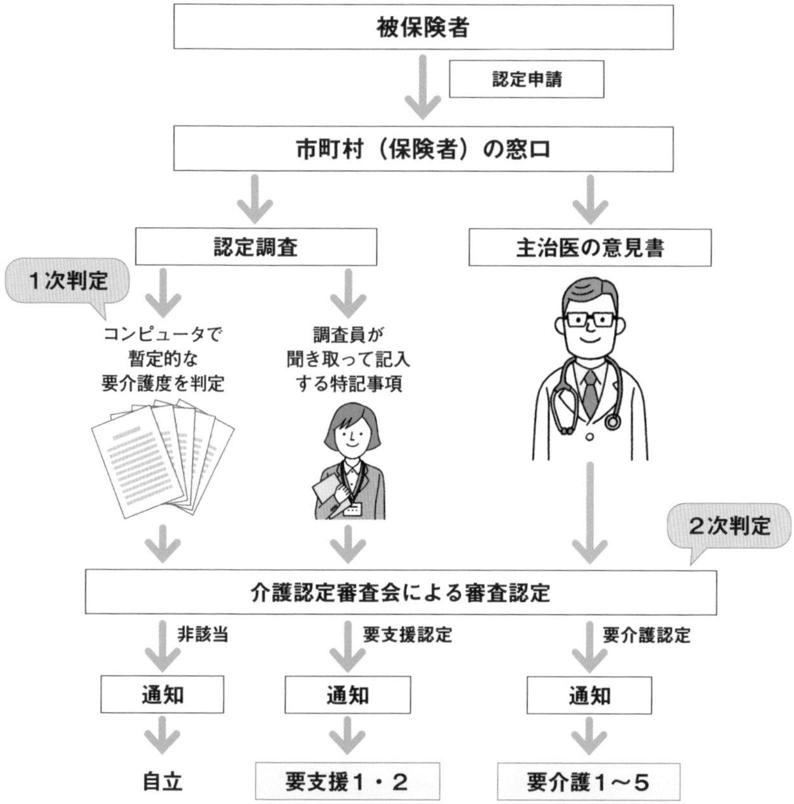

要介護認定の有効期間

申請区分		原則の認定有効期間	延長可能な認定有効期間
新規申請		6か月	3か月～12か月
区分変更申請		6か月	3か月～12か月
更新申請	要支援→要支援	12か月	3か月～48か月※
	要支援→要介護	12か月	3か月～36か月
	要介護→要支援	12か月	3か月～36か月
	要介護→要介護	12か月	3か月～48か月※

※2021年4月改正

出典：厚生労働省　介護保険最新情報「老人福祉法施行規則等の一部を改正する省令の交付について」（令和3年2月26日）

Chapter2
05

介護保険サービスの種類

多岐にわたる介護保険のサービス

介護保険サービスには大きく分けて、居宅サービス、施設サービス、地域密着型サービスの３つの種類があります。要介護認定を受けると、介護保険を利用して様々なサービスを受けることができます。

介護保険サービスは大きく３つに分類できる

介護保険サービスには様々な種類があり、大きく「居宅サービス」「施設サービス」「地域密着型サービス」の3つに分けることができます。

「居宅サービス」は自宅で生活する人を対象とし、介護を必要とする日常生活の支援を提供します。一方、「施設サービス」は**介護保険施設**に入所している人が利用するサービスで、原則として要介護者のみが対象です。要支援者のサービスはありません。「地域密着型サービス」は、住み慣れた自宅や地域で暮らし続けるための支援を目的としています。

介護保険施設
介護保険法において介護保険施設は、
①介護老人福祉施設
②介護老人保健施設
③介護医療院
を指す。

福祉系サービスと医療系サービス

介護保険サービスは、サービス内容によって「福祉系サービス」と「医療系サービス」があります。このうち福祉系サービスは介護サービスを指します。

医療系サービスには、「居宅サービス」、看護職員が居宅を訪問する「訪問看護」のほか、「通所リハビリテーション（デイケア）」、「居宅療養管理指導」などがあります。医療系の「施設サービス」には、「介護老人保健施設」や「介護医療院」があり、施設内で介護サービスとともに日常的な医療サービスが提供されます。介護保険法における医療サービスは、介護の必要性に対応する医療サービスになります。よって、介護老人保健施設や介護医療院に入所している要介護者が手術などの**急性期医療**が必要になった場合には医療保険からの給付を受けることとなります。医療保険と介護保険では保険の適用範囲が決められており、このことを「医療保険と介護保険の給付調整」といいます。

急性期医療
症状が急に現れる時期の医療。症状に応じて検査や処置、手術を行う。症状は経過時期や必要とされる処置内容に応じて回復期、慢性期、終末期などに分けられる。

介護保険サービスの例

居宅サービス

サービスの種類	福祉系サービス	医療系サービス
在宅で受ける サービス	訪問介護 訪問入浴介護 福祉用具貸与 福祉用具販売	訪問看護 訪問リハビリ テーション
通う サービス	通所介護	通所リハビリ テーション
泊まる サービス	短期入所生活介護	短期入所療養介護
健康管理や 指導を行う	—	居宅療養管理指導
ケアプラン 作成	居宅介護支援	
入居する サービス	特定施設入居者 生活介護	—

施設サービス（要介護者のみ）

福祉系サービス	医療系サービス
介護老人福祉施設 （特別養護老人ホーム）	介護老人保健施設 介護医療院

地域密着型サービス

サービスの種類	サービス名
在宅で受ける サービス	夜間対応型訪問介護 定期巡回・随時対応型訪問介護看護
在宅＋通い＋ 泊り	小規模多機能型居宅介護 看護小規模多機能型居宅介護
通いサービス	地域密着型通所介護 認知症対応型通所介護
入所・入居 サービス	地域密着型介護老人福祉施設入所者生活介護 認知症対応型共同生活介護（グループホーム） 地域密着型特定施設入居者生活介護

Chapter2
06

ケアプランとケアマネジャー

ケアプランは介護サービス計画書といい、介護保険サービスなどの利用についての方針を定めた計画書のことです。ケアマネジャーは、利用者や家族の希望を聞き、適切なサービスを選択したケアプランをつくります。

ケアプランは介護の計画書

介護保険サービスはケアプランをもとに実施されます。ケアプランは「介護サービス計画書」ともいわれ、居宅サービスを利用する場合も、施設サービスを利用する場合もこの計画に基づいてサービスが提供されます。

ケアプランの作成はケアマネジャーが行います。ケアマネジャーはケアプランを作成するために、利用者の心身の状態や本人・家族の希望などを把握します。これらの情報に基づいて、利用者本人の目標を設定するとともに、適切なサービスを提供できるようにします。

ケアマネジャーとは

ケアマネジャーの正式名称は「介護支援専門員」であり、介護保険法に位置付けられた公的資格です。ケアマネジャーになるためには一定の**実務経験**を積んだうえで試験に合格する必要があり、2023年までに全国で約75万人が合格しています。職種別に見ると、介護福祉士が33万7千人、看護師及び准看護師が17万6千人であり、介護福祉士の資格を持つケアマネジャーが全合格者の約44％を占めています。ケアマネジャーは医療、福祉、介護分野の有資格者が取得する資格のため、多岐にわたる専門性と得意分野を持っています。特色ある介護事業を展開するためには、これらケアマネジャーの特性を理解し活用することが重要です。例えば、看護師資格を持つケアマネジャーを採用し、「看取りケア」に特化した事業所を開設することで、他社との差別化を図ることも可能です。

実務経験
医師、看護師、社会福祉士、介護福祉士、精神保健福祉士または生活相談員・支援相談員として5年以上かつ900日以上の実務経験が必要。

ケアプラン作成の流れ

ケアマネジャーの受験資格と資格取得の流れ

5年以上の実務経験 → 介護支援専門員実務研修受講試験 → 介護支援専門員実務研修 → 介護支援専門員証の交付

福祉・介護系資格保持者

社会福祉士、介護福祉士、精神保健福祉士、栄養士など

医療系資格保持者

保健師、看護師、理学療法士、作業療法士、歯科衛生士、言語聴覚士、柔道整復師など

支給限度基準額とは

サービスを利用できる限度

居宅サービスの給付は支給限度基準額という上限が設けられています。この基準額内で利用されたサービスについては保険からの給付が行われますが、これを超えた分は全額自己負担になるというしくみです。

支給限度基準額とは

介護保険では、居宅サービスを利用する場合、要介護状態区分（要支援1・2、要介護1〜5）に応じて上限額である「区分支給限度基準額」が決められています。上限額の範囲内でサービスを利用する場合は、利用者負担は所得に応じて1割〜3割ですが、上限を超えてサービスを利用した場合には、超えた分は全額利用者の負担となります。ただし、居宅介護支援、居宅療養管理指導、施設サービス（ショートステイ利用を除く）など区分支給限度額に含まれないサービスもあります。また、特定福祉用具購入費の支給限度基準額は1年度あたり10万円、住宅改修費では1住宅あたり20万円の支給限度基準額が設けられています。

区分支給限度基準額と囲い込み問題

介護保険ビジネスにおいて、利用者が多くのサービスを利用するほど事業者の売上は増加します。利用者は区分支給限度額内であれば、1〜3割の自己負担で介護サービスを利用できるため、サービスの利用促進は事業者にとって利益につながります。しかし、介護保険は公的保険であるため、サービスの供給量が増えると、国の財政負担も増大します。特に、従来から「住宅型有料老人ホーム」や「サービス付き高齢者向け住宅」などで、特定の事業者が同一建物内の高齢者に対して集中的にサービスを提供することによる「囲い込み」問題が指摘されています。これは事業者が売上拡大を目的として、区分支給限度額の上限まで介護サービスを利用させる行為を指します。国は2024年の介護報酬改定において、集合住宅での囲い込み問題に対する介護報酬の減算をさらに強化し、問題の抑制を図ろうとしています。

福祉用具
介護保険では福祉用具貸与として13種類の福祉用具をレンタル、特定福祉用具として6種類を購入できるよう指定している（P.79参照）。

支給限度基準額
①区分、②福祉用具購入、③住宅改修費、④種類の4つの基準がある。④は利用できるサービスの種類のこと。

住宅改修
介護保険では、利用者が住み慣れた自宅で生活が続けられるように、手すりの取り付けや段差の解消などのために必要な改修費用を支給すること。

居宅サービスの区分支給限度基準額

1か月に使える上限額	
要支援1	50,320円
要支援2	105,310円
要介護1	167,650円
要介護2	197,050円
要介護3	270,480円
要介護4	309,380円
要介護5	362,170円

※10円で計算

特定福祉用具購入費の支給限度基準額
…1事業年度あたり10万円の上限額

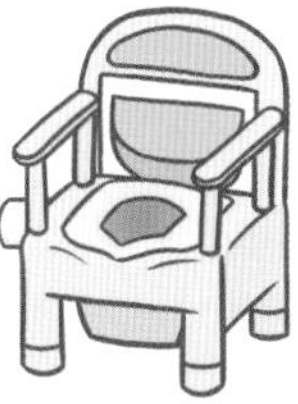

ポータブルトイレ

簡易浴槽など

住宅改修費の支給限度基準額
…1住宅あたり20万円の上限額

サービス付き高齢者向け住宅などにおける適正なサービスの提供

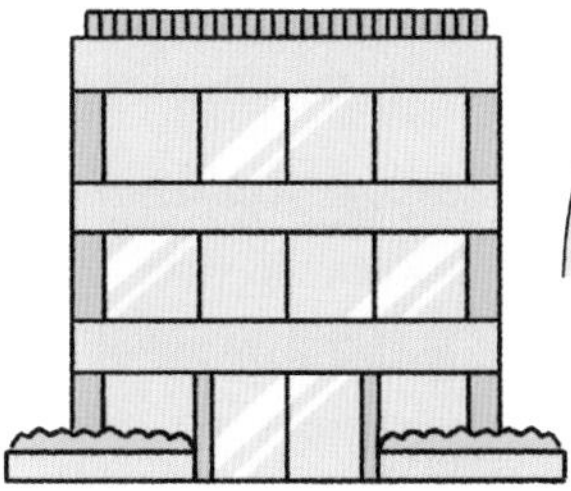

・サービス付き高齢者向け住宅
・住宅型有料老人ホーム　など

介護サービスとお金

介護保険制度では、被保険者は保険料を払い、介護が必要になった際にサービスを利用します。サービスを提供した介護サービス事業者は保険者に介護サービスを提供した費用を請求し、保険者は報酬を支払います。

介護保険のお金の流れ

介護保険制度において、被保険者は毎月保険料を支払い、介護が必要になった際にサービスを利用します。サービス利用時、利用者（被保険者）は介護費用の一部を自己負担として支払います（所得に応じて１割、２割、または３割）。介護サービス事業者は、サービス提供後、毎月保険者と利用者（被保険者）に対し費用を請求します。保険者への請求は「**国民健康保険団体連合会（国保連）**」を通じて行われ、この団体は各都道府県に設置されており、市町村からの委託を受けて介護サービス費の審査と支払いを行います。このプロセスは介護保険請求業務またはレセプト業務と呼ばれ、介護サービス事業者の請求業務を指します。

国民健康保険団体連合会（国保連）
介護保険や医療保険などの保険給付のチェック、支払いなどを行う公的機関。

利用者負担の増大と未収金問題の顕在化

介護保険制度の改正ごとに、被保険者の保険料負担とサービス利用時の自己負担割合が増加しています。

利用者の負担増加は、事業者にとってサービス利用の控えや未収金、滞納リスクを増大させ、経営に悪影響を及ぼす可能性があります。介護保険ビジネスは主に介護保険からの報酬で成り立っているため、表面上は安定して見えますが、未収金問題が事業リスクを招いています。特に居住系サービスでは部屋代、光熱費、食費、日用品費が全額自己負担となり、その総額が大きくなりがちです。すでにこの問題は医療分野では「**医療費個人未回収金**」として顕在化しており、多くの病院が債権回収業者に代金回収を委託しています。未収金の確実な回収は今後も介護サービス事業所にとって重要な課題となります。

医療費個人未回収金
医療を受けた患者が支払う自己負担分の内、病院が回収困難とした医療費。払わない、払えないなどの理由がある。

介護保険のお金の流れ

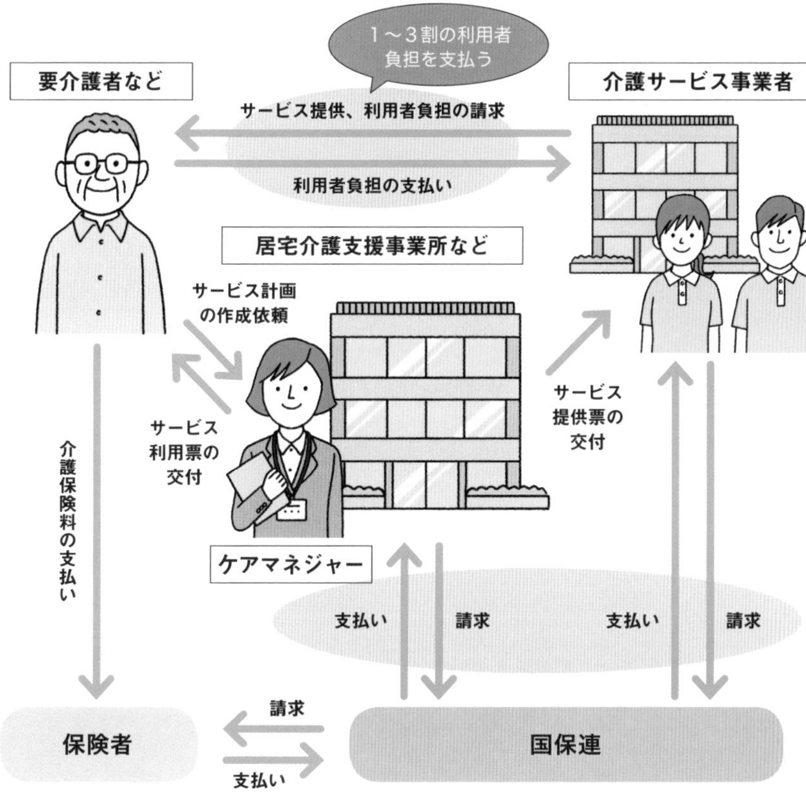

第1号被保険者（65歳以上）が支払う月額介護保険料推移（全国平均）

出典：厚生労働省資料をもとに作成
注：基準保険料の平均。所得や居住市町村で実際の負担は異なる。

介護報酬とは

国が３年ごとに決めているサービスの値段

介護サービスの値段は介護サービス事業者が決めるのではなく、国がサービスごとに「介護報酬」として決めます。介護報酬は通常３年ごとに改定があり、介護サービス事業者にとっては経営に影響する関心事です。

国が3年ごとに改定する介護報酬とは

介護報酬とは、介護保険が適用される介護サービスを提供した事業所・施設にサービスの対価として介護保険から支払われる費用の**公定価格**のことをいいます。この介護報酬は通常３年ごとに社会や経済の変化に適応し介護保険制度を持続可能なものにする目的で見直しが行われます。このことを「介護報酬改定」といいます。改定は「基本報酬」の引き上げや引き下げ、加算や減算の調整、新設、強化などが含まれます。国は強化すべきサービスや参入事業者が少ない分野では報酬の引き上げを行うといった政策誘導を行います。

介護報酬の額は**社会保障審議会介護給付費分科会**の意見を参考に、厚生労働大臣が決定します。介護報酬は１単位＝10円を基本として地域別給付単位（点数）で設定され、サービスの種類、提供体制、事業所の地域、利用者の人数に応じて加算や減算が適用されます。

公定価格
P.24参照。

社会保障審議会介護給付費分科会
厚生労働省に設置されている審議会のひとつ。厚生労働大臣の諮問に応じて、介護報酬の調査審議などをする。

2024年度介護報酬改定

介護報酬の改定率は、制度改正ごとに財政支出を抑えたい財務省が国民負担の軽減と社会保障の持続性を理由に引き下げを主張し、それに対して介護サービスの充実と介護サービス事業者の安定経営を目指す厚生労働省との間で綱引きが行われています。

2024年度の介護報酬改定率は1.59％のプラス改定となり、この中で介護職員の処遇改善に0.98％、その他の改定に0.61％が割り当てられました。これにより、2024年度に2.5％、2025年度に2.0％の介護職員のベースアップの実現を目指しています。

介護報酬の改定率
3年ごとの介護報酬改定で生じる上げ幅・下げ幅。

介護報酬の計算例

例：訪問介護の身体介護と生活援助を「その他」の地域で２回提供した場合

身体介護	生活援助
20分以上30分未満 244単位	20分以上45分未満 179単位

身体介護		生活援助								(収入)
介護報酬単位	＋	介護報酬	×	※地域・人件費割合単価	×	利用回数	＝	介護報酬
244単位		179単位		10円		2回		8,460円

※地域・人件費割合単価（行うサービスと事業所の所在地で異なる）

通所介護 特定施設入居者生活介護 地域密着型通所介護 認知症対応型共同生活介護 介護保険施設　等	1級地	10.90円	訪問介護 訪問看護 居宅介護支援　等	1級地	11.40円
	2級地	10.72円		2級地	11.12円
	3級地	10.68円		3級地	11.05円
	4級地	10.54円		4級地	10.84円
	5級地	10.45円		5級地	10.70円
	6級地	10.27円		6級地	10.42円
	7級地	10.14円		7級地	10.21円
	その他	10円		その他	10円

地域区分の例

1級地	2級地	3級地	4級地	5級地	6級地	7級地
東京23区	横浜市	さいたま市	志木市	水戸市	仙台市	札幌市
	川崎市	千葉市	立川市	京都市	岐阜市	新潟市
	大阪市 等	名古屋市 等	神戸市 等	福岡市 等	和歌山市 等	長崎市 等

出典：介護保険事務処理システム変更に係る参考資料（確定版）（令和６年３月28日事務連絡）

介護報酬の改定率の推移（2003年～2024年）

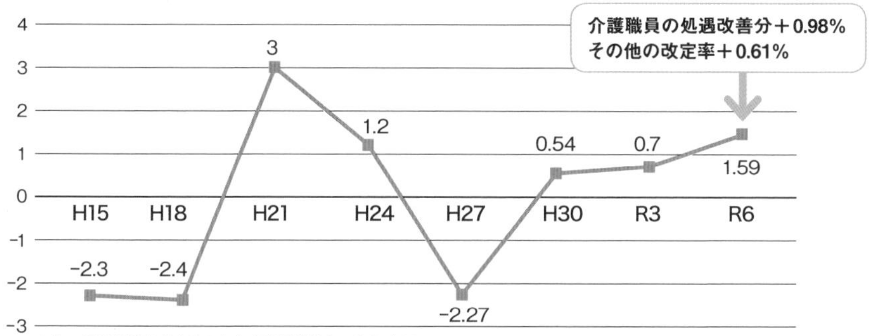

出典：厚生労働省「令和６年度介護報酬改定の主な事項について」

Chapter2
10

介護保険制度における介護サービス事業者とは

事業者が介護保険の「指定介護サービス事業者」としてサービスを提供するためには、都道府県・市町村からサービスの種類ごとに事業者指定を受けなければなりません。

介護サービス事業者の指定基準とは

介護保険法令に則ってサービスを提供する事業者のことを指定介護サービス事業者と呼びます。介護保険制度では、介護サービスの質を担保するために、サービスの種類ごとに一定の基準（指定基準）を定めています。基準には、国が法令で定めるものと、市町村が条例で定めるものがあります。指定事業者になるためには、法人格を有し、人員基準、設備基準、運営基準、そして過去5年以内に介護サービス事業者としての取り消し処分を受けていないなどの要件を満たしたうえで、都道府県・市町村からの指定を受けます。また、指定には6年間の有効期限があり、有効期限内に更新する必要があります。

指定基準と行政権限

指定基準は、介護サービス事業者がそれぞれの目的を達成するために必要な最低限度の水準を定めたものです。「人員基準」は、従業者の知識・技能・人数に関するものです。「設備基準」は事業所に必要な設備についての基準であり、サービスに必要な設備、面積、専用区画などが定められています。「運営基準」は利用者への説明やサービス提供の記録など、サービスを運営していくための責務が定められています。

指定を受けることは、事業運営に際して指定権者（都道府県・市町村）からの規制を受けることも意味します。指定権者は、介護サービス事業者に対して指導や監査などを行い、不正請求や基準違反などが発覚した場合には、業務改善勧告、業務改善命令、指定取り消しなどの処分を行います。

不正請求
サービス提供がないのに請求する架空請求、加算の要件を満たしていないのに加算請求などをすること。

基準違反
介護職員や看護職員の必要な人員数を満たしていない、サービス計画書の不備など。

介護保険の指定介護サービス事業者になるには

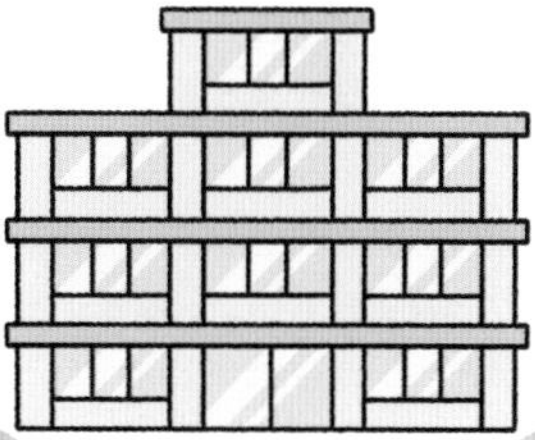

都道府県または市町村（指定権者）

指定・開設許可 → 指定 → 指定介護サービス事業者

指導・監査 → 行政処分など → 指定介護サービス事業者

指定介護サービス事業者

公共団体	営利法人	NPO法人
医療法人	社会福祉法人	一般社団法人

介護サービス事業者の3つの指定基準

基準名	内容	例
人員基準	・配置すべき職員の最低人数 ・介護資格の有無 ・常勤・非常勤などの勤務形態	
設備基準	・設備、備品 ・面積、廊下幅 ・専用区画	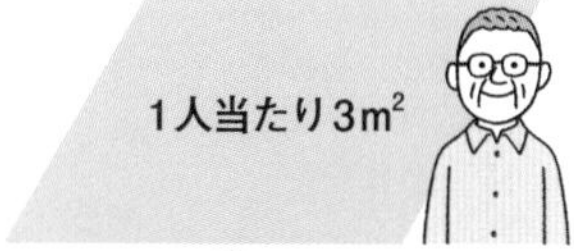
運営基準	・運営に関わる義務 ・ケアプラン作成の留意事項 ・勤務体制　など	

総合的な地域の相談拠点

Chapter2
11

地域包括支援センターとは

地域包括支援センターは、市町村の「日常生活圏域」ごとに設置された高齢福祉の相談窓口です。地域に住む高齢者の様々な問題に対応するため、保健・医療・介護の専門職が配置されています。

地域包括支援センターとは

地域包括支援センター（以下：センター）は、市町村により設置された地域住民・高齢者の総合的な相談・サービスの拠点（施設）のことです。センターは市町村の「**日常生活圏域**」ごとにひとつ以上設置されていることが望ましいとされています。

センターが行う業務内容は、**介護予防・日常生活支援総合事業（総合事業）**や要支援者の介護予防ケアプランの作成を行う「介護予防支援事業」です。さらに、医療と介護の連携事業や、認知症施策の推進事業など、その業務は多岐にわたります。センターには保健師、社会福祉士、主任介護支援専門員などの専門職種の配置が法令で定められています。

地域包括支援センターの公募と運営委託

地域包括支援センターはすべての市町村に設置されており、厚生労働省の2023年の調査によれば、全国に**ブランチ**を含め7,397箇所のセンターがあります。そのうち市町村の直営が約20%、委託による運営が約80%を占めています。この施設は市町村が設置主体であり、市町村から委託を受けた社会福祉法人、社会福祉協議会、医療法人、民間営利法人なども運営が可能です。市町村はセンターを設置するにあたり、日常生活圏域ごとに設置区域を指定し公募を行います。運営を希望する事業者は、市町村が提供する公募情報を確認する必要があります。

センターの運営委託には「運営業務委託」や「**指定管理者制度**」といった方式があり、年間の委託費用は市町村によって異なります。委託費用は、職員の人数に基づく人件費や、該当圏域内の高齢者数に応じた事務費などを加味して算出されます。

日常生活圏域
市町村介護保険計画において、地理的条件、人口、交通事情などを勘案して定める区域。国ではおおむね30分以内に必要なサービスが提供される区域としている。

介護予防・日常生活支援総合事業（総合事業）
全国一律の介護保険サービスではなく、市町村にて要支援と認定された人などが利用できるサービス。65歳以上のすべての人が利用できるサービスもある。

ブランチ
地域包括支援センターと連携し、高齢者とその家族の介護や福祉などの相談にのる窓口。

指定管理者制度
運営を包括的に任され多くの裁量権が与えられる制度。ある程度仕様は決まっているものの、独自の工夫をした運営ができる。

地域包括支援センターの職員と業務

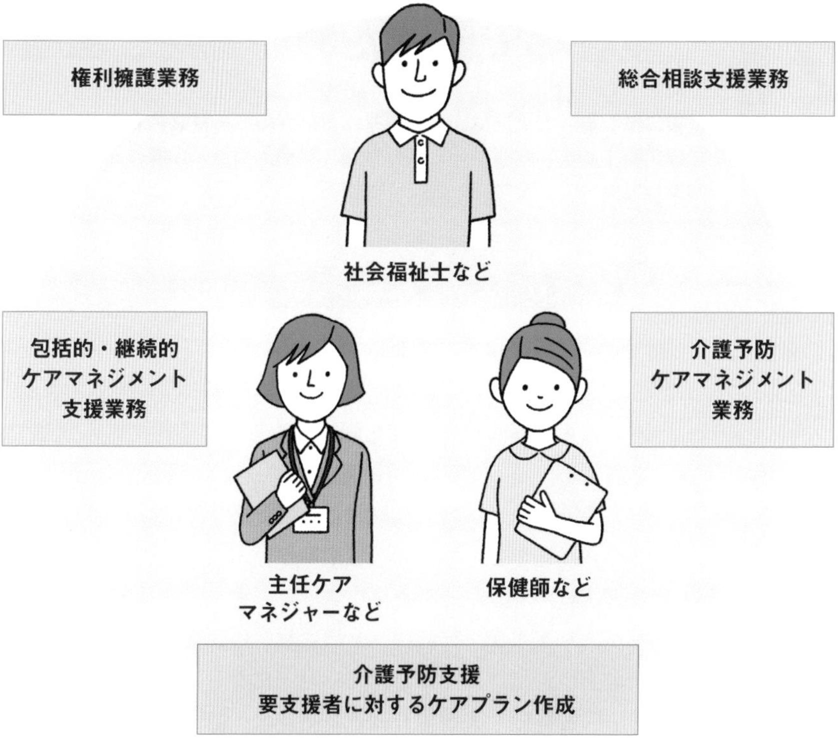

地域包括支援センターの委託の状況（2023年4月末現在）

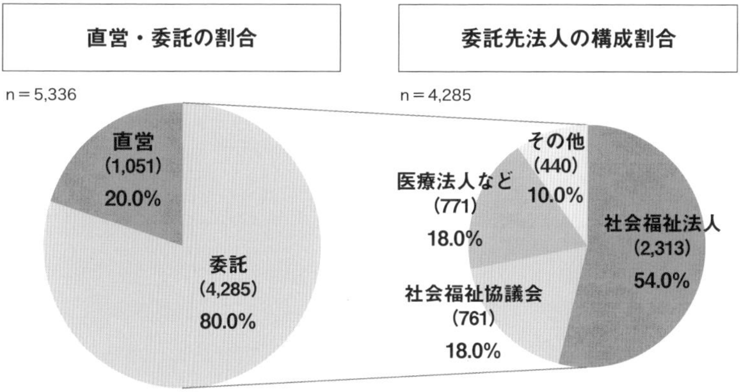

出典：厚生労働省HP「地域包括支援センターの概要」

Chapter2
12

介護現場で働くための資格と職種

介護に関わるスタッフは、介護福祉士という国家資格保持者以外にも様々な職種があります。介護サービスは保健・医療・福祉・介護に関わる多職種が協働して働いています。

介護分野での資格について

介護分野には多種多様な資格があります。「介護職員初任者研修」は、介護の現場で働くための基本的な入門資格で、厚生労働省の指定に基づいた研修を修了することで取得できる資格です。さらなるキャリアアップを目指す場合は、「実務者研修」を修了して介護福祉士国家試験に臨む必要があります。

介護福祉士は、主に高齢者や障がい者の日常生活をサポートする国家資格です。この資格は**名称独占**型で、資格名の使用には制限がありますが、**業務独占**とはされていません。また、介護福祉士の上位資格である**認定介護福祉士**になるためには、職能団体である一般社団法人認定介護福祉士認証・認定機構の認定介護福祉士養成研修を受講・修了する必要があります。

相談援助と医療系職種の資格について

一方、相談援助に関わる資格には、ケアマネジャー（介護支援専門員）、社会福祉士、精神保健福祉士などがあります。医療系職種では、医師や看護職員のほかに理学療法士、作業療法士、言語聴覚士が活動しています。介護保険施設などでは、これらの職種に加えて薬剤師や管理栄養士なども配置されています。介護サービスにおける職員の配置は、提供されるサービスの種類や定員規模に応じて、厚生労働省が定める「指定居宅サービス等の事業の人員、設備及び運営に関する基準」（人員基準）などに基づいて定められています。以前は無資格者であっても介護現場で働くことが可能でしたが、2024年４月から医療・福祉関係の資格を持っていない人に対する「**認知症介護基礎研修**（６時間）」の受講が義務化されました。

名称独占
有資格者以外に名称を名乗ることを認められていない資格。社会福祉士、介護福祉士、保育士、栄養士など。

業務独占
国家資格で、その資格を有する者でなければ携わることを禁じられている業務を独占的に行うことができる資格。医師、弁護士など。

認定介護福祉士
現在の介護職の資格のなかで最上位の資格。専門的な介護技術を実践することはもちろん、現場のリーダークラスへの指導や管理、地域住民やボランティアなど地域の介護力向上のための実践も行う。

認知症介護基礎研修
認知症介護の基本を学ぶための研修。

介護に関する資格など

研修・資格	研修時間数（指定機関）	未経験者の受講	内容	介護保険法上サービス従事（訪問介護含む）
認定介護福祉士	職能団体	介護福祉士の実務経験５年以上など	介護福祉士の上位資格	◎ すべて可能
介護福祉士	国家資格	実務経験３年（受験要件）	介護職員としてスキルアップするための目標となる国家資格。資格手当などの対象となる資格。	◎ すべて可能
介護福祉士実務者研修	450時間（都道府県）	○	介護福祉士となるための必修研修。基本から実践的な知識・技術を演習などで習得。	◎ すべて可能
介護職員初任者研修	130時間（都道府県）	○	介護職員として働くうえで基本となる知識・技術を習得（旧ヘルパー２級相当）。	◎ すべて可能
生活援助従事者研修	59時間（都道府県）	○	生活援助中心型のサービスに従事する方に必要な知識などを習得することを目的として行われる研修。	○ 訪問介護は生活援助中心型のみ
入門的研修	21時間（都道府県）	○	介護分野への参入のきっかけとなる研修。訪問介護員として従事はできない。	× 施設系介護のみ○

介護現場で働く職種の例

現場関連

- 介護職員
- 看護職員
- 管理栄養士など

相談援助関連

- 介護支援専門員（ケアマネジャー）
- 生活相談員
- 支援相談員

リハビリ関連

- 理学療法士（PT）
- 作業療法士（OT）
- 言語聴覚士（ST）

事務／管理職関連

- 施設長
- 管理職／リーダー
- 事務職員など

出典：厚生労働省HP、介護労働安定センターHP、認定介護福祉士認証・認定機構HPをもとに筆者作成

COLUMN 2

技能としての「介護の心」

介護の専門性とは、共感を持って要支援者の日常生活遂行能力レベルに合わせて介入し、支援する技能のことを指す。

しかし、こうした介護の技能や専門性の存在は世間であまり知られていないようだ。

ひとつには、日常生活を行えるようにすることがあまりにも当たり前に思えるからであり、もうひとつは、その対象が、誰もがいずれはなる「高齢者」だからだろう。

しかし、介護現場では心身の機能が低下している要介護者への一見「技術」とは思われないような「態度」や「姿勢」そのものが技能となる。つまり、介護は肉体労働であると同時に「介護の心」を必要とする労働であり、「感情労働」あるいは「気づきの労働」ともいえる。

「介護の心」もまた、介護職の人格の問題ではなく、職業としての社会的な役割の遂行であり、技能といえる。そのため、介護職が発する言葉や笑顔も自覚的に行われる「技術」であることが理解されるのが望ましい。

しかし、この役割遂行が技能であることがなかなか受け入れられない。「介護の心」は本心からのものでなくてはならないと思いこまれているからだ。

だが、介護はすでに社会的労働として定着し、多くの雇用が期待されている分野でもある。介護は「愛と奉仕の精神を持った人」でなくてはならないとする倫理の強制は志のある若い介護職たちを追い詰めることになりかねない。

外国人労働者が介護の担い手として期待されているが、労働倫理の異なる彼らにとって、人格と一体化された「介護の心」が求められるとすれば、異質なものとして映るだろう。だとすれば、外国人労働者の参入は介護の技能の定着の新たな契機になる。介護職の定着のためにも、介護の専門性が技能として、また、「介護の心」が社会的な技能として理解されることが必要である。

株式会社　日本生活介護
代表取締役社長　佐藤義夫

第3章

介護保険の「居宅サービス」の基礎知識

「居宅サービス」は、自宅で生活しながら利用できるサービスで、株式会社などの一般企業が参入できるものが多くあります。どのようなサービスがあるのか、どのようなしくみで行われているのか見ていきましょう。

Chapter3
01

自立するための計画を利用者とつくる「居宅介護支援（ケアマネジメント）」

要介護度が決まったら、「ケアプラン」をつくります。「居宅介護支援」は、利用者の自立をめざして、本人や家族の要望を聞きながら、受けたいサービスと提供する事業者を自分の意思で選ぶことができるように支援します。

居宅介護支援（ケアマネジメント）

居宅介護支援とは、要介護１～５の認定を受けた方が自宅で自立した生活を送るために、ケアマネジャー（介護支援専門員）が利用者の心身の状況、生活環境、および利用者・家族の希望を考慮してニーズに応じたケアプラン（居宅サービス計画）を作成し、介護サービス事業者との調整を行います。この一連のプロセスをケアマネジメントと呼びます。

一方、要支援１・２の方のケアマネジメントは「介護予防支援」と呼ばれ、地域包括支援センターが担当します。2024年度の介護保険制度改正により、居宅介護支援事業所も介護予防支援の指定を受け、業務を行うことが可能になりました。

ケアプラン
要介護となった利用者が自分の意思に基づいて、自立した生活を送れるよう利用者や家族のニーズを把握したうえで、どのようなサービスをどのくらい行うかを決める計画。居宅サービス、施設サービスの場合でも作成される。

地域包括支援センター
各市町村が設置主体となる介護・医療・保健・福祉の総合相談窓口。介護・保健・福祉の専門職が配置されている（P.52参照）。

利用者負担と居宅介護支援事業所

居宅介護支援事業所は、介護保険法令の基準に従い、公正かつ中立なサービス提案を行う義務があります。基準違反の場合、指定取り消しなどの処分があります。現在、居宅介護支援や介護予防支援の費用は介護保険から全額給付されるため、利用者の自己負担金はありません。しかし、要介護者の増加が予測される中で、利用者負担の導入についての議論が続いており、次期以降の制度改正で自己負担が導入される可能性が高まっています。一方、高齢化に伴って利用者数や給付費は増加を続けていますが、居宅介護支援事業所の数は2018年の約４万事業所をピークに減少しています。事業所数が減少している主な理由は、国が業務の効率化や生産性の向上を促すために、介護報酬において大規模化を誘導し、集約化されていることも理由に挙げられます。

居宅介護支援（ケアマネジメント）のしくみ

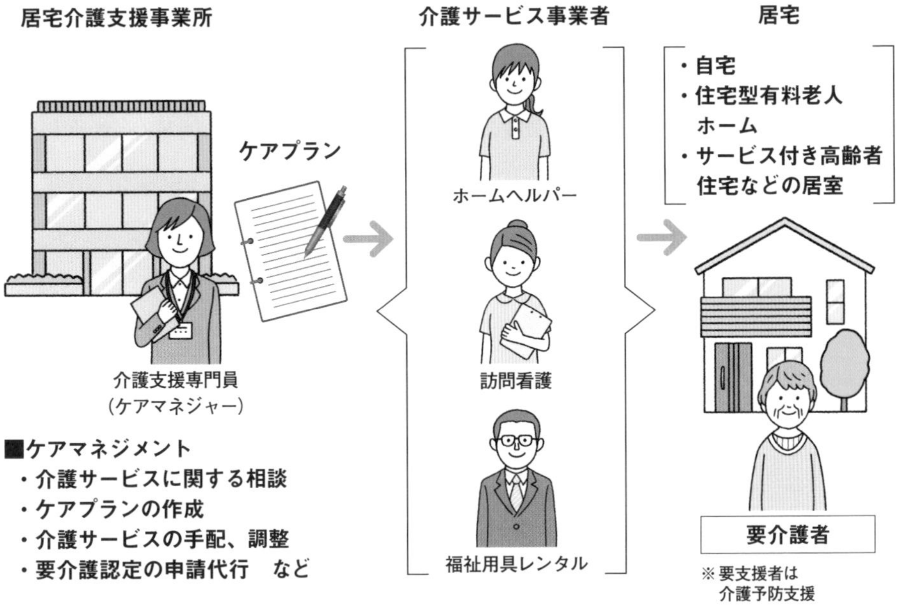

人員基準（主なもの）

	職種	人員・資格要件等
人員基準	管理者	１名・（常勤専従） 主任介護支援専門員※
	従事者	１名以上（常勤） 介護支援専門員

※主任介護支援専門員
介護支援専門員として５年以上の実務経験等一定の条件を満たし、主任介護支援専門員研修を修了した者

介護報酬（主なもの）
居宅介護支援費（1月につき）

（1）居宅介護支援費（Ⅰ）

利用者の数	要介護 １・２	要介護 ３・４・５
45件未満	10,860円	14,110円
45件以上 ～60件未満	5,440円	7,040円
60件以上	3,260円	4,220円

（2）居宅介護支援費（Ⅱ）※

利用者の数	要介護 １・２	要介護 ３・４・５
50件未満	10,860円	14,110円
50件以上 ～60件未満	5,270円	6,830円
60件以上	3,160円	4,100円

１単位＝10円で計算
※ケアプランデータ連携システムの活用または事務員の配置を行っている場合
出典：厚生労働省「令和６年厚生労働省告示第86号」

Chapter3
02

在宅介護の要となるサービス

訪問介護員（ホームヘルパー）が居宅を訪問する「訪問介護」

訪問介護は在宅介護の中心となるサービスです。訪問介護事業は要介護者へのケアの質をいかに維持し、限られた人員でより多くの利用者へのサービス提供を行えるかがポイントとなります。

在宅介護の要である訪問介護

訪問介護とは、訪問介護員（介護福祉士・介護福祉士実務者研修修了者・介護職員初任者研修修了者などの資格を持つ職員）が要介護者などの居宅を訪問し、身体介護（入浴・排泄・食事の介助など）や生活援助（調理・洗濯・掃除など日常生活の援助）を行うことです。身体介護には一定の研修を受けた介護職員ができる医療的ケア（痰の吸引・経管栄養）も含まれます。介護保険における生活援助は、要介護者が独居または同居家族に病気や障害があるなどの場合にのみサービスを提供できます。

さらに訪問介護には「通院等乗降介助」というサービスがあります。これは、要介護者が通院する際に訪問介護員などが運転する車両への乗り降りの介助と通院先での受診手続きなどの介護支援を行うものです。運賃は介護保険適用外となります。

居宅
住まい。介護保険法では、自宅のほか軽費老人ホームや有料老人ホームなどの居室も含む。

身体介護
身体に直接接触して行う入浴、排泄、食事に関する介護。自立生活支援、重度化予防のための見守りも含まれる。

訪問介護事業のポイント

訪問介護事業の売上は利用者数に比例します。このサービスは一人ひとり異なる疾病、生活環境に合わせたオーダーメード的なサービスを提供し、利用者の満足度を高めることが重要です。利用者の満足度が上がればリピート率も向上し、収益も安定します。訪問介護事業は他の介護サービスに比べ、設備投資などの初期投資が少なく開業できますが、訪問介護員不足により「継続することが難しい事業」ともいわれます。事業者にとっては、利用者獲得のための営業活動と同時に、訪問介護員に対して継続的に教育を行い、サービスの品質向上に努めていくことがポイントとなります。一方、2024年度の介護報酬改定において、訪問介護サービスの基本報酬が引き下げられた影響にも注視が必要です。

訪問介護のしくみ

訪問介護事業所
(ヘルパーステーション)

居宅

・自宅
・住宅型有料老人ホーム
・サービス付き高齢者向け住宅などの居室

■訪問介護員の要件
・介護福祉士
・実務者研修修了者
・初任者研修修了者　など

■利用者
要介護1～5
※要支援者は市町村の総合事業を利用

身体介護
●食事介助
●排泄介助
●入浴介助　など

生活援助
●調理
●洗濯
●掃除　など

通院等乗降介助
通院などのための乗車・降車の介助

人員基準（主なもの）

	職種	人員・資格要件等
人員基準	管理者	1名、資格要件なし
	訪問介護員	常勤換算2.5名 ※有資格者
	サービス提供責任者	常勤1名以上、 介護福祉士、 実務者研修修了者等

介護報酬（主なもの）

要介護1～5の利用者		事業所収入（1回につき）
身体介護	20分未満	1,630円
	20分以上30分未満	2,440円
	30分以上1時間未満	3,870円
	1時間以上	5,670円＋ 820円（30分ごと）
生活援助	20分以上45分未満	1,790円
	45分以上	2,200円
通院等乗降介助		970円（1回につき）

1単位＝10円で計算
出典：厚生労働省「令和6年厚生労働省告示第86号」

Chapter3
03

入浴困難者が居宅で入浴するためのサービス

移動入浴車で訪問して入浴介助をする「訪問入浴介護」

「訪問入浴介護」は寝たきりで動けないなど、様々な理由で定期的に入浴ができない、主に要介護者向けのサービスです。介護職員と看護職員が移動入浴車で居宅を訪問し、入浴介護を行います。

訪問入浴介護とは

訪問入浴介護は利用者の居宅に浴槽を運び、入浴介護を行うサービスです。要介護者には原則、看護職員１名、介護職員２名の３名によってサービスが提供され、要支援者には原則、看護職員１名、介護職員１名の２名でのサービス提供を行います。看護職員は、主治医の許可がある場合を除き、原則含まれていなければなりません。看護職員は入浴前後の**バイタルサイン**の測定および入浴の可否判断、カルテの記入、更衣の介助、入浴前後の処置などを行います。介護保険を用いた入浴サービスには、訪問介護のヘルパーに入浴介助してもらう方法や通所介護（デイサービス）を利用しての入浴という方法もありますが、訪問入浴介護は、重度の要介護者であっても自宅で入浴できることが特徴です。

バイタルサイン
「脈拍」「血圧」「呼吸」「体温」の４つの指標。訪問入浴においてはバイタルチェックを行い、入浴可否の判断をする。

訪問入浴介護の特徴

訪問入浴介護では、全身浴が困難な際には手や足だけの部分浴や洗髪だけ、体を拭く**清拭**だけの場合もあります。所要時間は、入浴前の健康チェックと脱衣などが15分から20分、入浴が約10分、入浴後の健康チェックと着衣、後片付けが15分から20分となり１件１時間程度で実施しています。さらに事業者によっては入浴後のサービスとして、爪切りや保湿ケアなども行っています。

今後、訪問入浴介護は、在宅において高度医療を必要とする高齢者が増加していくため、医療機器をつけている人や、気管切開、**胃ろう**、**ストーマ**などの処置を受けた人への「医療的なケア」の提供がさらに必要になってくると考えられます。

清拭
身体を拭くことで清潔を保つこと。清拭は、皮膚の汚れを取るだけでなく、血行促進や精神安定の効果もある。

胃ろう
口から食事をすることが困難になった人が、胃から直接栄養を摂取するための医療措置。

ストーマ
腸や尿管の一部を体外に出してつくった排泄口。

訪問入浴介護のしくみ

訪問入浴介護事業所

■要介護者には、
看護職員１名、介護職員２名
■要支援者には、
看護職員１名、介護職員１名

要介護者

要支援者

バイタルチェック
- 血圧、体温、脈拍などのチェック
- 入浴の可否判断

入浴の準備
- 簡易浴槽の設置
- 脱衣介助

入浴介助
- 浴槽に移動
- 体を洗う

入浴後のケア
- 水分補給や着衣介助
- 入浴後の体調チェック
- 備品の消毒、片付け

人員基準（主なもの）

	職種	人員・資格要件等
人員基準	管理者	１名以上、資格要件なし
	看護職員・介護職員	看護職員： １名以上、看護師または准看護師 介護職員： ２名以上（介護予防訪問入浴介護では１名以上）

介護報酬（主なもの）

要介護度	事業所収入（１回につき）
要介護１～５の利用者	12,660円
要支援１・２の利用者	8,560円

１単位＝10円で計算
出典：厚生労働省「令和６年厚生労働省告示第86号」

居宅で受けられる医療サービス

Chapter3
04

在宅で医療処置が必要なときの「訪問看護」

近年急激にその数を伸ばし、在宅医療の中核を担うことを期待されている訪問看護ステーションは株式会社も参入できる医療系ビジネスです。在宅での療養や看取り患者の増加とともに市場は急拡大しています。

在宅での療養生活を支援する訪問看護

訪問看護とは看護職員（看護師・准看護師・保健師）が居宅に訪問し、療養上の世話（食事、排泄、入浴介助、看取りの支援など）や診療の補助（点滴、医療機器の操作、処置など）を行うことです。介護保険における訪問看護は、「訪問看護」と「訪問看護ステーション」という２つの事業所指定があります。「訪問看護」は病院や診療所が**みなし指定**を受けて行います。一方、「訪問看護ステーション」は、病院や診療所でなくても介護保険法令の事業所指定を受けて訪問看護を行うことができます。株式会社などが参入している「訪問看護ステーション」は理学療法士などを配置してリハビリテーションを提供できることが特徴です。

みなし指定
健康保険法の保険医療機関である病院や診療所などは、すでに介護保険法の指定を受けていると「みなされて」事業ができること。

訪問看護は利用者の病状に応じて「医療保険」または「介護保険」のいずれかが適用されます。原則、要支援者または要介護者は介護保険が適用されますが、末期がんや神経難病などの厚生労働大臣が定める疾病の場合では、医療保険が適用されます。なお、訪問看護の提供にあたっては、必ず主治医の指示を文書で受けなくてはなりません。

訪問看護の特徴

近年、**ホスピス**型住宅における訪問看護師の採用ニーズが急増しています。一般的に看護職員の就業場所は病院や診療所が主ですが、統計によると訪問看護ステーションの従事者数は2002年の2.4万人から2020年には6.8万人に増加しており、介護保険施設などでも6.8万人から17.3万人へと増加しています。医療依存度の高い要介護高齢者が増え、**多死社会**に対応するため、介護分野での看取りニーズが増加し、看護師の役割はより重要になっています。

ホスピス
終末期に近い患者に対し、身体的な痛みや精神的、社会的な苦痛を和らげるケアを行う施設（P.100参照）。

多死社会
P.16参照。

訪問看護のしくみ

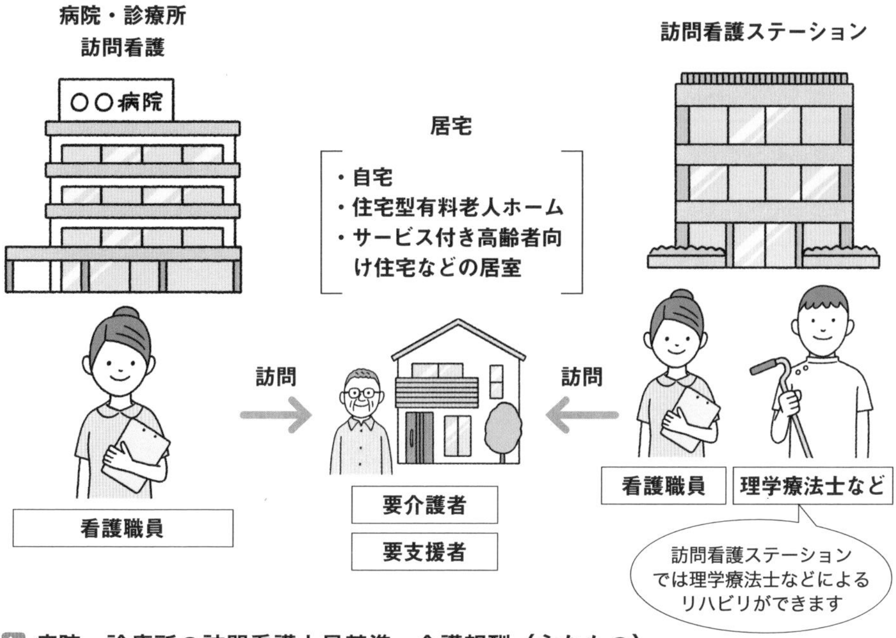

病院・診療所の訪問看護人員基準・介護報酬（主なもの）

	職種・資格要件等	人員
人員基準	看護師・准看護師 保健師	適当数

要介護１～５の利用者	事業所収入 （１回につき）
20分未満	2,660円
30分未満	3,990円
30分以上１時間未満	5,740円
１時間以上１時間半未満	8,440円

訪問看護ステーションの人員基準・介護報酬（主なもの）

	職種・資格要件等		人員
人員基準	管理者	看護師・保健師	常勤
	看護職員	看護師・准看護師 保健師	常勤換算 2.5名
	理学療法士・作業療法士 言語聴覚士		適当数

要介護１～５の利用者	事業所収入 （１回につき）
20分未満	3,140円
30分未満	4,710円
30分以上１時間未満	8,230円
１時間以上１時間半未満	11,280円
理学療法士等による訪問	2,940円

１単位＝10円で計算
出典：厚生労働省「令和６年厚生労働省告示第86号」

Chapter3 05

リハビリ専門職が自宅で訓練する「訪問リハビリテーション」

高齢で病気になると、障害を抱えたり、日常生活が難しくなったりすることがあります。「訪問リハビリテーション」は、理学療法士や作業療法士などの専門職が居宅を訪ね、自立して生活できるようリハビリを行います。

訪問リハビリテーションとは

訪問リハビリテーションとは、医師の指示のもとにリハビリ専門職（理学療法士、作業療法士、言語聴覚士）が通院困難な利用者の居宅を訪問し、心身の維持回復を目指して**維持期リハビリテーション**を実施するサービスです。維持期リハビリテーションは、病院に入院している間に行われた治療的リハビリテーションにより得られた機能をできるだけ長く維持し、障害の悪化、機能の低下を防ぐためのものです。

維持期リハビリテーション
急性期→回復期を経て症状ならびに障害の状態が安定した後、在宅で生活している時期に行うリハビリテーション。

具体的な訓練内容は、関節や筋肉を動かすこと、姿勢の保持、座る、立つ、歩く訓練から始まり、入浴や排泄動作などの訓練、言語聴覚士が行う言語機能（話す）や嚥下（食べ物の飲み込み）機能訓練も行います。さらに利用者の生活動作を評価し、手すりをつけたり、段差をなくしたりなど住宅改修の相談や福祉用具についてのアドバイスも行います。

訪問リハビリテーションを提供する事業者

訪問リハビリテーションを行う指定を受けることができる事業者は、病院、診療所、介護老人保健施設、介護医療院のみです。病院と診療所は「みなし指定」（P.64参照）となるので都道府県知事への指定申請は不要です。また、病院・診療所からの訪問リハビリテーションは訪問看護ステーションと同様に医療保険適用と介護保険適用がありますが、介護老人保健施設が提供する訪問リハビリテーションは介護保険適用のみとなります。

なお、要支援者に提供される介護予防訪問リハビリテーションは、介護予防を目的に提供される**予防的リハビリテーション**となります。

予防的リハビリテーション
身体を動かさない状態が続くと、手足の筋肉が衰える、関節が硬くなる、体力が落ちるなど機能の低下が起こる。こうしたことを予防するリハビリテーション。

訪問リハビリテーションのしくみ

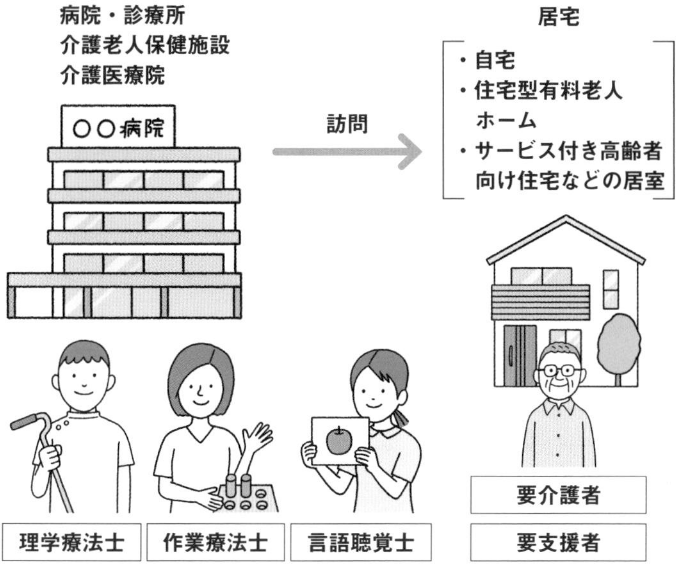

理学療法士

- 歩行訓練
- 筋力・持久力の向上
- 乗車訓練
- 住宅改修のアドバイス　など

作業療法士

- 日常生活動作の訓練
  排泄動作、更衣動作、入浴動作、食事動作、寝返り、起き上がり　など

言語聴覚士

- 飲み込み改善
- 補聴器の相談
- 発話訓練　など

訪問リハビリテーション事業者の指定

事業者	指定申請
病院	不要（みなし指定）
診療所	不要（みなし指定）
介護老人保健施設	必要
介護医療院	必要

人員基準（主なもの）

	資格要件等	人員
人員基準	医師	1名
	理学療法士 作業療法士 言語聴覚士	適当数

介護報酬（主なもの）

要介護1～5の利用者	事業所収入（1回につき）
病院または診療所 介護老人保健施設 介護医療院	3,080円

1単位＝10円で計算
出典：厚生労働省「令和6年厚生労働省告示第86号」

Chapter3 06

医療専門職が自宅で指導する「居宅療養管理指導」

「居宅療養管理指導」は、医師、歯科医師、薬剤師などの医療従事者が居宅を訪れ、定期的に医学的な管理やアドバイスを行います。末期がんや高度な医療技術を必要とする在宅の要介護者の増加でニーズが高まっています。

居宅療養管理指導とは

介護保険の居宅サービスのひとつである居宅療養管理指導は、通院が困難な居宅の要介護者を対象に、病院、診療所などの医師、歯科医師、薬剤師、歯科衛生士、管理栄養士が医学的管理と指導・助言を行うサービスです。例えば、気管カニューレや経鼻チューブなどの生命維持装置を付けている人や、糖尿病などで栄養管理が必要な人がこのサービスを利用することで、自宅にいながら専門家の指導・助言を受けることが可能です。

なお、居宅療養管理指導と似ているものに、「往診」や「訪問診療」がありますが、居宅療養管理指導はあくまでも医療機関などの専門職種からの「医学的な健康管理上のアドバイスや指導」であり、治療などの医療行為は行いません。

往診
往診は、通院が困難な人の居宅へ医師がその都度出向いて行う「不定期な」診察。医療保険が適用される。

訪問診療
訪問診療は通院が困難な人の居宅へ医師が訪問して行う診察。往診との違いは「定期的」であることで、訪問回数は月2回と定められている。

居宅療養管理指導の指定

居宅療養管理指導の事業者は、健康保険法により保険医療機関に指定されている病院、診療所、薬局などの医療機関であるため、介護サービス事業所としての指定があったものとする「みなし指定」となります。居宅療養管理指導の利用回数と介護報酬は、サービスを提供する専門職の種類や、利用者が住んでいる建物によって定められています。

今後、在宅において医療依存度の高い要介護者が増加することや、在宅での看取りが増えることからも、居宅療養管理指導サービスの上手な活用は医療と介護、多職種間の連携向上につながると考えられます。

居宅療養管理指導のしくみ

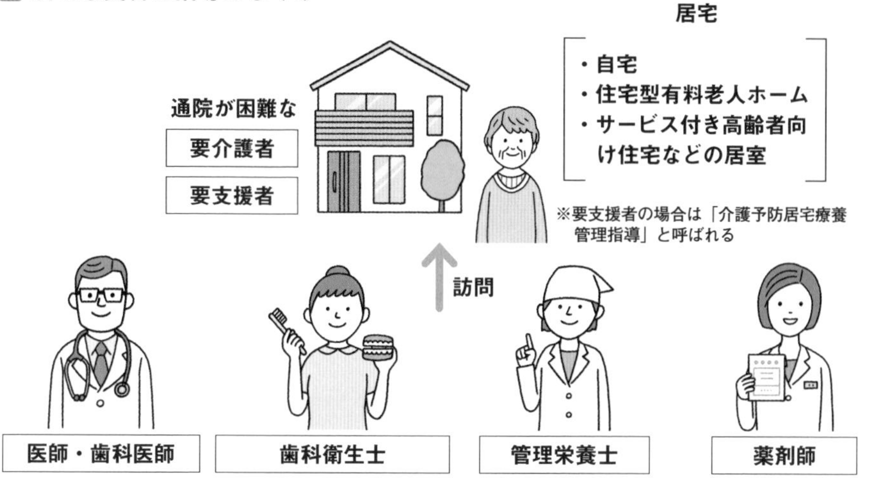

医師・歯科医師

- 利用者の健康状態の管理
- ケアプラン作成に必要な情報の提供
- 介護方法の指導・助言　など

歯科衛生士

- 歯科医師の指示に基づいた歯磨き、義歯清掃の方法の指導
- 嚥下機能などの維持に関するアドバイス

管理栄養士

- 医師の指示に基づいて実施される栄養指導
- 「栄養ケア計画」作成と栄養管理

薬剤師

- 医師または歯科医師の指示に基づいて実施される薬学的管理および指導

介護報酬（主なもの）

	利用限度回数	単一建物居住者1人	単一建物居住者2～9人	単一建物居住者10人以上
医師（在医総管等※を算定していない場合）	月2回	5,150円	4,870円	4,460円
医師（在医総管等を算定している場合）	月2回	2,990円	2,870円	2,600円
歯科医師	月2回	5,170円	4,870円	4,410円
薬剤師（医療機関）	月2回	5,660円	4,170円	3,800円
薬剤師（薬局）	月4回	5,180円	3,790円	3,420円
管理栄養士（指定事業所）	月2回	5,450円	4,870円	4,440円
管理栄養士（指定事業所以外）	月2回	5,250円	4,670円	4,240円
歯科衛生士	月4回	3,620円	3,260円	2,950円

1単位＝10円で計算

※在医総管等：在宅時医学総合管理料（在医総管）および特定施設入居時医学総合管理料（特医総管）。在医総管は在宅で療養を行っている患者、特医総管は特定施設入居者で通院が困難な者に対して計画的な医学管理の下に月2回以上の定期的な訪問診療を行っている場合に算定される医療保険の診療報酬のこと。

Chapter3
07

日帰りで日中を過ごす「通所介護」

日帰りで施設に通い、入浴や食事、リハビリなどのサービスを受ける「通所介護」は高齢者が仲間と一緒に利用できるサービスとして需要があります。様々な事業者が参入して、新しいサービス形態も生まれています。

通所介護（デイサービス）とは

通所介護は、「デイサービス」「日帰り介護」ともいい、高齢者が日帰りで事業所へ通い、入浴や食事などの介護サービス、機能訓練のみならず、歌や体操、書道、生け花、陶芸などの**レクリエーション**を行います。通所介護は、**利用定員**が19名以上のサービスで、家にこもりがちな高齢者に外出の機会をつくるという役割だけでなく、在宅介護をしている家族の身体的、精神的負担の軽減（**レスパイトケア**）なども目的としています。利用定員が18名以下の場合は地域密着型通所介護（P.108参照）となります。

レクリエーション
介護サービスにおいては、集団または個人に対して行う娯楽や運動を指す。例えば機能訓練として行う体操やゲームなど。事業所ごとに様々な工夫をして行っている。

利用定員
利用定員とは、1日にサービスを利用できる利用者の数の上限をいい、事業者が行政に届け出た人数となる。利用定員は人員や設備などにより決まる。

レスパイトケア
respite＝「休息」「息抜き」「小休止」。在宅介護をしている家族などが一時的に介護から解放され、休息をとれるように支援する。

新たなイノベーションが起こっている通所介護

通所介護は、事業者の創意工夫によって日々進化し、新たなサービス形態が生まれている分野です。例えば、スポーツクラブさながらの機器を取り揃えて高齢者の筋力トレーニングを行ったり、脳血管疾患の後遺症に苦しむ人を対象に、ICTを活用して改善結果を数値化しながらリハビリを行ったりするところもあります。さらに最近では、介護保険を利用しない利用者を対象に、全額自己負担のリハビリテーションサービスを提供しているところもあります。

こうした通所介護の新形態が生まれる背景のひとつとして、従来の集団レクリエーションを中心にしたプログラムでは利用者の集客が困難になっていることもあります。今後はさらに一人ひとりの要介護状態を改善すると同時に、要介護状態になりたくないシニア層も取り込み、介護保険収入に依存しないサービスの開発を模索する事業者が増えていくでしょう。

通所介護のしくみ

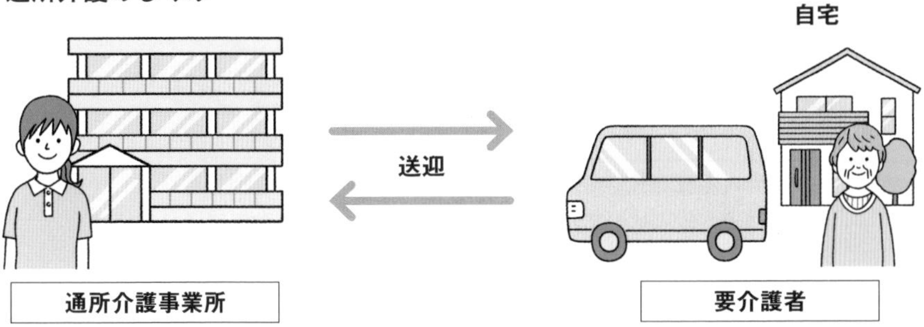

※要支援者は市町村の総合事業を利用

サービス内容

- 食事・入浴など日常生活の支援
- 生活機能向上のための機能訓練
- 口腔機能向上サービス
- 生活相談・助言
- 健康状態の確認
- レクリエーション　など

人員基準（主なもの）

	職種	人員・資格要件等
人員基準	管理者	1名、資格要件なし
	生活相談員	1名以上、社会福祉士、介護福祉士等
	介護職員	利用者15名に対して1名以上の規定、資格要件なし
	看護職員	1名以上、看護師、准看護師
	機能訓練指導員	1名以上、理学療法士、作業療法士、言語聴覚士、看護職員、柔道整復師、あん摩マッサージ指圧師、実務経験のあるはり師またはきゅう師

介護報酬　※通常規模型の場合

H（時間）単位（円）

要介護区分	3H以上 4H未満	4H以上 5H未満	5H以上 6H未満	6H以上 7H未満	7H以上 8H未満	8H以上 9H未満
要介護1	3,700	3,880	5,700	5,840	6,580	6,690
要介護2	4,230	4,440	6,730	6,890	7,770	7,910
要介護3	4,790	5,020	7,770	7,960	9,000	9,150
要介護4	5,330	5,600	8,800	9,010	10,230	10,410
要介護5	5,880	6,170	9,840	10,080	11,480	11,680

1単位＝10円で計算
※通常規模型…平均利用延べ人員301人～750人／月
出典：厚生労働省「令和6年厚生労働省告示第86号」

通いで行う機能訓練

日帰りでリハビリを行う「通所リハビリテーション」

「通所リハビリテーション」は、心身の機能の維持と回復を図るために介護老人保健施設や病院などに通って、リハビリの専門職とリハビリを行います。通所介護に比べて、医療的なケアとリハビリのケアに優れています。

通所リハビリテーション（デイケア）とは

通所リハビリテーションは「デイケア」とも呼ばれ、病院、診療所、介護老人保健施設や介護医療院に通って実施されるリハビリテーションサービスです。通所リハビリテーションは利用者の心身機能の維持回復を目的としています。

心身機能の維持回復には認知症の症状に対するリハビリテーションも含まれ、認知症の**中核症状**や**周辺症状（BPSD）**の軽減、落ち着きのある日常生活の回復、**ADL（日常生活動作）**、**IADL（手段的日常生活動作）**の維持回復、コミュニケーション能力、社会関係能力の維持回復などがあります。このサービスを提供するのはリハビリの専門職である理学療法士や作業療法士、言語聴覚士です。

通所リハビリテーションの大きな特徴は、到達目標があることです。利用者ごとのケアプランに基づく評価がなされ、達成されるとサービス終了になります。

大規模施設ほど経営は安定

通所リハビリテーションの利用者数は毎年増加し、2022年時点で約58万人となっています。

「通所系サービス」といわれる通所介護、通所リハビリテーションの介護報酬は、手厚いケアができるため事業規模（利用定員）が小さいほど利用者一人あたりの単価は高く設定されていますが、経営状態は事業規模が大きいほど安定しています。規模が大きくなればなるほど必要経費を一括で管理でき、人件費以外の部分や人材の採用・育成に係るコストも抑えやすくなることがその理由として考えられます。

中核症状
認知症の主な症状は、中核症状と周辺症状に大別され、中核症状は、脳の神経細胞の障害によって起こる認知機能障害。

周辺症状（BPSD）
中核症状によって引き起こされる二次的な症状。例として「怒りっぽくなる」「暴言や暴力が見られる」などがある。

ADL（日常生活動作）
人間が毎日の生活を送るための基本的動作。食事、更衣、整容などの動作のこと。

IADL（手段的日常生活動作）
手段的ADLともいう。バスに乗って買い物に行く、電話をかけるなど、ADLより複雑な動作のこと。

通所リハビリテーションのしくみ

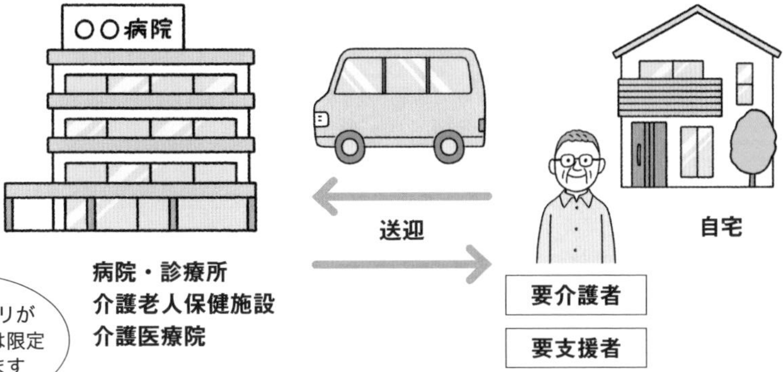

サービス内容

①心身の機能の維持回復
②認知症の症状の軽減と落ち着きある日常生活の回復
③ADL・IADLの維持回復
④コミュニケーション能力や、社会関係能力の維持回復
⑤社会交流の機会の増加

人員基準（主なもの）

職種	人員・資格要件等
医師	常勤で1名以上
理学療法士 作業療法士 言語聴覚士 看護師 准看護師 介護職員	利用定員が10名以下：専従の従業員1名以上 利用定員が10名以上：専従の従業者数は利用者数を10で除した数以上
	専従の理学療法士、作業療法士、言語聴覚士は利用者が100名またはその端数を増すごとに1名以上

介護老人保健施設でデイケアを行う場合の介護報酬　※大規模型Ⅰの場合

H（時間）　単位（円）

要介護区分	1H 以上 2H 未満	2H 以上 3H 未満	3H 以上 4H 未満	4H 以上 5H 未満	5H 以上 6H 未満	6H 以上 7H 未満	7H 以上 8H 未満
要介護1	3,570	3,720	4,700	5,250	5,840	6,750	7,140
要介護2	3,880	4,270	5,470	6,110	6,920	8,020	8,470
要介護3	4,150	4,820	6,230	6,960	8,000	9,260	9,830
要介護4	4,450	5,360	7,190	8,050	9,290	10,770	11,400
要介護5	4,750	5,910	8,160	9,120	10,530	12,240	13,000

1単位＝10円で計算
※大規模型Ⅰ… 平均利用延べ人員751人～900人/月
出典：厚生労働省「令和6年厚生労働省告示第86号」

Chapter3 09

短期間、福祉施設に宿泊する「短期入所生活介護」

「短期入所生活介護」は、利用者が介護老人福祉施設などの施設に宿泊し、入浴や食事などの日常生活の介護やリハビリなどを受けるサービスです。家族が介護から離れてリフレッシュするためにも利用されています。

短期入所生活介護とは

短期入所生活介護は、「ショートステイ」とも呼ばれ、要介護者を一定期間預かる宿泊型の介護サービスです。滞在期間は1泊2日から最長で30日間まで利用できます。受けられる介護サービスは、特別養護老人ホームなどの入所サービスとほぼ変わりません。介護者である家族が泊りで外出しなければならないとき、また、家族が年中無休で介護に携わっていると、精神的にも肉体的にも疲弊し、「介護うつ」や「虐待」へと発展する可能性もあるため、介護者が心身を休める**レスパイトケア**のためにも利用されます。

施設のタイプは3種類あり、「単独型」、特別養護老人ホームなどに併設する「併設型」、特別養護老人ホームなどの空きベッドを利用する「空床利用型」があります。居室定員は4名以下です。

事業として見たショートステイ

介護保険制度創設当初はショートステイの需要が多く、定員が20名以上の「単独型」の施設開設に多くの営利企業が参入しましたが、事前予約やスケジュール調整が必要といった使い勝手の悪さもあり、稼働率が上がらない施設も増えています。その一方、地域密着型サービスの**小規模多機能型居宅介護**（P.112参照）や**お泊りデイサービス**では「利用したいときにすぐに利用できる」という顧客ニーズに応え、稼働率が上がっています。

しかし、近年、ビジネスケアラー（働きながら家族を介護する人）の増大や高齢者夫婦のみの世帯、医療的ケアが必要な要介護者の増加から、ショートステイに対する利用ニーズが増えてきていることも見逃せません。

レスパイトケア
P.70参照。

小規模多機能型居宅介護
施設への「通い」を中心に、短期間の「宿泊」や自宅への「訪問」を組み合わせ、生活支援や機能訓練を一つの事業所で行う地域密着型の在宅介護サービス。

お泊りデイサービス
利用者が日中の通所介護サービスを受けたあと、そのままその施設に宿泊できるサービス。介護保険外サービスとなるが、2015年に厚生労働省がガイドラインを示した。

短期入所生活介護のしくみ

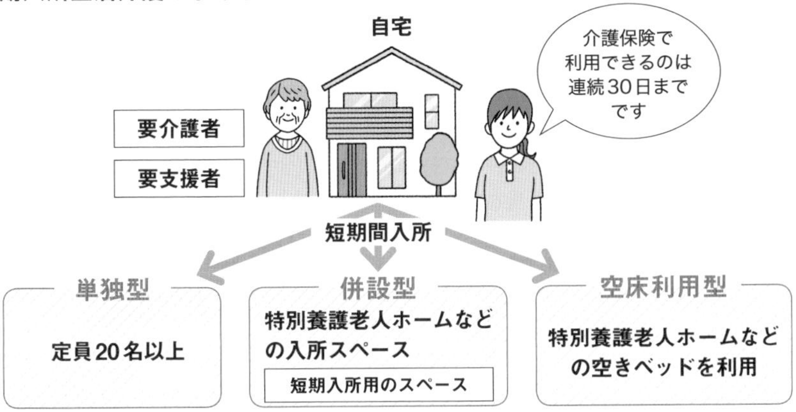

人員基準（主なもの） ※単独型の場合

	職種	人員・資格要件等
身体介護	管理者	1名以上、資格要件なし
	医師	1名以上
	生活相談員	利用者100名またはその端数を増すごとに1名以上
	介護職員または看護師、准看護師	利用者3名に対して常勤換算1名以上
	栄養士	1名以上、ただし定員40名以下の事業所では、他施設の栄養士との連携がある場合、配置しなくてもよい
	機能訓練指導員	1名以上、理学療法士、作業療法士、言語聴覚士、看護職員、柔道整復師、あん摩マッサージ指圧師、実務経験のあるはり師またはきゅう師
	調理員 その他の従業員	実情に応じた適当数

介護報酬（主なもの）

ユニット型短期入所生活介護の場合（1日につき）

介護区分	単独型ユニット型個室	併設型ユニット型個室
要介護1	7,460円	7,040円
要介護2	8,150円	7,720円
要介護3	8,910円	8,470円
要介護4	9,590円	9,180円
要介護5	10,280円	9,870円

1単位＝10円で計算
出典：厚生労働省「令和6年厚生労働省告示第86号」

Chapter3
10

医療ニーズが高い要介護者が短期入所できる

短期間、医療系施設に宿泊する「短期入所療養介護」

「短期入所療養介護」は、医療的なケアが必要な要介護者を介護している家族が、病気や冠婚葬祭、仕事の都合などで一時的に在宅介護が困難になったときや、介護負担を抱える家族の休息のために欠かせないサービスです。

短期入所療養介護とは

短期入所療養介護は、医療ニーズが高い利用者への医学的管理や、家族の介護負担軽減などを目的として行われるサービスです。短期間の宿泊を伴うサービスであるため、短期入所生活介護と共に「ショートステイ」とも呼ばれています。

短期入所療養介護の開設者は、病院、診療所、介護老人保健施設、介護医療院に限られています。そのため、療養病床のある病院や診療所と介護老人保健施設、介護医療院については、「みなし指定」となり、必要な人員はそれぞれの施設基準を満たしていればよいこととなっています。このサービスは、利用者の疾病に関する医学的管理を行うため、褥瘡《じょくそう》の処置や胃ろうによる栄養管理など医療処置の必要な要介護度の高い人が利用しています。また、リハビリテーションや認知症利用者への対応、ターミナルケアも行います。

医療ニーズが高い利用者の家族のレスパイトケア

介護保険サービスにおける代表的なレスパイトケア（P.70参照）には通所介護（デイサービス）と短期入所生活介護（ショートステイ）もありますが、医療依存度の高い在宅療養者にとっては、医学的管理ができる短期入所療養介護のニーズが高いことが厚生労働省社会保障審議会資料（2022年）からも分かります。資料では、短期入所療養介護の利用目的は「レスパイトケアのため」が８割以上となっています。短期入所療養介護の入所先が確保できない場合の代替サービスは病院への「入院」となります。

褥瘡
寝たきりなどによって、体重で圧迫されている場所の血流が悪くなったり滞ることで、皮膚の一部が赤い色味をおびたり、ただれたり、傷ができてしまうこと。「床ずれ」ともいう。

胃ろう
P.62参照。

ターミナルケア
人の終末期の医療と看護のこと。死を目前にした人のQOLの向上を目指してケアが行われる。

短期入所療養介護のしくみ

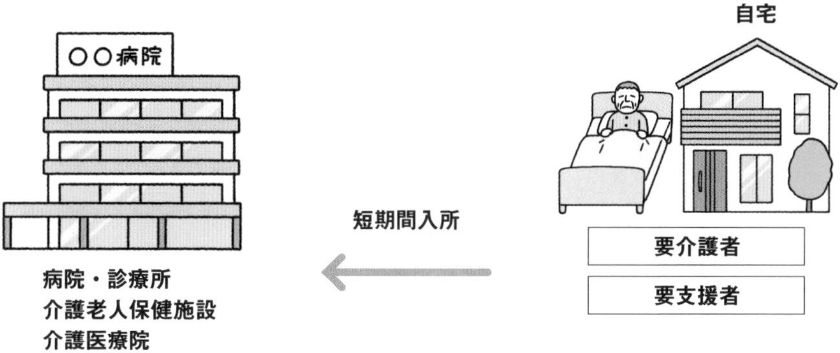

サービス内容

①疾病に対する医学的管理
②装着された医療機器の調整・交換
③リハビリテーション
④認知症患者への対応
⑤緊急時の受入れ
⑥急変時の対応
⑦ターミナルケア

介護報酬（主なもの）

介護老人保健施設の場合（1日につき）

要介護区分	〈多床室〉【基本型】	〈多床室〉【在宅強化型】	〈ユニット型個室〉【基本型】	〈ユニット型個室〉【在宅強化型】
要介護 1	8,300 円	9,020 円	8,360 円	9,060 円
要介護 2	8,800 円	9,790 円	8,830 円	9,830 円
要介護 3	9,440 円	10,440 円	9,480 円	10,480 円
要介護 4	9,970 円	11,020 円	10,030 円	11,060 円
要介護 5	10,520 円	11,610 円	10,560 円	11,650 円

1単位＝10円で計算
出典：厚生労働省「令和6年厚生労働省告示第86号」

Chapter3

11

福祉用具で自立を助ける

「福祉用具貸与（レンタル）」と「特定福祉用具販売」

在宅介護では、要介護者の自立支援や介護者の負担軽減を目的とした「福祉用具」の利用が不可欠です。すべての用具を購入すると経済的負担が大きいため、介護保険を利用して手に入れることができます。

介護保険における福祉用具のレンタルと販売

介護保険では、福祉用具をレンタル（福祉用具貸与）と購入（特定福祉用具販売）の２つに分けており、レンタルには13種類、購入には６種類の福祉用具が指定されています。軽度の要支援１・２や要介護１の場合、**使用できるレンタル用具**は限定されますが、医師の判断と市町村の認定があれば、これらの用具も利用可能です。一方、購入対象となる福祉用具は、お風呂やトイレ関連となります。

使用できるレンタル用具
車いす、特殊寝台、床ずれ防止用具、体位変換器、認知症老人徘徊感知機器、移動用リフト、自動排泄処理装置は原則として保険給付とならない。

福祉用具の貸与と販売の選択制

福祉用具のレンタルビジネスは、都道府県からの指定を受けた福祉用具貸与事業者が行います。このビジネスは、「メーカー→卸業者→貸与事業者」という流通経路により、設備投資や在庫リスクなしで安定した収益を得ることが可能です。福祉用具のレンタルはケアプランに組み込まれる必要があり、居宅介護支援事業者であるケアマネジャーとの良好な関係が利用者獲得に不可欠です。従来、福祉用具レンタルは自由価格制であり、事業者間での競争原理が働いていましたが、2018年から**福祉用具レンタル**の全国平均価格の公表と価格上限設定が行われており、これにより極端な高額請求が防がれています。

福祉用具レンタル
レンタル価格は、１年に１度程度（新商品については、３か月に１度程度）の頻度で全国平均貸与価格の公表や上限価格を設けることとしている。

2024年の介護報酬改定により、固定用スロープ（可搬型を除く）、歩行器（歩行車を除く）、単点杖（松葉杖を除く）、および多点杖の貸与と販売の選択制が導入されました。

福祉用具貸与・販売のしくみ

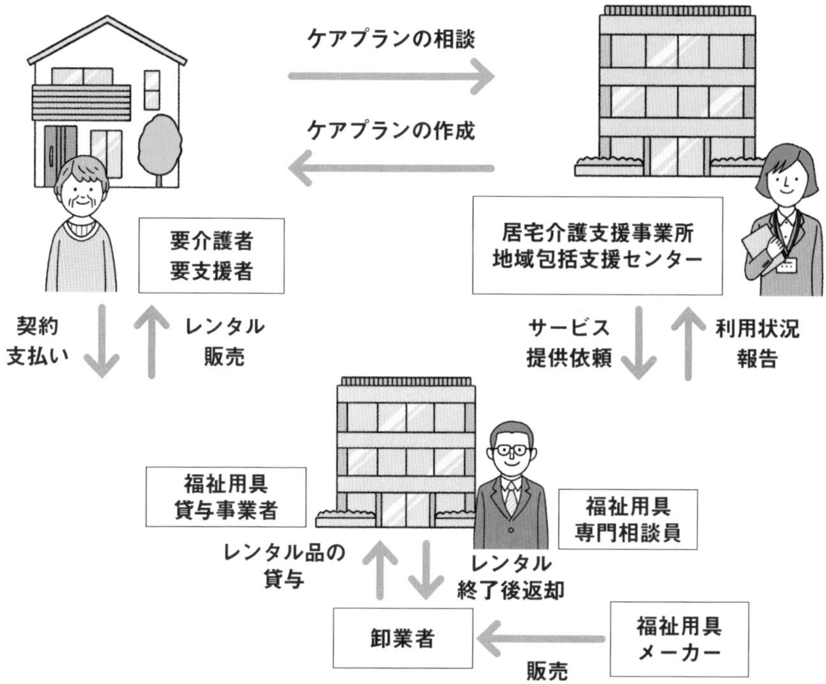

介護保険で利用できる福祉用具の種類

福祉用具貸与（レンタル）	特定福祉用具販売
車いす 車いす付属品 特殊寝台 特殊寝台付属品 床ずれ防止用具 体位変換器 手すり スロープ 歩行器 歩行補助杖 認知症老人徘徊感知機器 移動用リフト（本体部分） 自動排泄処理装置（本体部分）	腰掛便座 自動排泄処理装置（交換可能部分） 入浴補助用具 簡易浴槽 移動用リフト（つり具部分） 排泄予測支援機器 固定用スロープ（可搬型を除く） 歩行器（歩行車を除く） 単点杖（松葉づえを除く） 多点杖

レンタルか購入かを利用者が選択可能に
（2024年改定）

福祉用具貸与・特定福祉用具販売事業者の人員基準（主なもの）

	職種	人員・資格要件等
人員基準	福祉用具 専門相談員	2名、福祉用具専門相談員研修修了者、または一定の国家資格保持者

Chapter3
12

自宅の環境を整えることで支援する

住み慣れた自宅で暮らし続けるために「住宅改修」

居宅サービスの利用者が、住み慣れた自宅で生活が続けられるように、住宅の改修を行う介護保険サービスです。利用者だけではなく、周りで支える家族や専門職種の意見も踏まえて行います。

改修額の7～9割を支給

「居宅介護住宅改修費」は要介護者が自宅で自立して生活できるように、住宅を改修した場合に20万円までの工事費用を給付する介護保険サービスです。要支援・要介護状態になったとしても車いすが使えるスペースや歩行を補助する手すりなどがあれば自宅での生活が可能になり、大きな支援になります。なお、介護保険で住宅改修の対象となる工事は決められています。

「居宅介護住宅改修費」は、利用者がいったん改修費用の全額を支払い、その後に申請をして支給（7割～9割）を受けるという「償還払い」を原則としています。介護保険からの給付額は20万円が上限で、利用者は1割（または2割か3割）を負担します。これは要支援、要介護の区分に関係ありません。要介護状態が悪化して3段階以上上がった場合や転居した場合には、再度20万円までの支給限度基準額（P.44参照）が設定されます。

償還払い
利用者が費用の全額をいったん支払い、その後、自治体から自己負担割合に応じて払い戻されるしくみ。

専門知識とスキルによって差別化が可能な住宅改修

住宅改修にかかる給付費は年間約400億円程度を推移し、利用者の約8割が要介護2以下の人となっています。住宅改修は他の介護サービスとは異なり、指定事業者の制度がありません。そのため、事業者は玉石混交で、技術や施工水準のバラつきがあります。一方、調査によると、約4割の保険者が工事施工業者の問題点として、「介護保険制度に関する知識不足」を挙げています。このことから施工業者は、従業員の専門知識とスキルを向上させることで差別化が可能になると考えられます。

調査
厚生労働省　令和4年度老人保健健康推進等事業「介護保険の福祉用具貸与、特定福祉用具販売、住宅改修の適正化に関する調査研究事業報告書」。

保険者
保険事業の運営者のこと。介護保険の場合、全国の市町村と特別区（東京23区）。

住宅改修のしくみ

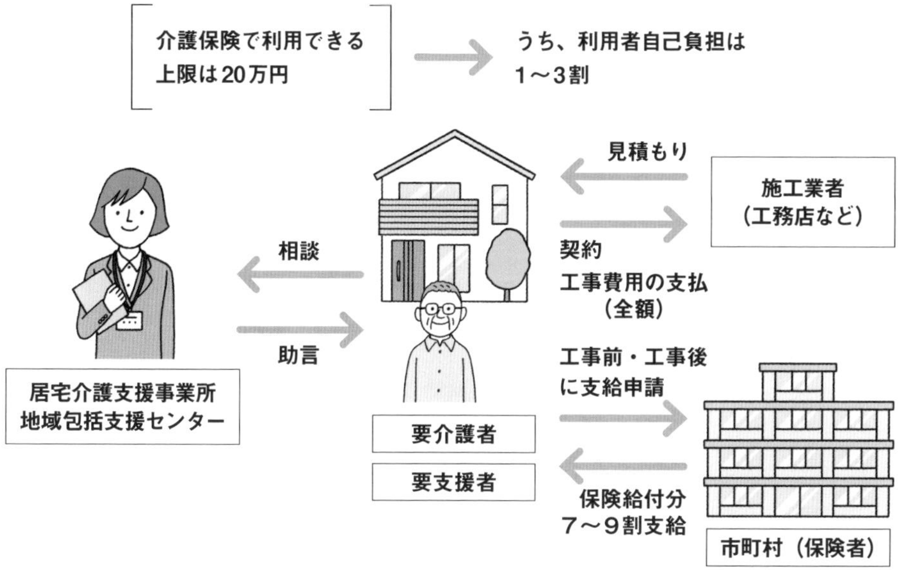

介護保険給付の対象となる住宅改修

介護保険制度の住宅改修は、住環境整備の中で福祉用具の活用を前提とするもの

種類	備考
①手すりの取り付け	●「玄関から道路までの通路」も対象に含まれる
②段差の解消	
③床または通路面の材料の変更（滑り防止、および移動の円滑化などのため）	
④扉の取り替え（引き戸などへ）	●開き戸を引き戸、折り戸、アコーディオンカーテンなどに取り替えるといった扉全体の取り替えのほか、扉の撤去やドアノブの変更、戸車の設置なども含まれる ●引き戸などへの扉の取り替えに合わせて、自動ドアとした場合は、自動ドアの動力部分の設置は、住宅改修の支給対象とならない ●新設する場合でも、改修に比べ安価にできる場合は対象となる
⑤便器の取り替え（洋式便器などへ）	●便器の位置・向きの変更も対象となる
⑥①から⑤の住宅改修に付帯して必要となる住宅改修	●手すりの取り付けのための壁の下地補強 ●浴室の床の段差解消や、便器の取り替えに伴う給排水設備工事 ●床材の変更のための下地補修、根太の補強　など

COLUMN 3

eスポーツが介護現場にもたらす革命

eスポーツ、すなわちエレクトロニック・スポーツは、ビデオゲームをもとにした競技活動で、プレイヤーが個人またはチームを組んで、特定のゲームで戦略や技術を競います。このスポーツは従来のスポーツと同様に競技性と観戦性を備え、世界中でプロの競技として認識されています。国際的な大会も多く開催され、特に若者を中心に急速に成長している市場の一部となっています。

このeスポーツが高齢者の認知症予防や身体機能の維持に貢献し、社会参加を促進する重要なツールとして日本の介護現場に革命的な役割を果たそうとしています。特にデイサービスセンターでの導入が進んでおり、男性利用者はレーシングゲーム「グランツーリスモ」、女性利用者はリズムゲーム「太鼓の達人」に熱中しています。そして、自治体をはじめとした様々な団体が60歳以上を対象としたシニア向けのeスポーツ大会を開催し、全国的に広がりをみせています。

一方、この新たな取り組みは若い人材を介護業界へ引き寄せています。2018年に創設された「健康ゲーム指導士」という資格は、ゲームを通じた高齢者ケアの専門家を養成するものです。介護事業所では、eスポーツを行うことによって、新たな顧客層と介護職員の両方を確保することが可能になっています。

日本アクティビティ協会の川﨑陽一理事長は、eスポーツを通じた健康増進や社会参加の活性化を目指しています。地域社会全体がこの新しい取り組みに注目し、さらなる発展を期待しています。

eスポーツを取り入れた介護のアプローチは、単なるゲームを超え、高齢者の生活の質を向上させる重要なツールとしてその進展が注目されています。

(取材協力)
日本アクティビティ協会
https://www.jp-activity.jp/

第4章

「介護保険施設」と「高齢者向け住まい」の基礎知識

高齢者向けの住宅施設は、介護保険を利用できる「介護保険施設」のほか、民間企業が経営する「有料老人ホーム」など様々なものがあります。どのような施設があり、どのようなサービスを提供しているのか見ていきましょう。

Chapter4
01

介護保険施設と運営法人

介護保険法に定める「介護保険施設」には、「介護老人福祉施設」「介護老人保健施設」「介護医療院」の３種類の施設があります。介護施設を開設できるのは、社会福祉法人や医療法人などに限られています。

介護保険施設とは

介護保険施設は、要介護高齢者が入所して介護保険で「施設サービス」を受ける施設のことです。介護保険施設は施設で受けるサービスの内容によって福祉系と医療系に分類することができ、福祉系に分類されるのが「指定介護老人福祉施設」です。この施設は老人福祉法で認可を受けた定員30名以上の「特別養護老人ホーム」のことをいい（定員29名以下は地域密着型に分類）、開設者は、原則として地方公共団体と社会福祉法人に限定されます。

医療系に分類される施設は、「介護老人保健施設」と「介護医療院」になります。これらの施設を開設・運営できるのは医療法人、社会福祉法人、地方公共団体、厚生労働大臣が定めるものに限られます。なお、「介護医療院」は従来の施設サービスのひとつであった介護療養型医療施設の転換先として2018年に創設された施設サービスであり、2023年度末に介護療養型医療施設は廃止されています。

認可
国家が国民に対して、国民が本来持っていない特別な権利や特別な法律上の力を与えたり、消滅させたりする行為。

介護保険施設を開設できる法人

介護保険法では、介護保険施設は「介護老人福祉施設」、「介護老人保健施設」、「介護医療院」のことを指し、これらを合わせて介護保険３施設ともいいます。

なお、株式会社などの営利法人は介護保険施設を開設できません。介護老人福祉施設を開設・運営できるのは、「社会福祉法人」で、社会福祉法において社会福祉事業を行う法人です。また、介護老人保健施設、介護医療院は、病院など、医師法に基づいて設立されている「医療法人」が主に開設・運営することができます。

営利法人
事業で得た利益を社員や株主などに分配することを目的とする。非営利法人は、事業で得た利益を構成員への分配を目的としない。

3つの介護保険施設

■ 福祉系の施設

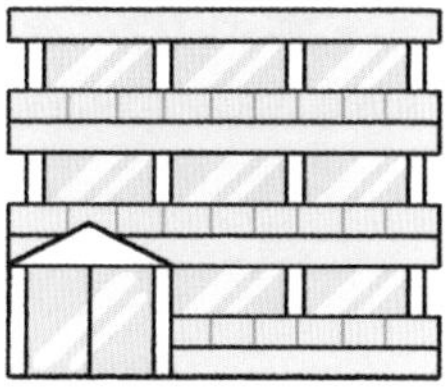

介護老人福祉施設
（特別養護老人ホーム）
※定員30名以上のもの

役割：生活施設

根拠法	介護保険法・老人福祉法
開設主体	社会福祉法人・地方公共団体など
入所対象	要介護３以上（原則）
介護サービス	施設提供
医療処置	日中は可能

■ 医療系の施設

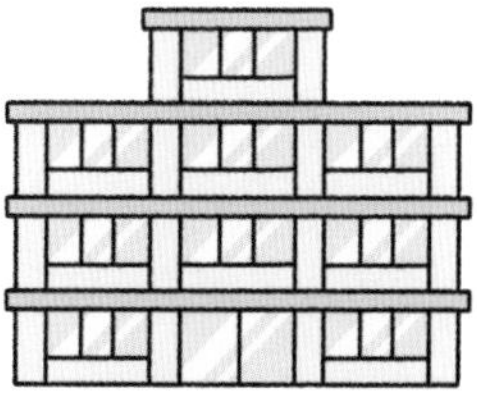

介護老人保健施設

役割：在宅復帰を目指す

根拠法	介護保険法
開設主体	医療法人・地方公共団体など
入所対象	要介護１以上
介護サービス	施設提供
医療処置	日中は可能

介護医療院
（旧：介護療養型医療施設）

役割：要介護者の長期療養・生活施設

根拠法	介護保険法
開設主体	医療法人・地方公共団体など
入所対象	要介護１以上
介護サービス	施設提供
医療処置	24時間可能

施設で暮らしながら介護サービスを

Chapter4 02

施設で介護サービスを受ける「介護老人福祉施設（特別養護老人ホーム）」

「介護老人福祉施設」は、要介護３以上の人が入所できる公的生活施設で、「特別養護老人ホーム」ともいわれます。開設主体は地方公共団体や社会福祉法人に限られており、入浴や排泄などの介助のほか機能訓練なども行われます。

介護老人福祉施設とは

介護老人福祉施設は、寝たきりや認知症など、常時介護が必要で自宅での生活が困難な人向けの施設サービスです。この施設の特徴は、低所得者や生活保護受給者も入所できるよう、様々な費用軽減制度が設けられている点です。ただし、医師が常駐しない生活支援施設であり、治療目的の利用はできません。老人福祉法に基づく特別養護老人ホームは、65歳以上で要介護３以上の人が対象ですが、介護保険では40歳から64歳までの特定疾病を持ち、要介護３以上の認定を受けた人も入所可能です。また、要介護１や２の人に対しても特例入所が認められる場合があります。

経営基盤の強化と社会福祉連携推進法人

特別養護老人ホームの入所条件はもともと要介護１以上でしたが、入所待機者の増加により「入所したくてもできない」という問題が深刻化していました。この問題に対応するため、2015年に入所条件を要介護３以上に引き上げた結果、入所待機者数は52万人から36万人へと減少しました。しかし、2022年度には約25万人が待機しており、特に都市部でのニーズが高い状況が続いています。福祉医療機構の調査では、特別養護老人ホームの約40％が赤字で、その主な原因は過疎地域における高齢人口の減少による施設の利用率の低下、人材採用に関する費用の増加、水道光熱費の増加、サービス付き高齢者向け住宅や有料老人ホームとの競争の激化と報告されています。

国は、「社会福祉連携推進法人」制度を創設し、異なる社会福祉法人間の連携による経営基盤の強化と、持続可能なサービス提供を推進しはじめています。

特定疾病
回復の見込みがないと医師に判断されたがんや関節リウマチ、筋萎縮性側索硬化症（ALS）など16種類の病気。

特例入所
認知症のため日常生活に支障をきたすような症状・行動などが頻繁に見られ、在宅生活が困難な場合は要介護１・２の場合でも特例として行う入所。

社会福祉連携推進法人
異なる社会福祉法人同士が中間法人を設立、人材確保や経営基盤強化、設備・物資の共同購入などを行う。2022年４月施行。

ユニット型介護福祉施設
介護老人福祉施設には、「従来型」施設で相部屋が主体となっているものと、「ユニット型」施設で個室と共同生活室が組み合わされているものがある。

介護老人福祉施設のしくみ

介護福祉士、看護職員など

要介護者

原則、要介護３以上

サービス内容

- 食事介助
- 着替えの介助
- 入浴介助
- 掃除・洗濯
- 排泄介助
- 買い物の代行
- 見守り・生活相談
- レクリエーション
- 機能訓練
- 服薬の管理　など

人員基準（主なもの）

	職種	人員・資格要件等
人員基準	施設長	１名、社会福祉主事等
	医師	１名、非常勤でも可
	生活相談員	１名（入所者100名未満）
	看護師、准看護師・介護職員	入所者：看護＆介護職員＝３：１（ただし常勤換算）
	栄養士または管理栄養士	１名以上
	機能訓練指導員	１名以上、理学療法士、作業療法士・言語聴覚士、看護職員、柔道整復師、あん摩マッサージ指圧師、実務経験のあるはり師またはきゅう師
	介護支援専門員	１名（入所者100名未満）

介護報酬の例（主なもの）

（1日につき）

介護福祉施設サービス費＜多床室＞	要介護1	5,890円
	要介護2	6,590円
	要介護3	7,320円
	要介護4	8,020円
	要介護5	8,710円
ユニット型介護福祉施設サービス費＜個室＞	要介護1	6,700円
	要介護2	7,400円
	要介護3	8,150円
	要介護4	8,860円
	要介護5	9,550円

※１単位＝10円で計算

出典：厚生労働省「令和６年厚生労働省告示第86号」

Chapter4
03

在宅復帰を目指してリハビリを行う「介護老人保健施設」

「介護老人保健施設」は在宅生活への復帰を目指して、一時的に入所し、医学的管理のもとでの介護と、リハビリ専門職の指導で機能訓練や機能の維持を行う施設です。医療の場と生活の場をつなぐ役割を果たしています。

介護老人保健施設とは

介護老人保健施設（老健）は、在宅生活への復帰を目指す施設サービスです。入所対象となる人は要介護1から5の認定を受け、病状が安定期にある人になります。医師の指示のもと、看護職員、理学療法士、作業療法士などによる**維持期リハビリテーション**、栄養管理、入浴などのサービスが提供されます。

維持期リハビリテーション
急性期・回復期のリハビリテーションで獲得された機能や能力などの維持を目的に行われるリハビリテーション。

そのため、介護老人保健施設入所者は医療機関から直接入所される人が約５割となっています（2016年調査）。人員基準では医療従事者が重点的に配置されていることも特徴のひとつです。在宅復帰が目的の施設のため、入所期間は3か月～6か月程度となり、病院と自宅をつなぐ「中間施設」とも呼ばれています。

老健の特徴は「在宅復帰」・「在宅療養支援」

介護老人保健施設の目的は「**在宅復帰・在宅療養支援**」と、「機能維持・改善のためのリハビリテーションを担うこと」です。これは他の施設サービスに見られない特徴です。そのため、介護報酬も在宅に戻ることに重点をおいた体系となっています。

在宅復帰・在宅療養支援
施設に属する理学療法士や作業療法士などのリハビリ専門職が、退所した利用者の自宅を訪問し、住宅改修や福祉用具のアドバイスやリハビリテーションを実施すること。積極的に行うと、介護報酬で加算される。

介護老人保健施設に求められる役割は、在宅復帰率だけでなく、認知症、看取りへの対応、リハビリテーションの効果など、他サービスとも連携していく多様な在宅支援機能が必要となります。

介護老人保健施設の経営は、制度の方向性を把握するとともに、利用者の紹介元である医療相談室やケアマネジャーに自分の施設の特徴を明確に訴求し、認知・理解してもらうことがさらに重要になっていくと考えられます。

介護老人保健施設のしくみ

サービス内容

- 歩行訓練や体力向上
- 日常動作や起居動作
- 発話訓練や飲み込み訓練
- 在宅復帰支援
- 食事の介助
- 着替えの介助
- 入浴介助
- 排泄の介助
- 買い物の代行
- 医療処置
- 服薬の管理　など

人員基準（主なもの）

	職種	人員・資格要件等
人員基準	医師	常勤で１名
	看護師、准看護師・介護職員	入所者３名に対して常勤換算１名以上（うち看護職員が７分の２程度、介護職員７分の５程度）
	リハビリ専門職	入所者100名に対して常勤換算１名以上、理学療法士、作業療法士または言語聴覚士
	栄養士または管理栄養士	入所者100名以上の場合、常勤１名以上
	介護支援専門員	１名（入所者100名未満）
	支援相談員	１名（入所者100名未満）
	薬剤師	介護老人保健施設の実情に応じた適当数

介護報酬の例（主なもの）

（1日につき）

介護保健施設サービス費＜多床室＞【基本型】	要介護１	7,930円
	要介護２	8,430円
	要介護３	9,080円
	要介護４	9,610円
	要介護５	10,120円
ユニット型介護保健施設サービス費＜ユニット型個室＞【基本型】	要介護１	8,020円
	要介護２	8,480円
	要介護３	9,130円
	要介護４	9,680円
	要介護５	10,180円

※１単位＝10円で計算
出典：厚生労働省「令和６年厚生労働省告示第86号」

Chapter4
04

新たに法制化された施設

医療と介護が必要な高齢者のための「介護医療院」

「介護医療院」は日常的に医学管理が必要な重度の要介護者を受け入れ、長期療養生活を行う施設です。介護療養型医療施設に代わる、より生活の場としての機能を兼ね備えた施設として2018年に創設されました。

介護医療院とは

介護医療院は増加が見込まれる長期的な医療と介護のニーズを併せ持つ人のための長期療養・生活施設です。介護医療院の入所対象となる人は、要介護1から5までの認定を受けた「日常的な医学管理」や「看取りやターミナルケア」などが必要な人です。

介護医療院は入所対象者の状態によってⅠ型、Ⅱ型に分けられています。Ⅰ型の対象者は、「重篤な身体疾患を有するもの、身体合併症を有する認知症高齢者などである要介護者」、Ⅱ型の対象者は「容体が比較的安定した要介護者」となっています。

介護医療院の開設者は都道府県知事の許可を受けた地方公共団体、医療法人、社会福祉法人、その他厚生労働大臣が定めたものとされています。また、Ⅰ型は医療専門職の人員配置が手厚いため、Ⅱ型よりも料金が高くなっています。

介護医療院への移行は2024年3月末まで

介護医療院は医療提供施設であるため、医師、看護職員、リハビリ専門職、薬剤師に加えて診療放射線技師などの医療職員の配置が必要です。同時に介護保険施設であるため、介護支援専門員、介護職員などの配置も必要です。サービス内容は、医療ケアである投薬や検査、リハビリテーション、喀痰吸引《かくたん》や経管栄養、ターミナルケアなどを行います。介護分野では、食事や排泄、入浴介助、レクリエーション活動などの生活支援を行います。

なお、従前の介護療養型医療施設は2024年3月末で廃止され、介護医療院などの施設への移行、または療養型病院の医療療養病床へ転換されました。

ターミナルケア
P.76参照。

喀痰吸引
痰が喉に詰まらないように、吸引装置を使って痰の吸引や排痰を行うこと。

経管栄養
口から物が食べられなくなったとき、チューブなどで必要な栄養を胃に直接注入すること。胃ろうや腸ろうといった方法もある。

介護療養型医療施設
医療依存度の高い要介護高齢者のための入所施設。増加が見込まれる慢性期の医療と介護のニーズを併せ持つ高齢者に対応するため、より生活施設の機能を兼ね備えた「介護医療院」などに転換された。

介護医療院のしくみ

医師、看護職員、
リハビリ専門職、介護職員など

要介護者
（医療ケアが必要な人）

サービス内容

- 喀痰吸引、経管栄養、点滴などの医療的ケア
- 歩行訓練
- 日常動作の訓練
- 医療処置
- 服薬の管理
- 看取りやターミナルケア
- 日常生活上必要な介護　など

人員基準（主なもの）

	職種	人員・資格要件等
人員基準	医師	最低３名必要。換算方法は（Ⅰ型入所者数÷48）＋（Ⅱ型入所者数÷100）
	薬剤師	（Ⅰ型入所者数÷150）＋（Ⅱ型入所者数÷300）以上
	介護職員	（Ⅰ型入所者数÷5）＋（Ⅱ型入所者数÷6）以上
	看護師、准看護師	入所者数÷6以上
	栄養士または管理栄養士	入所者100名以上の場合、１名以上
	リハビリ専門職	実情に応じた適当数、理学療法士、作業療法士または言語聴覚士
	介護支援専門員	１名（入所者100名未満）
	診療放射線技師	実情に応じた適当数

介護報酬の例（主なもの）

（1日につき）

Ⅰ型介護医療院サービス費（Ⅰ）（ⅱ）<多床室>	要介護１	8,330円
	要介護２	9,430円
	要介護３	11,820円
	要介護４	12,830円
	要介護５	13,750円
Ⅱ型介護医療院サービス費（Ⅰ）（ⅱ）<多床室>	要介護１	7,860円
	要介護２	8,830円
	要介護３	10,920円
	要介護４	11,810円
	要介護５	12,610円

※１単位＝10円で計算
出典：厚生労働省「令和６年厚生労働省告示第86号」

Chapter4
05

生活が困難な方のための「養護・軽費老人ホーム」

養護老人ホーム・軽費老人ホームの開設主体は地方公共団体や社会福祉法人に限られています。東京都では、基準を緩和した都市型軽費老人ホームは営利法人も設置可能となっています。

養護老人ホームと軽費老人ホーム

養護老人ホームは生活環境上の理由や経済的に困窮した65歳以上の高齢者を措置によって入所させる施設です。身の回りのことを自分でできる人が対象のため、介護サービスは原則ありませんが、「外部サービス利用型特定施設入居者生活施設」として、施設が契約する介護サービス事業者により介護サービスが受けられる施設もあります。

軽費老人ホームは、無料または低額な料金で、居宅での生活が困難な高齢者を入所させ、食事の提供その他日常生活上必要なサービスを供与する施設です。A型、B型、ケアハウス（車いす生活となっても自立した生活が送れるように配慮したC型）の区分があります。養護老人ホームと軽費老人ホームを設置できるのは原則、国・地方公共団体や社会福祉法人に限られています。

措置
行政が福祉サービスの必要性や種類、入所施設を権限で決定すること。養護老人ホームへの入所の可否は、市町村などが必要性を判断し、「入所措置」によって行われる。

都市型軽費老人ホームは民間事業者も参入機会あり

東京都が創設した都市型軽費老人ホームは、2009年3月に起こった無届けの老人ホーム事故（静養ホームたまゆら火災事故）を機につくられた新しい種類の低所得者向けの高齢者施設です。

東京都では、2010年度より独自に居住面積や人員配置の基準を緩和し、利用料金をより低額に抑えた「都市型軽費老人ホーム」の整備を進めています。地価の高い東京都ではこの都市型軽費老人ホーム設置を推進するために、社会福祉法人以外の民間主体も事業を行えるよう公募をしています。東京都の都市型軽費老人ホームは特別区、武蔵野市、三鷹市の一部を整備対象地域としており、開設にあたっての工事費補助、運営のための助成があります（2024年5月現在）。

たまゆら火災事故
2009年に群馬県渋川市の無届けホームにおいて起こった死者10名、負傷者1名の火災事故。行き場のなかった東京都内の生活保護者の多くが入居していた。

養護老人ホームと軽費老人ホーム

養護老人ホーム

経済的・環境的に困窮した高齢者のための措置による入所施設
入所には市区町村長の決定（措置）が必要

養護老人ホームの入所者像(一部)

- ❶ 独居の高齢者
- ❷ 無年金など経済的に困窮した方
- ❸ 虐待を受けている高齢者
- ❹ 要支援者
- ❺ 要介護者
- ❻ 身体的な障害をお持ちの方
- ❼ 認知症や、精神的な障害をお持ちの方
- ❽ 他の法律に基づく施設に入所できない高齢者
- ❾ ホームレスの方
- ❿ 以前に犯罪を犯した方
- ⓫ 賃貸住宅から立ち退きを受けた方

軽費老人ホーム

低所得高齢者のための住居

種類	性格
軽費老人ホームA型	低所得高齢者のための住まい
軽費老人ホームB型	自炊ができる低所得高齢者のための住まい
都市型軽費老人ホーム	都市部における低所得高齢者のための住まい
ケアハウス（特定施設入居者生活介護）	介護保険の特定施設入居者生活介護の指定を受けた低所得高齢者のための住まい

出典：公益社団法人　全国老人福祉施設協議会

ONE POINT

特定施設入居者生活介護

介護保険法令上での「特定施設入居者生活介護」の位置付けにあるのは、介護付き有料老人ホーム、養護老人ホーム、軽費老人ホームです。これらは「施設」ではありますが、法律上は「介護保険施設」ではなく、「居宅」扱いになるため、「居宅」として外部からの介護保険サービスを受けることができます。

健康な人も入居できる施設

種類もいろいろ「有料老人ホーム」

「有料老人ホーム」は株式会社をはじめ、多様な法人が運営できる高齢者向けの施設です。健康な人から要介護者まで入居可能で、サービスや設備、スタッフの対応、前払金や月々の入居費もゼロから数億円まで様々です。

有料老人ホームとは

有料老人ホームは、老人福祉法において、民間企業などが高齢者に対して「入浴、排泄または食事の介助」、「食事の提供」、「洗濯、掃除などの家事」または「健康管理」の少なくともひとつのサービスを供与する施設として定義されています。

このサービスのうちひとつでも実施が認められるものは、すべて有料老人ホームに該当し、都道府県知事などへの「届出」が義務となっています。有料老人ホームには、介護サービスの提供方法の違いにより、3つの種類があります。1つ目は特別養護老人ホームと同様のサービスが受けられる「介護付き」、2つ目は必要なときに外部の介護サービスを利用する「住宅型」、3つ目はサービス内容は住宅型と同じですが、介護が必要になった際に退去することになる「健康型」です。

前払金
有料老人ホームの入居の際に前払いで支払うお金のこと。過去に返還金でのトラブルが多発。老人福祉法が改正され、想定入居期間を超えて入居契約が継続する場合に備えた家賃相当額となった。

「住宅型」が約6割を占める

「介護付き」有料老人ホームは、介護保険サービスのひとつである「特定施設入居者生活介護」の指定を受けた施設のことです。

有料老人ホームは、「住宅型」が約6割、「介護付き」が約4割となっており、近年「住宅型」が増えています。その反面、「健康型」には需要がほとんどありません。

住宅型が増えているのは、「介護付き」は自治体による総量規制によって新規開設が制限されているからです。一方、住宅型は、自治体への届け出のみで開設できるため、総量規制の対象ではありません。住宅型は、老人ホームであるものの、介護保険では自宅と同じ扱いのため、ケアマネジャーを通じて必要な居宅サービスを組み合わせて利用できることが特徴です。

総量規制
自治体内での介護サービスの総量に対する規制。自治体で計画に基づいて開設できる居室数を制限している。有料老人ホームは2006年より対象。

有料老人ホームの種類

介護付き有料老人ホーム

要介護の人

サービスの内容

- 生活支援
- 身体介護
- リハビリ、レクリエーション
- 食事サービス　など

住宅型有料老人ホーム

要介護・自立の人

サービスの内容

- 生活支援
- 食事サービス　など

↓

介護が必要な場合は
居宅サービス事業者と契約

健康型有料老人ホーム

自立の人

サービスの内容

- 家事生活支援
- 食事サービス　など

↓

要介護になった場合は
退去

人員基準　介護付き有料老人ホーム（主なもの）（特定施設入居者生活介護）

	職名	人員・資格要件等
人員基準	管理者（施設長）	1名（兼務可）
	生活相談員	1名（入居者100名未満）
	看護師、准看護師・介護職員	①要支援者：看護・介護職員＝10：1 ②要介護者：看護・介護職員＝3：1 ※ただし看護職員は要介護者等が30名までは1名、30名を超える場合は、50名ごとに1名
	機能訓練指導員	1名以上（兼務可）
	計画作成担当者	介護支援専門員1名 （入居者100名未満）

介護報酬の例（主なもの）

（1日につき）

要支援1	1,830円
要支援2	3,130円

要介護1	5,420円
要介護2	6,090円
要介護3	6,790円
要介護4	7,440円
要介護5	8,130円

※1単位＝10円で計算
出典：厚生労働省「令和6年厚生労働省告示第86号」

高齢者が住みやすく、見守りサービスがある

高齢者向け賃貸住宅「サービス付き高齢者向け住宅」

「サービス付き高齢者向け住宅」は、高齢者の居住の安定の確保を目的に「高齢者住まい法」に定められた住宅です。高齢者の生活を支援するため、状況把握サービス、生活相談サービスなどがついたバリアフリー住宅です。

サービス付き高齢者向け住宅とは

サービス付き高齢者向け住宅（以下：サ高住）は、高齢者の居住にふさわしい施設や設備、見守りサービスなどを備えた賃貸などの住まいです。サ高住の契約は、アパートやマンションを借りるときと同様の「賃貸借契約」を結ぶと同時に、状況把握と生活相談を含めたサービス契約を結びます。

つまり、サ高住の名前にある「サービス」とは、状況把握と生活相談サービスのことを指しており、介護サービスは含まれていません。介護サービスが必要な場合は、ケアマネジャーを通じて必要な在宅サービスを組み合わせて利用します。なお、入居時にかかる費用は敷金のみとなり、権利金・礼金・更新料などの徴収は禁止されています。

国の優遇策とサ高住

サ高住は、国が構築を目指している「地域包括ケアシステム」（P.16参照）の一施策です。国は供給促進を図るため、サ高住開設者に対して建設費用補助や住宅金融支援機構による融資、固定資産税や不動産取得税の軽減措置を講じています。また、自治体の判断により市街化調整区域に建設も可能です。

国土交通省のデータによると、サ高住が建てられているエリアは2/3が市街化区域、1/3が市街化調整区域などとなっています。サ高住建設にはまとまった土地の広さが必要なため、郊外に建てられていることも多く、交通の便はあまりよくありません。また、開業してからの課題は入居者の獲得と入居率の維持となっています。

高齢者住まい法
高齢者の居住の安定確保に関する法律。サービス付き高齢者向け住宅を事業の登録制度に設けるなど、高齢者の居住の安定を図ることを目的としている。

住宅金融支援機構
2007年に旧住宅金融公庫の業務を継承して設立された独立行政法人であり、国土交通省と財務省の管轄。金融機関による貸付が困難な分野に直接融資を行う。

市街化調整区域
「市街化を抑制すべき区域」。開発行為や施設の整備を極力行わない地域のこと。栄えていない地域。

国土交通省のデータ
サービス付き高齢者向け住宅に関する懇談会」2020。

市街化区域
「すでに市街地を形成している区域及びおおむね10年以内に優先的かつ計画的に市街化を図るべき区域」のこと。すでに栄えている地域。

サービス付き高齢者向け住宅のしくみ

賃貸借契約 ＋ **サービス提供契約**

〈住宅の要件〉

・居室は原則25㎡以上

・原則台所、水洗トイレ、収納設備、洗面設備、浴室の設置

※その他自治体によって異なる基準があるので注意

〈サービス付き高齢者向け住宅の登録情報〉

※2024年4月末時点

棟数	戸数
8,291	287,187

出典：サービス付き高齢者向住宅情報提供システム

サービスの要件

- 介護、看護・医療のいずれかの資格を有するスタッフが日中常駐
- 安否確認・状況把握・生活相談サービスを提供

任意提供

- 食事サービス
- 生活支援サービス（コンシェルジュなど）
- 夜間の常駐

介護保険サービス契約

- 居宅介護支援（ケアマネジャー）
- 訪問介護
- 訪問看護　など

サービス付き高齢者向け住宅の立地状況

都市計画区域との関係

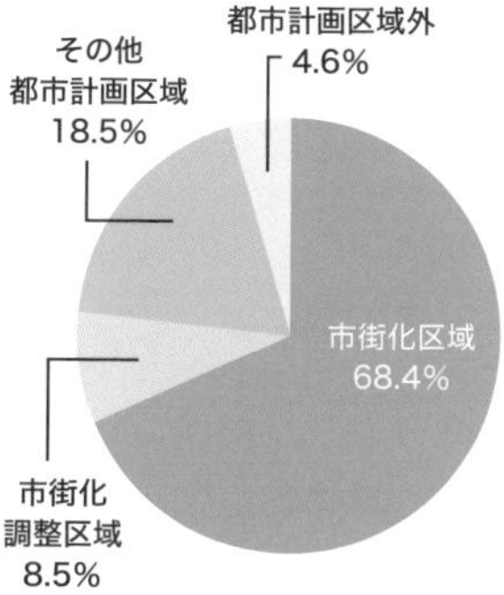

公共交通機関へのアクセス

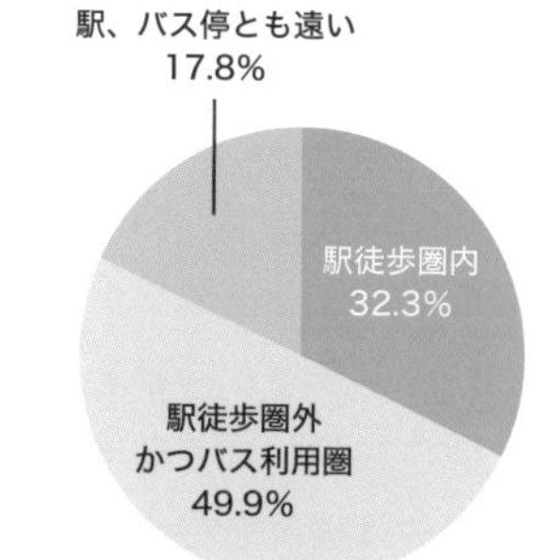

医療機関へのアクセス

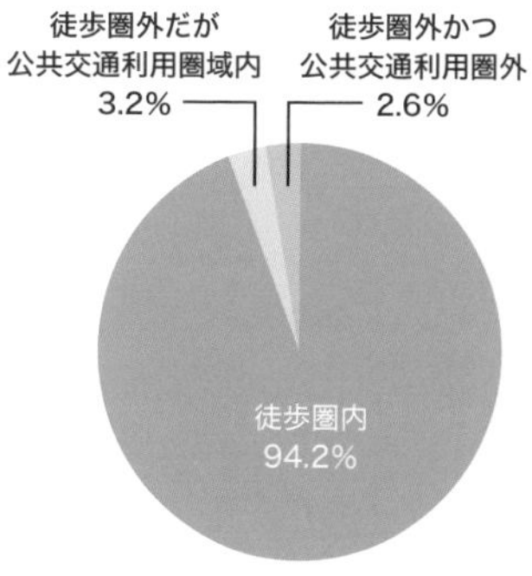

出典：国土交通省住宅局安心居住推進課「サービス付き高齢者向け住宅の現状と課題」2018

Chapter4
08

空き家、空き室を利用した安価な住まい

高齢者や障がい者が入りやすい「セーフティネット住宅」

高齢者や低所得者、障がい者などにとって賃貸住宅を探すことは困難です。国は、現在、問題となっている空き家や空き室を利用して、住宅を借りにくい人たちのために、「セーフティネット住宅」のしくみをつくりました。

最低限の安全な住まいを保障する制度

セーフティネット住宅は、高齢者や低所得者、障がい者、被災者、ひとり親世帯などの住宅確保要配慮者を拒まない賃貸住宅のことです。「住宅確保要配慮者に対する賃貸住宅の供給の促進に関する法律」の改正により、この制度がつくられました。セーフティネット住宅は登録制になっており、事業者（賃貸人）がこの事業を開始する場合、バリアフリー化、耐震化など、一定の基準に適合させたうえで、登録申請書などを作成し、都道府県・政令市・中核市などの登録窓口に提出する必要があります。国や地方自治体は、住宅確保要配慮者に対する住宅の紹介や入居支援、専用住宅にするための改修費用の経済的支援などを行います。

セーフティネット
主に経済的な破綻のリスクから救済するための社会保障制度のこと。サーカスの綱渡りなどで落下した際、安全を確保するために張られた網を意味する。

住宅確保要配慮者
国交省政令で外国人やDV被害者、犯罪被害者、矯正施設退所者なども定められている。自治体によりLGBT、U･I･Jターンによる転入者などを含めることも可能。

空き家、空き室対策としてのセーフティネット住宅

セーフティネット住宅は、空き家・空き室対策としても考えられた制度です。大家さん（賃貸人）のメリットとしては、自営のアパートがあるが、老朽化しているため入居が進まない場合などの活用が考えられます。また、セーフティネット住宅として登録するとインターネットで周知されます。

入居する要配慮者は、住宅を借りる際の相談や、入居後に困ったときの相談窓口として、都道府県が指定した居住支援法人の支援が受けられることも特徴です。

介護サービス事業者が開設するセーフティネット住宅であれば、単なる住まいの提供だけでなく、入居した高齢者・障がい者向けに介護サービスの提供を行えるとともに、仕事のない入居者に対して働き手になってもらうことも考えられます。

居住支援法人
居住の支援を行う法人として、都道府県が指定する法人。入居者への家賃債務保証や入居に係る情報提供・相談、見守りなど、要配慮者への生活支援を行う。

セーフティネット住宅のしくみ

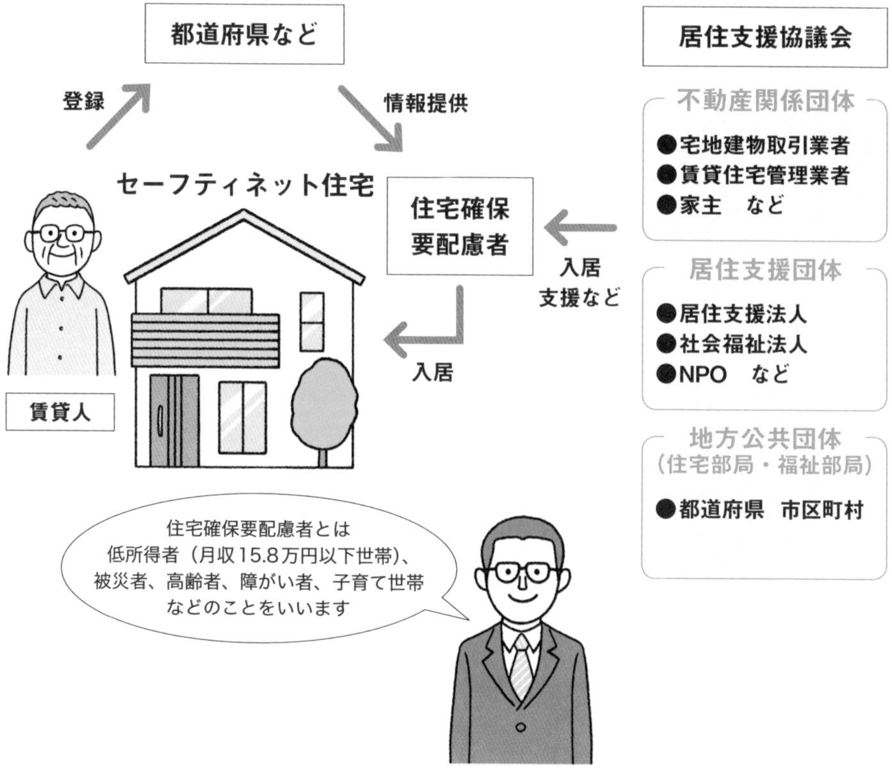

賃貸人のメリット（主なもの）

セーフティネット住宅提供システムへの物件掲載	登録した住宅が専用ホームページに掲載され広く告知
入居者支援がある	居住支援団体による入居に関わる情報提供・相談、見守りなどの生活支援、地方公共団体などによる家賃と家賃保証料の補助
改修工事に一定の補助金が出る	住宅確保要配慮者「専用の住宅」として、住宅セーフティネット制度に登録をすると、必要な改修を行う場合に改修工事費の補助

出典：国土交通省のHPなどをもとに筆者作成。参考HP：セーフティネット住宅情報提供システム　https://www.saftynet-jutaku.jp

医療依存度が高い患者のための終末期ケアに特化した「ホスピス型住宅」

多死社会の到来に伴い、「ホスピス型住宅」が注目されています。自宅の快適さと病院の安心感を提供し、特にがん末期や神経難病の患者に適したケアを提供する住まいで、2040年に向けて需要はさらに拡大すると考えられます。

看取り難民問題とホスピス型住宅の役割

多死社会の到来に伴い、「ホスピス型住宅」が新たなケアの選択肢として注目され、その数が急増しています。ホスピス型住宅は「自宅の快適さ」と「病院（医療）の安心感」を提供する住まいです。しかし、この住宅は制度化された医療・介護サービスではないため、明確な定義はありません。一般的には、がん末期や神経難病など医療依存度が高く、医療保険の訪問看護の対象となる患者に特化したサービス付き高齢者向け住宅や住宅型有料老人ホームなどを指します。名称は「医療特化型有料老人ホーム」「ナーシングホーム」「ターミナルケアマンション」など様々です。

多死社会
P.16参照。

ホスピス
がんや難病の進行によって治療が困難になった方に、身体の痛みや精神的な不安をやわらげるホスピスケア（緩和ケア）を提供する施設のこと。

ホスピス型住宅の経済的側面と政府の対応

ホスピス型住宅のビジネスモデルは、医療保険の訪問看護の診療報酬＋介護報酬を柱としています。利用者単価は月額100万～150万円程度といわれています。これは医療保険を収益としない介護付有料老人ホームの2～3倍に相当します。一方、財務省もこの状況を注視しています。2023年11月に開催した審議会では、ホスピスケア住宅事業者の利益率が極めて高いという資料を公表し、「適正化を図るべき」と指摘しました。

本格的な多死社会が到来する2040年に向けて、ホスピスケア、緩和ケア、ターミナルケアを通じて病気の進行に伴う痛みや苦しみを軽減し、主治医との連携による包括的な医療対応が可能で、家族の負担も軽減するホスピス型住宅への需要はさらに拡大すると考えられます。この事業は、同時に、残された家族や介護職員の心理的ケア、死生観の醸成、信仰する宗教など、多くの関連項目が発展途上であることにも理解が必要です。

緩和ケア
世界保健機関(WHO)の定義では「生命を脅かす病に関連する問題に直面している患者とその家族のQOL（生活の質）を、痛みやその他の身体的・心理社会的・スピリチュアルな問題を早期に見出し的確に評価を行い対応することで、苦痛を予防し和らげることを通して向上させるアプローチ」。

退院後、多くの医療ケアを必要とする患者のための受け入れ先

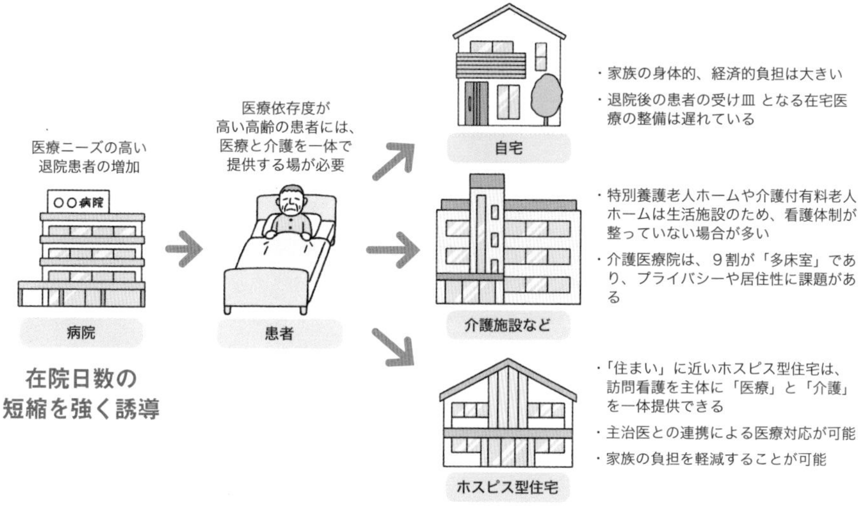

病院（緩和ケア病棟）とホスピス型住宅の違い

	緩和ケア病棟	ホスピス型住宅
特徴	医療を重視 専門的な医療ケアやリハビリを受けられる病床があることが特徴	その人の自分らしい生活を重視 がんや難病のケアを受けながら、「自分らしい生活」に重点を置いた住宅型施設
滞在期間	症状が安定すると退院を促されるケースが多い	入居期間の定めがない
医療設備	医療設備が充実	病院のような医療設備はない。普段使っている医療機器を持ち込むことは可能
医師の常駐	常駐、患者48：1の医師配置	訪問診療で月2回の診療が目安。緊急時は24時間往診対応可能
看護師の配置人数	患者4：1名の看護師配置	基本的には入居者3名に1名の看護師
居室空間	複数人で過ごす相部屋が多い	個室が基本。家具や私物の持ち込みOK
家族や友人との面会	病院の方針により様々である	原則、面会制限は設けず 夜間の面会も可能な住宅もある
外出や外泊の自由度	外出や外泊の制限は厳しめ	家族の付き添いや医師との相談のもと、外出や外泊がしやすい

出典：各社HPを参考に筆者改変

COLUMN 4

「介護」先進国・日本

日本におけるケアの専門職には、「介護士」と「看護師」があり、介護士は福祉職として、看護師は医療職として区別されています。しかし、諸外国の中には、日本の介護士が行っていることを医療職である看護職が行っている国があります。

「看護する」という言葉を英語訳するとNursing（もしくはNursing care）です。「介護する」も同じ英語訳になります。つまり英語では日本語の看護と介護を明確に区別する用語がないのです。Nursingの名詞形であるNurseの語源には、「育て養うこと」と「お乳をあげる人」という意味があります。例えば、英語ではNurseという用語を保育という意味で、「保母が赤ちゃんをNurse（保育）する」と使いますが、「保母が赤ちゃんをNurse（介護）する」とは訳しません。

日本で「介護」が一般的になったのは、介護保険法の議論が始まった1990年代頃からでした。また介護保険を利用するのは主に高齢者であることから、介護の言葉は高齢者専用のという意味で使われました。

欧米諸国も高齢化が進んでおり、介護が必要な高齢者は少なくありません。そのため、それぞれの国で高齢者の世話に関わる資格を設けています。

アメリカには、Certified Nursing assistantという有資格看護助手がいて、注射などの医療行為をせず、看護師の指示に基づいて高齢者のお世話をします。また、ドイツにはAltenpflegerという高齢者看護師がいます。しかし、その教育内容の専門性が低いとして、EU諸国は看護師の補助職に位置付けています。つまり、欧米には「医療行為に関わらない高齢者の世話をする看護職」はいますが、日本のように「高齢者介護をする職業」がありません。

これらの状況を鑑みると、日本は「介護」先進国といえるでしょう。ですから我々は「介護」とは何かを議論し続け、諸外国に発信していく必要があると思います。

杏林大学保健学部
看護学科 老年看護学　古川美和

第5章

介護保険における「地域密着型サービス」

「地域密着型サービス」は、介護が必要になっても住み慣れた地域で人々と交わりながら生活ができるように提供されるサービスです。どのようなサービスがあるのか、どんなしくみなのか見ていきましょう。

居宅で施設のようなサービスが受けられる

Chapter5 01

24時間、365日対応「定期巡回・随時対応型訪問介護看護」

「定期巡回・随時対応型訪問介護看護」は、24時間、365日、日中・夜間を通じて、訪問介護と訪問看護を提供するサービスです。1日複数回、短時間の定期巡回訪問と、利用者からの通報により随時対応・訪問を行います。

定期巡回・随時対応型訪問介護看護とは

定期巡回・随時対応型訪問介護看護は、居宅の要介護者が介護職員や看護職員の訪問を24時間、365日受けることができるサービスです。ケアプランに基づいて、訪問介護員が定期的に利用者宅を巡回する「**定期巡回サービス**」、**オペレーター**が利用者からの通報を受けて、相談援助を行ったり、サービスの要否を判断したりする「**随時対応サービス**」、訪問が必要になった場合に利用者宅を訪問介護員が訪ねる「随時訪問サービス」、また、看護師などが利用者宅を訪ねる「訪問看護サービス」の4つを組み合わせて要介護高齢者の生活を支えます。

定期巡回サービス
P.106参照。

オペレーター
利用者からの通報を受け、利用者の心身の状況、置かれている環境なども把握したうえで、訪問介護員の訪問の要否などを判断する。医師、看護師、介護福祉士、介護支援専門員などとしての経験がなければならない。

随時対応サービス
P.106参照。

月額包括報酬制
時間や回数でなく、利用者の要介護度に応じた1か月あたりの月額の報酬体系。月に何度訪問しても介護報酬は増減しない。

事業収益化のポイント

定期巡回・随時対応型訪問介護看護は、要介護度別に1か月ごとの介護報酬が定められている**月額包括報酬制**です。人員基準では24時間、365日の人員体制の確保が求められており、人件費負担が大きいことも特徴です。サービスの収益を確保するためには、「24時間365日の人員配置の職員確保」と、「その人件費を上回る、平均要介護度の介護報酬×利用者数の確保」がポイントとなります。一方、このサービスでは、訪問介護や夜間対応型訪問介護との職員の兼務が認められています。さらに、併設施設の職員によるオペレーターの兼務も認められています。よって、すでに訪問介護や夜間対応型訪問介護サービスなどの併設サービスを実施している事業者であれば、単体での事業開設に比べ、人件費や経費を併設サービスと案分でき、支出を抑えることが可能となります。2024年の改定では、新たに「夜間のみサービスを必要とする利用者向けの報酬区分」が新設されました。

定期巡回・随時対応型訪問介護看護のしくみ

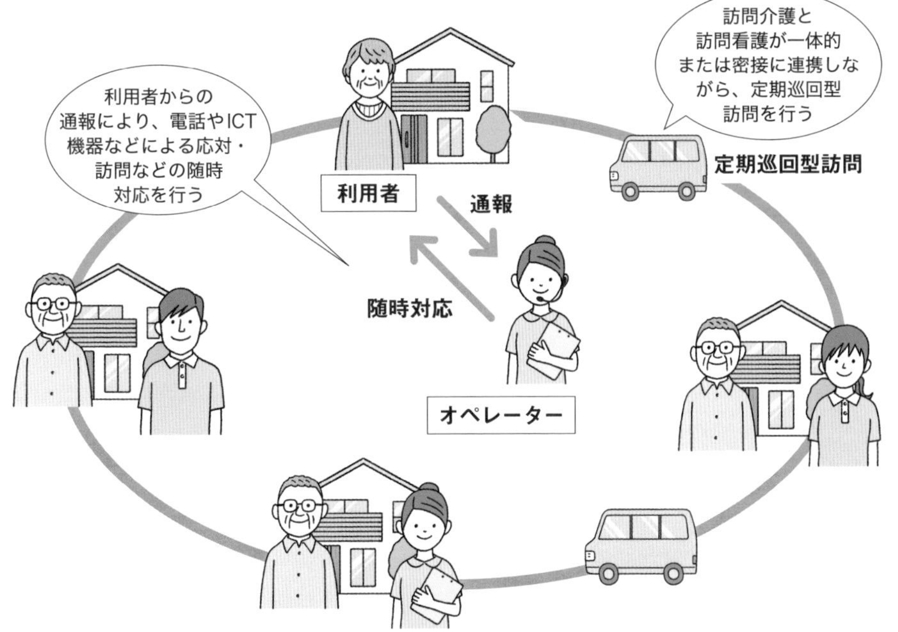

基本となる4つのサービス

●定期巡回サービス　●随時対応サービス　●随時訪問サービス　●訪問看護サービス

主な人員基準（一体型の場合）

	職種	人員・資格要件等
人員基準	オペレーター	1名以上、看護師、介護福祉士等
	訪問介護員等	必要な数以上、介護福祉士、実務者研修修了者、初任者研修修了者
	看護職員	2.5名以上、保健師、看護師、准看護師
	計画作成責任者	1名以上、看護師、介護福祉士、医師、保健師、准看護師、社会福祉士、介護支援専門員等

主な介護報酬の例（1月につき）

訪問看護サービスを行わない場合	要介護1	54,460円
	要介護2	97,200円
	要介護3	161,400円
	要介護4	204,170円
	要介護5	246,920円
訪問看護サービスを行う場合	要介護1	79,460円
	要介護2	124,130円
	要介護3	189,480円
	要介護4	233,580円
	要介護5	282,980円

※1単位＝10円で計算

出典：厚生労働省「令和6年厚生労働省告示第86号」

Chapter5
02

夜間、介護職員が巡回

夜間の介護をサポート「夜間対応型訪問介護」

「夜間対応型訪問介護」は、18時から翌朝8時までの夜間に定期巡回をして、排泄などの身体介護、または利用者からの通報によって要介護者の居宅を訪問し、安心して生活できるようにするためのサービスです。

夜間対応型訪問介護とは

夜間対応型訪問介護は、居宅で生活する要介護者が夜間でも安心して過ごせるよう18時から翌朝8時までの夜間帯に訪問介護員が利用者宅を訪問して介護にあたるサービスです。このサービスは「**定期巡回サービス**」と「**随時対応サービス**」に分かれます。

「定期巡回サービス」は、要介護者宅に夜間、定期的に訪問し、排泄の介助や安否の確認などを提供するサービスです。訪問時刻はケアプランで事前に決められた時間で、1回の滞在時間は30分ほどとなります。

「随時対応サービス」は、夜間にベッドなどから転落して自力で起き上がれない場合や体調が急変した場合などに、利用者本人や家族などがオペレーターに連絡を取り、救急車の手配や訪問介護員が駆け付けるサービスです。夜間対応型訪問介護は、夜間における訪問介護のみのサービス提供形態となります。

定期巡回サービス
訪問介護員が、定期的に利用者の自宅を訪問し、安否確認、排泄介助、体位変換、おむつ交換、水分補給などを行うサービス。自宅にいながら、施設にいるようなケアを受けられる。夜間対応型は夜間のみ行う。

随時対応サービス
オペレーターの指示により通報があった利用者の自宅に訪問介護員が駆け付けるサービス。緊急時の連絡にはあらかじめ「ケアコール端末」（ボタンを押すとオペレーターに直接連絡できる機器）が利用者に配布される。

夜間対応型訪問介護と定期巡回・随時対応型訪問介護看護

似ているサービスとして「定期巡回・随時対応型訪問介護看護」（P.104参照）がありますが、「夜間対応型訪問介護」は2006年創設のサービスであり、「定期巡回・随時対応型訪問介護看護」は2012年に創設されました。夜間対応型訪問介護は「訪問看護サービスがない」、「サービス時間帯が18時〜8時に限定されている」、「訪問1回ごとにサービス費用がかかる」ことが定期巡回・随時対応型訪問介護看護と異なります。このサービスをうまく運営していくポイントは、利用者数の確保と夜間における職員の確保となります。

夜間対応型訪問介護のしくみ

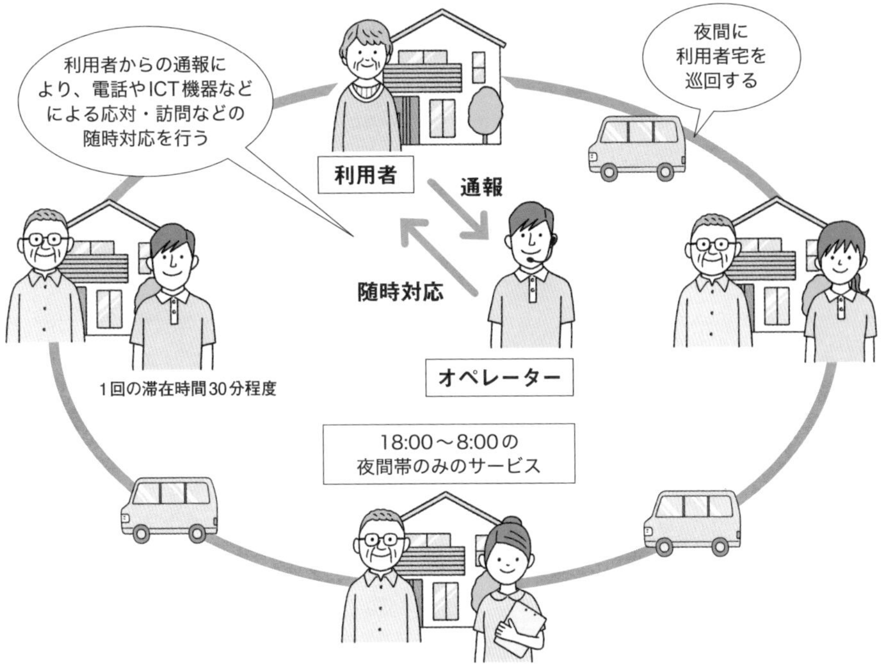

人員基準（主なもの）

	職種	人員・資格要件等
人員基準	オペレーター	・提供時間帯を通じて1名以上、介護福祉士等 ※オペレーションセンターを設置しない場合は配置不要
	面接相談員	1名以上
	訪問介護員	・必要な数以上 介護福祉士 実務者研修終了者 初任者研修終了者

介護報酬（主なもの）

夜間対応型訪問介護費（オペレーションセンターあり）	基本夜間対応型訪問介護費	1月につき9,890円
	定期巡回サービス費	1回につき3,720円
	随時訪問サービス費（Ⅰ）	1回につき5,670円
	随時訪問サービス費（Ⅱ）（2人訪問）	1回につき7,640円
夜間対応型訪問介護費（オペレーションセンターなし）		1月につき27,020円

※1単位＝10円で計算
出典：厚生労働省「令和6年厚生労働省告示第86号」

地域に密着したデイサービス

少人数で行うデイサービス「地域密着型通所介護」

「地域密着型通所介護」は定員18名以下の小規模の通所介護（デイサービス）です。市町村が地域包括ケアシステムの構築を図る観点から整備が必要なサービスとして、2016年の介護保険制度改正の際に創設されました。

定員18名以下の通所介護

通所介護は、「デイサービス」とも呼ばれ、日中、要介護者がデイサービス事業所に通い、入浴や食事、**レクリエーション**やリハビリテーションを行うサービスです。

従前は、利用者19名以上の「通所介護」1種類だけでしたが、2016年度から利用定員18名以下の「地域密着型通所介護」が創設されました。地域密着型サービスは利用者の生活圏内で顔見知りの利用者とともに顔なじみの介護職員からサービスを受けたり、地域の人々と交流しながら過ごすことを目的としています。これは市町村が行う「地域包括ケアシステム」（P.16参照）の重要な役割を果たすサービスのひとつとも考えられています。そのため、地域密着型通所介護は市町村長が指定権者となっています。

レクリエーション
機能訓練として行う体操やゲームなど。事業所ごとに様々な工夫をして行っている。

厳しい経営と生き残り戦略

地域密着型通所介護は、定員が18名以下と規模が小さいことと、地域によっては競合他社と利用者の獲り合いになるため、安定した経営を維持していくことが難しいサービスともいえます。さらに、厚生労働省の報告（2022年度）では、地域密着型通所介護の利用者は要介護１～２の方が約7割を占めているため、収益性が良いとはいえません。

福祉医療機構の調査では、黒字経営施設は赤字経営施設に比べて年間営業日数が多く、利用率が高いことが報告されています。今後の展開方向としては、地域の実情に合わせて**介護保険外サービス**を行ったり、障がい者福祉サービスである「**共生型サービス**」を検討したりすることが必要と考えられます。

介護保険外サービス
厚生労働省は、介護保険サービスと保険外サービスを組み合わせて提供する場合の取り扱いについて弾力化を進めている。

共生型サービス
介護保険と障害福祉のサービスを同一の事業所で一体的に提供することができるよう、新たに創設されたサービス。

地域密着型通所介護

サービス内容

- ●食事・入浴など日常生活の支援
- ●生活機能向上のための機能訓練
- ●口腔機能向上サービス
- ●生活相談・助言
- ●健康状態の確認
- ●レクリエーション　など

人員基準（主なもの）

	職種	人員・資格要件等
人員基準	生活相談員	1名以上　社会福祉士等
	看護職員	1名以上　看護師、准看護師
	介護職員	1名以上※　介護職員初任者研修修了者、実務者研修修了者、介護福祉士等　※利用者数による
	機能訓練指導員	1名以上　看護職員、PT、OT、ST、柔道整復師等

※定員10名以下の地域密着型通所介護事業所の場合は看護職員または介護職員のいずれか1名の配置で可

介護報酬（主なもの）

7時間以上8時間未満のサービス提供時間	要介護1	7,530円
	要介護2	8,900円
	要介護3	10,320円
	要介護4	11,720円
	要介護5	13,120円

※1単位＝10円で計算

出典：厚生労働省「令和6年厚生労働省告示第86号」

今後の地域密着型通所介護の経営

稼働率の向上　＋　**介護保険外の収益確保**　＋　**共生型（障がい福祉）サービスの検討**

- 生活介護
- 自立訓練
  （機能訓練・生活訓練）
- 児童発達支援
- 放課後デイサービス　など

Chapter5

04

家族のレスパイトケアにも

認知症専門のデイサービス「認知症対応型通所介護」

「認知症対応型通所介護」は、認知症の人ができるだけ居宅で日常生活を送れるよう、認知症の人の特性に配慮したサービスを通いで行います。利用者家族の身体的・精神的負担の軽減を図ることも重要な役割を担っています。

認知症対応型通所介護とは

認知症対応型通所介護は、認知症の人のための通所介護（デイサービス）です。利用対象者は、要支援か要介護の認定を受けていて、かつ主治医から**認知症の診断**を受けていることが必要です。このサービスには、単独型と併設型、そして共用型の3種類があります。単独型と併設型の利用定員は12名以下、共用型は1日あたり3名以下と定められています。

単独型は、認知症対応型通所介護事業所のみが単独で設置されているものです。併設型は介護老人保健施設などに併設されている形態で、共用型は**認知症対応型共同生活介護（グループホーム）**、地域密着型特定施設、地域密着型介護老人福祉施設の事業所を利用している利用者とともに、同事業所の居間・共同生活室・食堂を利用して行うデイサービスのことをいいます。

認知症対応型通所介護の収益

このサービスでは、認知症の人を専門にケアすることから、管理者は厚生労働大臣の定める「**認知症対応型サービス事業管理者研修**」を受講し修了していることが必要です。

介護事業経営実態調査結果（2023年度）によると、認知症対応型通所介護の利用者1人あたりの収入は14,166円、利益率は4.5%となっており、地域密着型の通所介護と比べると高めとなっています。しかし定員数が12名以下と低めに定められているため、安定した収益を保つためには、利用率の向上と人件費のマネジメントが重要となります。

認知症の診断

脳に病変を生じたために、認知機能が持続的に低下し、生活に困難を来たした状態。アルツハイマー型認知症と血管性認知症などがあるが、サービスの利用に原因疾患は問われない。

認知症対応型共同生活介護（グループホーム）

認知症高齢者が介護職員と共同生活をしながら、食事の支度や掃除、洗濯など、自分でできることを行い、家庭的な環境で認知症の進行を緩やかにするための施設。(P.114参照)。

認知症対応型サービス事業管理者研修

認知症対応型共同生活介護、認知症対応型通所介護、小規模多機能型居宅介護の「管理者」に義務づけられている研修。

認知症対応型通所介護のしくみ

自宅

デイサービス

単独型
民家などを専用の施設として利用する
定員12名以下

併設型
介護老人保健施設や病院などに併設
定員12名以下

共用型
グループホームの食堂などを入居者と共同利用
1日あたり3名以下

主な人員基準（単独型・併設型）

	職種	人員・資格要件等	
人員基準	生活相談員	1名以上　社会福祉士等	
	看護職員	看護師、准看護師	専従で1名以上 ＋ サービス提供時間に応じて1名以上
	介護職員	介護福祉士等	
	機能訓練指導員	1名以上　看護職員、PT、OT、ST、柔道整復師等	
	管理者	1名、認知症対応型サービス事業管理者研修修了者	

介護報酬（主なもの）

【単独型】 定員 12名以下 7時間以上 8時間未満	要介護1	9,940円
	要介護2	11,020円
	要介護3	12,100円
	要介護4	13,190円
	要介護5	14,270円
【併設型】 定員 12名以下 7時間以上 8時間未満	要介護1	8,940円
	要介護2	9,890円
	要介護3	10,860円
	要介護4	11,830円
	要介護5	12,780円

※1単位＝10円で計算
出典：厚生労働省「令和6年厚生労働省告示第86号」

地域密着型通所介護と認知症対応型通所介護の比較

	地域密着型通所介護	認知症対応型通所介護
利用定員	18名	12名
利用者1人当たりの収入	9,668円	14,166円
利益率（収支差率）	3.7%	4.5%

出典：厚生労働省「令和5年度介護事業経営実態調査結果」をもとに作成

Chapter5

05

3つの機能がセットになったサービス

通い、訪問、宿泊を1か所で「小規模多機能型居宅介護」

「小規模多機能型居宅介護」は、1か所の施設で通い、訪問、宿泊の3つを組み合わせたサービスを提供し、居宅での生活の継続を支援するものです。定額制のため、料金を気にせず自由な過ごし方ができます。

小規模多機能型居宅介護とは

小規模多機能型居宅介護は、「通い」、「訪問」、「宿泊」の3つのサービスをひとつの事業所で行うサービスです。事業所には専属の介護支援専門員（ケアマネジャー）が配置されており、ケアプランの作成を行います。利用者の定員は登録人数で管理を行い、29名以下となっています。そして1日の通いサービスは最大18名、1日の宿泊サービスは最大9名となっています。このサービスの特徴は、**登録制**となっており、同じ職員が3つのサービスを提供することで利用者と職員の間になじみの関係ができることです。利用者は1か所（1事業所）の小規模多機能型居宅介護事業所のみ登録し、利用することができます。

登録制
利用者と介護職員のなじみの関係を築きながらサービスを提供する観点から、登録制となっており、複数の事業所に登録することはできない。

サービスの特性を活かした事業経営

このサービスの介護報酬は宿泊費と食費などを除く、**月額包括報酬制**となっているため、サービスの利用回数にかかわらず収入上限が決まっています。また、**調査**によると4割の事業所が赤字となっています。理由としては、介護報酬体系が要介護1・2と要介護3～5との間で差が大きいことが挙げられます。これは、要介護1・2の人が新規にこのサービスを利用し、要介護3以上になると介護老人福祉施設などに入所し、高い介護報酬に移行する前にサービスを終了してしまうことが考えられます。経営の安定のためにはケアマネジャーによる適切なケアマネジメントに加え、介護度の高い利用者のための医療的ケアの実施なども重要なポイントになります。さらに、人件費などの費用負担を最小限に抑えるためには、職員のスキルの向上とともに地域の医療機関などとの協力関係を築くことも重要です。

月額包括報酬制
P.104参照。

調査
福祉医療機構の調査（2021年度）による。

小規模多機能型居宅介護のしくみ

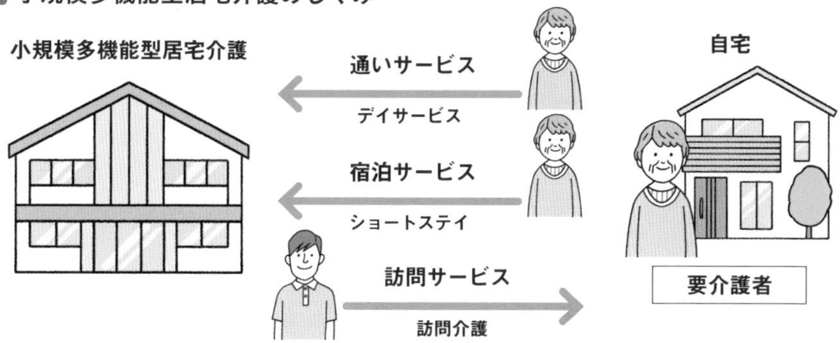

人員基準（主なもの）

	職種			人員・資格要件等
人員基準	代表者 （理事長、社長、部門責任者等）			認知症の介護従事経験もしくは保健医療・福祉サービスの経営経験があり、「認知症対応型サービス事業開設者研修」を修了した者
	管理者			3年以上認知症の介護従事経験があり、「認知症対応型サービス事業管理者研修」を修了した者
	介護従業者	日中	通いサービス	常勤換算方法で3：1以上
			訪問サービス	常勤換算方法で1名以上
		夜間	夜勤職員	時間帯を通じて1名以上
			宿直職員	時間帯を通じて1名以上
		看護職員		介護従業者のうち1名以上、看護師または准看護師
	介護支援専門員			1名以上、介護支援専門員であって、「小規模多機能型サービス等計画作成担当者研修」を修了した者

介護報酬（主なもの）

同一建物に居住する者以外の者に対して行う場合（1月につき）	要介護1	104,580円
	要介護2	153,700円
	要介護3	223,590円
	要介護4	246,770円
	要介護5	272,090円
同一建物に居住する者に対して行う場合（1月につき）	要介護1	94,230円
	要介護2	138,490円
	要介護3	201,440円
	要介護4	222,330円
	要介護5	245,160円
短期利用居宅介護費（1日につき）	要介護1	5,720円
	要介護2	6,400円
	要介護3	7,090円
	要介護4	7,770円
	要介護5	8,430円

※1単位＝10円で計算

出典：厚生労働省「令和6年厚生労働省告示第86号」

Chapter5
06

認知症の人が少人数で共同生活

家庭的な雰囲気のなかで「認知症対応型共同生活介護」

「認知症対応型共同生活介護」は「グループホーム」とも呼ばれ、認知症の人が介護を受けながら共同生活を送ります。介護職員の支援を受けながら自分でできることを行い、認知症の進行を遅らせることを目的としています。

認知症対応型共同生活介護とは

認知症対応型共同生活介護（以下：グループホーム）は、認知症の高齢者が家庭的な環境と地域住民との交流のもと、共同生活していくことを支援する地域密着型サービスです。

グループホームは、共同生活住居（ユニット）と呼ばれる生活単位に分かれ、1つのユニットの定員は5～9名です。そして1事業所が運営できるユニット数は原則2ユニット（定員18名）まででしたが、2021年の介護報酬改定において、1事業所最大3ユニット（27名）まで開設できることとなりました。さらに、運営実績などがある事業所は、本体事業所に**サテライト型事業所**を加え、最大4ユニットまで開設できることになりました。ただし、地域密着型サービスは市町村が策定する介護保険事業計画によって施設整備数が定められているため、すべての地域のグループホームが増設できるわけではないことと、入居実績や距離などのサテライト要件があることに注意が必要です。

サテライト型事業所
本体の事業所とは別にサービス提供などを行う出張所などのこと。

グループホームの供給拡大とM&Aの増加

グループホームの収益率は、ユニット数によって大きく異なります。福祉医療機構の調査（2023年度）では、1ユニットのグループホームの赤字割合は40.1％、2ユニットでは33.2％となっています。

2025年には都市部における高齢者の増加はさらに勢いを増すと同時に、認知症の人の割合の高い後期高齢者の急増が見込まれます。今回の改正によって地域の実情に応じたグループホームの供給拡大と**M&A**がさらに加速すると考えられます。

M&A
「Mergers（合併）& Acquisitions（買収）」の略称。株式譲渡、事業譲渡などの方法がある。

認知症対応型共同生活介護のしくみ

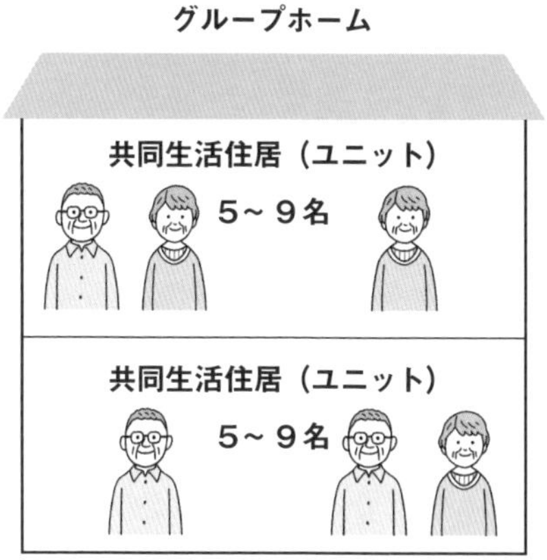

サービス内容

- 共同生活をしながら、食事や洗濯など、できることを職員とともに行い、認知症の症状の進行を緩やかにすることを目的とする
- 最大定員27名＋９名※
- 要支援２以上の認知症高齢者

※本体＋サテライト（2021年改定）

人員基準（主なもの）

	職種	人員・資格要件等
人員基準	代表者	認知症である者の介護に従事したまたは保健医療・福祉サービスの事業の経営に携わった経験を有し、「認知症対応型サービス事業開設者研修」を修了した者であること
	管理者	３年以上、認知症である者の介護に従事した経験を有し、「認知症対応型サービス事業管理者研修」を修了した者
	介護従業者	・日中は、ユニットごとに利用者３名に１名（常勤換算） ・夜間・深夜は、ユニットごとに１名
	計画作成担当者	１名は介護支援専門員。「認知症介護実践者研修」または「実務者研修基礎課程」修了者

主な介護報酬（1日につき）

認知症対応型共同生活介護費【1ユニット】	要支援２	7,610円
	要介護１	7,650円
	要介護２	8,010円
	要介護３	8,240円
	要介護４	8,410円
	要介護５	8,590円
認知症対応型共同生活介護費【2ユニット以上】	要支援２	7,490円
	要介護１	7,530円
	要介護２	7,880円
	要介護３	8,120円
	要介護４	8,280円
	要介護５	8,450円

※１単位＝10円で計算
出典：厚生労働省「令和６年厚生労働省告示第86号」

Chapter5
07

通い、訪問介護、訪問看護、宿泊を１か所で

小規模多機能プラス訪問看護「看護小規模多機能型居宅介護」

「看護小規模多機能型居宅介護」は、医療ニーズの高い要介護者に対して、「訪問看護」と「小規模多機能型居宅介護」を組み合わせ、介護と看護を連携させて、通い・訪問・宿泊のサービスを一体的に提供します。

看護小規模多機能型居宅介護とは

看護小規模多機能型居宅介護は、小規模多機能型居宅介護に「訪問看護サービス」を組み合わせたもので、医療ニーズの高い人が、慣れ親しんだ地域と家で暮らし続けることを支援するサービスです。

2012年に、「訪問看護」と「小規模多機能型居宅介護」を組み合わせて提供する「**複合型サービス**」として創設されましたが、2015年に「看護小規模多機能型居宅介護」と名称変更されました。略称「かんたき」とも呼ばれています。

複合型サービス
通所介護＋訪問看護など、２種類以上を組み合わせて提供することが、効果的かつ効率的と考えられるサービスの総称。2011年の介護保険法改正で創設された。

利用者の登録定員は29名以下となっており、１日の通いサービスの利用定員は最大15名、１日の宿泊サービスは最大９名となっています。

看護小規模多機能型居宅介護の特徴

看護小規模多機能型居宅介護の特徴は、医療ニーズの高い人に対して主治医との連携のもと医療行為も含めた柔軟なサービスを24時間、365日提供できることです。事業所の管理者は、保健師もしくは看護師、または3年以上認知症高齢者の介護に従事した経験があり、**認知症対応型サービス事業管理者研修**を修了した者でなくてはなりません。

認知症対応型サービス事業管理者研修
P.110参照。

厚生労働省の調査（2022年度）によると、小規模多機能型居宅介護は全国で5,575事業所あるのに対して、看護小規模多機能型居宅介護は852事業所しかありません。新規の開設にはいくつかのパターンが考えられます。一例として、すでに訪問看護ステーションや小規模多機能型居宅介護サービス、有床診療所を運営している場合には経営上の相乗効果が見込めると考えられます。

看護小規模多機能型居宅介護のしくみ

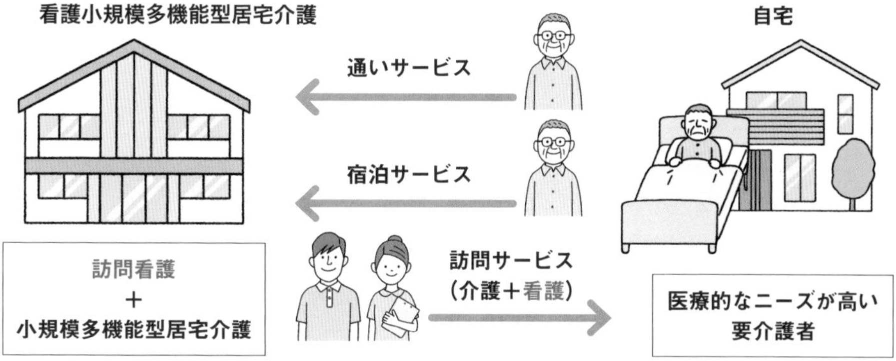

人員基準（主なもの）

	職種			人員・資格要件等
人員基準	管理者			「認知症対応型サービス事業管理者研修」を修了した者、 または保健師もしくは看護師
	介護従業者	日中	通い サービス	常勤換算法で利用者３名に対し１名以上 ※１名以上は保健師、看護師または准看護師
			訪問 サービス	常勤換算法で２名以上 ※１名以上は保健師、看護師または准看護師
		夜間	夜勤職員	夜勤にあたる介護従業者を１名以上
			宿直職員	宿直勤務にあたる介護従業者を１名以上
		看護職員		保健師、看護師または准看護師 2.5 名以上
	介護支援専門員			介護支援専門員であって、「小規模多機能型サービス等 計画作成担当者研修」を修了した者

主な介護報酬（1月につき）

同一建物に居住する者 以外の者に対して行う場合	要介護1	124,470円
	要介護2	174,150円
	要介護3	244,481円
	要介護4	277,660円
	要介護5	314,080円

※1単位＝10円で計算
出典：厚生労働省「令和6年厚生労働省告示第86号」

地域の２つの施設

Chapter5 08

地域密着型の「介護老人福祉施設」と「特定施設入居者生活介護」

「地域密着型介護老人福祉施設入所者生活介護」は、小規模の特別養護老人ホームで、「地域密着型特定施設入居者生活介護」は、小規模な軽費老人ホームなどに入所している要介護者に提供される介護サービスです。

地域密着型介護老人福祉施設入所者生活介護とは

地域密着型介護老人福祉施設入所者生活介護（以下：地域密着型特養）は、定員が29名以下の特別養護老人ホームで行われるサービスです。内容は、定員30名以上の特別養護老人ホームと同様で、介護が必要な人を受け入れ、入浴や食事などの日常生活上の支援や、機能訓練、療養上の世話などを提供します。利用できる人は、原則として要介護3～5の認定を受けた人が対象です。ただし、要介護1・2の人でも**特例**で入所が認められる場合があります。

特例
要介護1・2の人も認知症や知的障がい者・精神障がい者など、また家族などによる深刻な虐待、単身世帯などのやむを得ない事由がある場合には、施設に入所が可能となる。

地域密着型特養は、経営的に厳しいことが知られており、福祉医療機構の調査（2022年度）では、調査対象となった地域密着型特養の39％が赤字となっています。収益を確保するためには、経費と人件費のコントロールが重要となります。

地域密着型特定施設入居者生活介護とは

地域密着型特定施設入居者生活介護は、定員が29名以下の「有料老人ホーム」「養護老人ホーム」「軽費老人ホーム（**ケアハウス**）」のことです。入浴、排泄、食事などの介助その他の日常生活上の世話、機能訓練および療養上の世話を行います。利用できる人は、要介護1～5までの人となり、要支援1・2の人は対象外となります。より地域に根差した「住まい」としての小規模な老人ホームです。

ケアハウス
社会福祉法人や地方自治体、民間事業者などによって運営される。家庭での生活が困難な60歳以上の高齢者が、食事や洗濯などの介護サービスを受けられる。詳しくはP.92、93参照。

厚生労働省が発表した「介護サービス施設・事業所調査の概況（2022年）」によると、全国で地域密着型特養は、2,502施設、地域密着型特定施設入居者生活介護は361施設あります。

地域密着型介護老人福祉施設入所者生活介護のしくみ

特別養護老人ホーム

介護福祉士、看護職員など　要介護者

要介護3以上　定員29名以下

- 運営：地方公共団体、社会福祉法人など
- サービス内容
  - ・食事、排泄介助などの身体介護
  - ・掃除や洗濯などの生活援助
  - ・リハビリテーション
  - ・レクリエーション　など

人員基準（主なもの）

人員基準

職種	人員・資格要件等
施設長	1名
医師	1名・非常勤可
生活相談員	1名以上
看護・介護職員	入所者：看護・介護職員=3：1名以上
栄養士または管理栄養士	1名以上
機能訓練指導員	1名以上
介護支援専門員	1名以上

主な介護報酬の例（1日につき）※

要介護1	6,820円
要介護2	7,530円
要介護3	8,280円
要介護4	9,010円
要介護5	9,710円

※ユニット型個室

地域密着型特定施設入居者生活介護のしくみ

有料老人ホーム　養護老人ホーム
軽費老人ホーム(ケアハウス)

要介護者　介護職員など

要介護1以上　定員29名以下

- 運営：民間企業、社会福祉法人、医療法人、NPO法人など
- サービス内容
  - ・ケアプランの作成、生活相談
  - ・日常生活の支援
  - ・リハビリテーション
  - ・レクリエーション　など

人員基準（主なもの）

人員基準

職種	人員・資格要件等
管理者(施投長)	1名(兼務可)
生活相談員	1名以上
看護・介護職員	入居者：看護・介護職員=3：1名以上
機能訓練指導員	1名以上
計画作成担当者	1名以上、介護支援専門員

主な介護報酬の例　1日につき

要介護1	5,460円
要介護2	6,140円
要介護3	6,850円
要介護4	7,500円
要介護5	8,200円

※1単位＝10円で計算
出典：厚生労働省「令和6年厚生労働省告示第86号」

COLUMN 5

共生型がもたらした訪問介護ビジネスの未来

「団塊の世代」が75歳となる2025年までを介護業界のビジネスチャンスととらえる事業者も多いと思います。

近年、介護ビジネスに関係のない業種の方たちが私たちに話を聞いてくることも増え、それだけ魅力がある業界に見えるのでしょう。しかし、社会保障制度である「介護保険」は、３年ごとの制度改正を重ねながら変化し続ける保険事業のため、慎重に参入するべき事業でもあります。

例えば、在宅介護の主軸である訪問介護事業所を開設、運営するには、訪問介護員を募集し、さらに一定の実務経験や資格を有した管理者やサービス提供責任者と呼ばれる一般企業でいう管理職も採用しないといけません。この管理職には、国家資格の「介護福祉士」保持者以外はつくことができません。介護福祉士は、専門学校などを卒業し国家試験を受験するか、介護の実務を３年間経験し、試験前までに実務者研修を修了していなければ受験ができません。

この事業で重要なのは、マンパワーの確保です。経費的にも人件費が一番高いので、事務所とPC（ネット環境含む）、電話、FAXなど備品確保ができれば、実は容易に訪問介護事業所の開設は可能です。

ある団体が令和２年に調査した結果では、訪問介護で働きたいと希望する人は、有効求人倍率で15倍強となっており、人材の確保が困難であることも現実です。しかし、人材の確保ができ、事業運営を適切に行うことができれば、確実に収益を確保することができるビジネスでもあります。

また、これまではひとつの事業所で、高齢者には介護保険事業のみ、障がい者には障害福祉サービスのみの提供しかできませんでしたが、高齢者と障がい者向けのサービスを両方行える『共生型』の運営が可能となる体系ができ、新たな事業運営もできるようになり、より安定したビジネスになったことも事実でしょう。

株式会社ナイスケア
ゼネラルマネージャー
社会福祉士　伊藤朋春

第6章

高齢者を対象としたビジネス

高齢者のためのビジネスは、介護保険で賄われるサービスだけではありません。介護保険サービスにはありませんが、その他にも高齢者や高齢者家族が必要としているサービスや元気な高齢者向けビジネスなど様々な分野に可能性があります。

介護予防ビジネス

Chapter6 01

高齢者がいつまでも元気に暮らすために

従来の介護予防は運動をするサービス提供が中心でした。健康寿命を延ばし、介護予防を実現するには、生活習慣病や認知症の予防を行うほか、社会的活動に参加したり、創作活動などの知的活動に参加することも大切です。

健康寿命

WHOが提唱した平均寿命から寝たきりや認知症の介護状態期間を差し引いた期間。

フレイル

虚弱。年齢とともに心身の活力が低下し、要介護状態となるリスクが高くなった状態。

介護予防とフレイル

国民生活基礎調査（2022年）によると、介護が必要となった主な原因は、「認知症」、「脳血管疾患（脳卒中）」、「高齢による衰弱」、「骨折・転倒」です。従来、高齢者に多いこうした症状は、加齢が原因とされてきました。しかし、現在では研究が進んだことで、身体の機能は適切な対策を行えば、維持・改善することができ、要介護状態になることを予防できるという考え方（＝介護予防）に変化しています。また、高齢者は健康な状態から要介護状態になるまでに、「フレイル」という段階を経ていると考えられるようになりました。つまり、要介護状態にならないためには、フレイルに気づき、適切な予防をすることが大切です。フレイルの予防は、より早い時期からの介護予防といえます。

介護予防・フレイル予防をめぐる動きが活発化

フレイルは３つの要素から構成されています。1つ目は筋力の低下などの「身体的フレイル」、２つ目は認知症やうつなどの「精神・心理的フレイル」、そして3つ目は孤独や閉じこもりなどの「社会的フレイル」です。これらの３つの要素は相互に関連しています。フレイルを予防するためには、いずれの要素も欠くことができないといわれています。今後、介護保険を利用していない高齢者にも「フレイル予防」という考え方が広がることで、新たなサービスを提供できる機会となります。また、高齢者に商品やサービスを提供する会社では、「フレイルの予防」をキーワードに新商品やサービスを開発する動きが活発化しています。

高齢者の健康状態の特性などについて

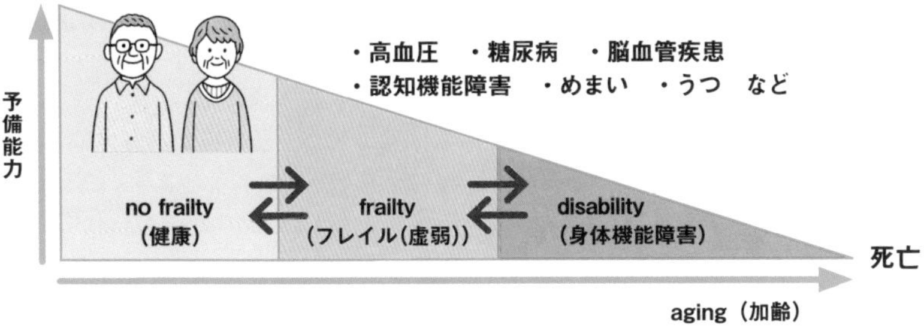

出典：厚生労働省「高齢者の特性を踏まえた保健事業ガイドライン第２版」2019をもとに作成

フレイルの要因

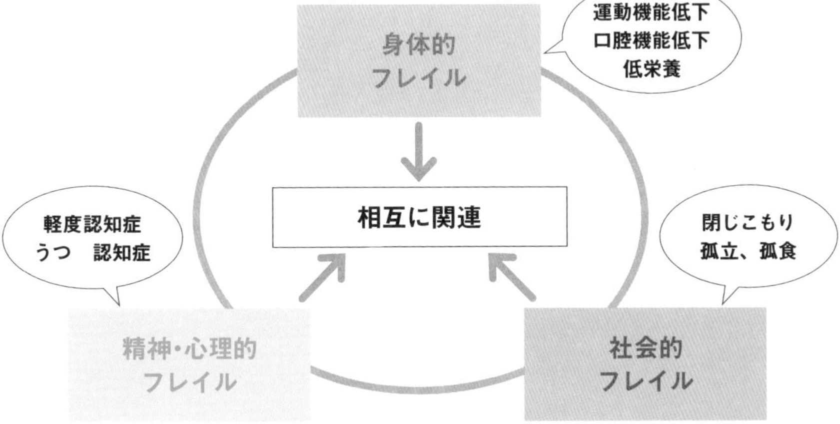

フレイル予防のためのサービス・商品

予防に必要なこと	目的	サービス・商品の例
運動	・筋肉、筋力低下防止 ・身体機能維持 ・認知症予防	・体操教室 ・運動用品 ・脳トレーニング　など
栄養 (食・口腔機能)	・低栄養状態防止 ・歯や口の定期的な管理 ・口腔機能維持	・高エネルギー、たんぱく質補給食品 ・ビタミン、ミネラル補給食品 ・スポーツ吹き矢　など
社会参加	・閉じこもりの防止 ・人との交流、会話	・就労 ・趣味 ・ボランティア　など

参考：東京大学高齢社会総合研究機構　飯島研究室HP　http://www.frailty.iog.u-tokyo.ac.jp/

認知症関連ビジネス

認知症でも自立して暮らすためのサービス

団塊の世代が全員75歳以上となる2025年には、認知症患者数は約700万人に達し、高齢者５人に１人が認知症になると見込まれています。認知症患者と共生する社会を目指して、官民一体となった取り組みが進められています。

認知症とは病名でなく症状のこと

認知症とは、病名ではなく脳機能の低下が引き起こす日常生活に支障をきたす症状です。主な原因疾患にはアルツハイマー型、脳血管性、レビー小体型、前頭側頭型があります。認知症の増加は行方不明者の増加、交通事故、経済活動の困難など社会問題を引き起こすと予想されます。これに対応し、2024年に施行された「共生社会の実現を推進するための認知症基本法」は、認知症患者を含むすべての国民が相互に尊重し合い、共生する社会を目指すことを明記しています。

共生社会の実現を推進するための認知症基本法
認知症の人が尊厳を持ち、希望を持って暮らすことができるよう国や自治体の基本的な方針や施策を定めた法律。

オレンジイノベーション・プロジェクト

経済産業省が推進する「オレンジイノベーション・プロジェクト」は、認知症患者が企業の製品開発プロセスに参加し、使いやすい製品やサービスを共同で創出する「当事者参画型開発」を行っています。プロジェクトでは、企業や団体が全国の認知症の人々と協力し、彼らの生活課題を解決し願望を実現するための製品やサービスを開発しています。この取り組みは、単なる社会貢献活動を超え、産業の成長、ビジネスチャンスとして捉えられています。従来、企業は認知症の人々を「助ける対象」と見なし、社会貢献の一環として支援していましたが、現代では認知症患者も日常的に存在することから、認知症に適応した製品とサービスの開発はビジネスとしての重要性が増しています。認知症の方と家族のニーズは、企業にとって大きなチャンスを表しており、認知症向け製品・サービス市場は数千億から数兆円規模に成長する可能性があります。この市場は、高齢化が進む日本において重要な成長産業と期待されています。

ビジネスチャンス
リンナイ（株）では、認知症の方の間違いを防ぐカラーリング、聞き取りやすい音声案内などが施されているガスコンロを開発し、2024年に発売した。

認知症基本法の概要（2024年1月1日施行）

名称	共生社会の実現を推進するための認知症基本法（令和五年法律第六十五号）
目的	認知症の人を含めた国民一人一人がその個性と能力を十分に発揮し、相互に人格と個性を尊重しつつ支え合いながら共生する活力ある社会（＝共生社会）の実現を推進
基本理念	認知症の人が尊厳を保持しつつ希望を持って暮らせるよう、基本的人権の尊重や正しい知識の普及、障壁の除去による自立支援、良質なサービスの提供、家族支援、共生社会実現のための研究推進、総合的な取組の実施
国	内閣総理大臣を本部長とする「認知症施策推進本部」を設置し、基本計画の作成・実施を推進。また、認知症の人や家族などで構成される関係者会議を設置して意見を聴く
自治体	認知症の人と家族の意見を聞き推進計画を策定（努力義務）
国民	認知症に関する正しい知識及び理解を深め、共生社会の実現に寄与するよう努める

出典：内閣府「認知症施策推進関係者会議」資料

認知症関連商品・サービスの例

実施法人	サービス	概要
三菱UFJ信託銀行	代理出金機能付信託 つかえて安心	スマートフォンアプリで資産の引き出しを確認
意思決定 サポートセンター	医療同意、契約支援、財産管理、遺言	認知症の人の意思決定支援研修
朝日新聞社	認知症フレンドリー講座	ＶＲや本人インタビューを活用した認知症を「自分事」として考える「体験型講座」
生命保険会社	認知症保険	認知症と診断確定された場合に、保険金給付金の支払いなど
損害保険会社		認知症の人およびその監督義務者などを被保険者とする賠償責任保険。第三者にけがを負わせたり、物を壊すなど損害を与えたりした場合の「個人賠償責任補償」や行方不明になったときの「捜索費用補償」など

出典：各社HPより作成

Chapter6
03

介護保険制度以外で日常を支える

高齢者の自立した居宅での生活を支えるためには、介護保険サービスだけではカバーできません。介護保険が提供するサービスでは賄えないところに、高齢者向けのニーズが隠れており、新たな市場の機会があると考えられます。

生活支援が必要となる高齢者が増大

高齢になると、掃除・洗濯・調理・買い物など日常生活を営むうえで必要な行為に不自由が出てきます。食事や排泄などはできても、洗濯物を干せない・ゴミを出せない・買い物に行けないといった高齢者は多くいます。介護保険制度では、訪問介護において、掃除や洗濯、ゴミ出しなどを行う生活援助サービスがあります。財務省はこうした生活援助を市町村が行う介護予防・日常生活支援総合事業（総合事業）へ移行すべきだと主張しています。その背景として、国は「財政が厳しいため、軽度者への生活援助は地域住民の支え合いで担ってほしい」という考えがあります。

介護予防・日常生活支援総合事業（総合事業）
市町村が行う要支援1・2の人を対象とした事業。2021年4月からは要介護者も対象。

介護保険を使わない生活支援ビジネスの拡大

介護保険制度は公的保険のため、「できること」と「できないこと」が決められています。例えば、訪問介護は要介護者のためのサービスであるため、ヘルパーは同居家族のための料理やペットの世話などはできません。ただし、同居の息子が自分の食事をつくってもらいたい場合には「保険外のサービス（自費）」として行うことは可能です。このように介護保険サービスと保険外のサービスを組み合わせて行うことを「混合介護」と呼びます。ところが、「保険外サービス」であることを利用者に説明することなく混合介護を行うなど、問題のある事業所もありました。そのため、厚生労働省は2018年に「保険外サービス」は内容や金額を説明し、契約書を交わすこと、また、介護保険サービスと保険外サービスを明確に区別して提供するなどの「混合介護のルール」を作成しました。高齢者の生活支援ビジネスでは介護保険のカバーできない部分にビジネスチャンスがあると考えられます。

混合介護
介護保険制度では、高齢者が抱える多様なニーズに柔軟に対応できるよう、一定の条件のもとで、介護保険サービスと保険外サービスを組み合わせて提供すること。また、事業者にとっては介護保険外の収入源にもなる。

介護保険外サービス（全額自己負担）

直接本人の援助に該当しない行為の例

- 利用者以外の家族の調理、洗濯
- 利用者が使用する居室以外の掃除
- 来客の応接（お茶、食事の手配）
- 自家用車の洗車　など

日常生活の援助に該当しない行為の例

- 草むしりや花の水遣り、植木の手入れ
- 家具・電気器具などの移動・修繕・模様替え
- 大掃除、窓拭き、床のワックスがけ
- 家屋の修理・ペンキ塗り　など

高齢者の日常生活のニーズの例

健康・医療・介護	薬の処方管理、行政手続き、入退院の準備、病院の送迎など
日常生活	買い物、食事の支度、ゴミ出し、浴槽の清掃、電球の交換、家電修理、衣替え、身支度、家具の移動、庭木の手入れ、草むしり、ペットの世話、理美容、大掃除、床のワックスがけ、模様替えなど
手続き関連	金銭管理、銀行での記帳、公共料金の振り込み、資産管理、保険の更新・手続き、相続、遺言など

混合介護

介護保険サービス ＋ **介護保険外サービス** ＝ **「混合介護」一緒に提供すること**

（ゴミ出しなどの介護保険でカバーできないこと）

新たなビジネスの可能性になる

制度の隙間を埋めるコミュニティビジネス

コミュニティビジネスは行政だけでは解決できない地域の課題を市民が中心となって解決していく事業です。住民それぞれが培った経験を活かして、誰もが安心して暮らせる社会づくりに参加することが期待されています。

コミュニティビジネスとは

コミュニティビジネスとは、「市民が主体となって、地域が抱える課題をビジネスの手法により解決する事業」の総称です。活動分野は高齢者支援・子育て支援・まちづくり・食・農など多岐にわたっています。コミュニティビジネスの身近な事例では、栄養に配慮し温かい食事を無償または安価で子どもたちに提供する「子ども食堂」や、高齢者が集う「高齢者サロン」などがあります。こうした事業の運営は、大半が非営利であり、企業や個人からの寄付金で成り立っていますが、その多くは地域密着型であり、地域の課題を解決するという特徴を持っています。一方、ソーシャルビジネスとは、より広範囲な社会の課題に対して、住民、ＮＰＯ、企業などの様々な主体が協力しながらビジネスの手法を用いて取り組む事業のことをいいます。

子ども食堂
地域住民や自治体が主体となり、無料または低価格帯で子どもたちに食事を提供する場所。

高齢者サロン
行政や社会福祉協議会が中心となり、高齢者がいきいきと暮らすための地域交流・活動を行う場所。

地域の課題解決のためのコミュニティビジネス

コミュニティビジネスは、地域の問題を取り上げたり、住民のニーズを聞き取ったりしながら、法人としてどのような事業を立ち上げ、運営していくかを考えることが大切です。また、寄付金や行政の補助金だけを頼りにするのではなく、事業として、持続、拡大していくことが必要です。SDGsの策定をきっかけに、こうしたビジネスに対する社会の関心度も高まりつつあります。日本政策金融公庫では、ソーシャルビジネスのための融資制度を設け、融資実績も堅調に伸びています。両ビジネスとも非営利・営利を問わず、地域社会・住民が真に求めているサービスを提供し、問題解決の達成度によって評価されるビジネスといえます。

SDGs
国際社会が持続可能な発展のために2030年までに達成すべき国際目標。2015年9月の国連サミットで採択された。

コミュニティビジネスの事例

高齢者生活支援

過疎地における移動販売車による高齢者安否確認と買い物弱者解消

子育て支援

出産などを機に離職した母親と、地域で空いた時間を使って子育て支援したい人をつなぐオンライン・子育てシェアサービス

まちづくり推進

日本在住の外国人が抱える問題やニーズに着目。漢字が読めない外国人に対して「ひらがな」で情報発信

地域資源活用

過疎化の進む農村において郷土食を再興し、観光資源とする。農家を改装した店舗で高齢者の雇用を生み出す

出典：経済産業省関東経済産業局「コミュニティビジネス活動事例」より抜粋

コミュニティビジネスの事例

NPO法人白十字在宅ボランティアの会「暮らしの保健室」

ワンストップのよろず相談室

高齢化の進む巨大団地の商店街の中に開設

誰でも予約なしに無料で医療や健康、介護、暮らしの相談ができる場

みんなでお茶を飲んだり、ボランティアと世間話をしたり、アクティビティに参加

出典：「NPO法人白十字在宅ボランティアの会」HPより

コミュニティビジネスを立ちあげるまでの考え方

地域社会の問題の抽出 → 地域住民のニーズは何か → 母体となる法人の資源を活かし、貢献できることは何か → 事業の使命・領域の設定 → 既存事業＋コミュニティビジネス（地域住民の参加） → コミュニティビジネスの専業化（営利・非営利）

Chapter6
05

趣味や特技からビジネスへ

高齢者はそれまでの人生のなかで、多くの経験をしています。高齢者が余暇時間で、趣味や特技を生かして社会貢献をしたり、その結果を仕事に結びつけたりして、ますます元気に活躍する事例も増えてきています。

高齢者の余暇時間は6時間以上

余暇時間とは仕事や家事などの労働以外で自由に過ごすことのできる時間のことです。社会生活基本調査（2016年）によると、高齢者の余暇時間は年齢層が上がるほど増加し、60～64歳では409分（6時間49分）、70歳以上になると500分を超え、70～74歳では505分（8時間25分）になります。同調査では、普段の生活で楽しいと感じていることは「テレビ、ラジオ」が最も多く、次いで、「新聞、雑誌」「仲間と集まったり、おしゃべりをすることや親しい友人、同じ趣味の人との交際」と続いています。この調査によると、高齢者は余暇の時間をテレビなどの娯楽に使う人の割合が圧倒的に多いことが分かります。

社会生活基本調査
総務省統計局が5年ごとに実施している調査。

ビジネスによって生きる意味とお金を得る

高齢者が娯楽のために余暇時間を使う一方、この時間を使って、スキルを習得し起業する人や、地域や社会のために時間を使う人もいます。60歳を超えてからプログラミングを学び、81歳で高齢者向けゲームアプリ「hinadan」を開発した若宮正子氏は現在もシニアとテクノロジーを結ぶ架け橋として国内外で活躍しています。また、地域貢献としては、過疎地域の高齢者が里山の葉っぱや花を収穫して、料理の“つまもの”として出荷し、「葉っぱビジネス」として成功させた徳島県上勝町の例もあります。

高齢者が社会と再びつながりを持つしくみをつくり、「居場所」や「お金」を得ることは、生きがいにもなります。本人が夢中になれる趣味や特技を、社会や地域に役立てることができ、ビジネスにつなげることができればさらに理想的でしょう。

hinadan
世界最高齢の開発者としてアップル社CEOから絶賛を受けた若宮正子氏が開発したゲームアプリ。

葉っぱビジネス
日本料理に添える「つまもの」という葉っぱを高齢者が中心となってインターネット販売し成功を収めたビジネス。

高齢者の余暇活動の参加率上位10種目

男性60代	男性70代	女性60代	女性70代
回答数　271	回答数　223	回答数　285	回答数　265
国内観光旅行	国内観光旅行	国内観光旅行	国内観光旅行
ドライブ	ウォーキング	読書	園芸など
ウォーキング	ドライブ	外食	読書
読書	園芸など	園芸など	ウォーキング
外食	読書	ドライブ	外食
園芸など	外食	ウォーキング	体操
温浴施設	体操	動物園博物館など	ウインドウショッピング
バー・スナックなど	宝くじ	ウインドウショッピング	ドライブ
ショッピングセンターなど	野外散策など	体操	コンサートなど
宝くじ	温浴施設	ショッピングセンターなど	動物園博物館など

出典：公益財団法人日本生産性本部「レジャー白書」2020

高齢者の趣味や特技をビジネスにする例

趣味・特技	活躍の場
料理	地域住民や自治体が主体となり、無料または低価格帯で子どもたちに食事を提供する「子ども食堂」など
プログラミング	高齢者による高齢者向けスマートフォンアプリケーションの開発
IT	スマートフォンの使い方やパソコンの使い方を高齢者に教える
写真撮影	個人情報に留意しながら、施設で写真撮影し、施設のホームページや施設の会報誌に掲載する
仕事の経験	商社などの海外駐在員を引退した人たちが、現役の駐在員のために彼らの代わりとして日本に残してきた親たちの相談にのる
庭木の剪定	独居高齢者などの庭木の剪定を行う
ペット	介護施設にアニマルセラピーとして定期的に訪問

Chapter6
06

食に関するビジネス

健康と食べる楽しさを提供する

高齢者向け食材や食事の開発、宅配サービスは利用者が年々拡大している成長マーケットです。企業間の競争も激しくなっており、新規参入するには高齢者の食に関する知識はもちろん、おいしさや食べやすさも重要です。

高齢者の食生活の特徴と介護食品

高齢者は、加齢に伴い、噛んだり、飲み込んだりする機能が衰えます。また、買い物や調理が面倒になるなど、食事そのものへの関心が薄れ、食生活が単調になってしまう・食事の回数が減るなどといった傾向が現れてきます。高齢者はこのような状況から、低栄養状態になりやすく、フレイル（P.122参照）の要因にもなります。

在宅高齢者の食に関わるサービスには、「食材」を配達するサービスと「食事」を提供する配食サービスがあります。配食される食事には「普通食」や、減塩食などの「療養食」、飲み込みやすい食事の「介護食」という食事形態があります。また、店頭で販売されている高齢者向け食材には、農林水産省が食品の範囲を整理し、「スマイルケア食」として表示したものもあります。

低栄養状態
身体に必要なたんぱく質、エネルギーが不足して、健康な体を維持することが難しい状態。

療養食
病気療養中の人に適した食事。糖尿病、腎臓病、心臓病、高血圧、肝臓病などの療養食がある。

スマイルケア食
各業界団体が独自につくっていた高齢者向け食品規格を農水省が統一したもの。

介護施設での高齢者の食事形態

一方、介護施設などで提供される食事は、疾病や利用者の身体状況によって食事の内容や提供形態が異なります。食事形態では、食事を細かくきざんだ「きざみ食」、やわらかく飲み込みやすく加工した「ソフト食」、食事をミキサーにかけ飲み込みやすくした「ミキサー食」や「ゼリー食」があります。いずれも噛む力が弱くなり、飲み込む際に誤嚥《ごえん》しないための食事形態です。

高齢者向けの食事は、管理栄養士、調理師のみならず医師、歯科医師、歯科衛生士、介護関係者など、様々な分野の専門家が集まって、噛むこと、食べることの楽しさを考慮しながらレシピを検討していくことが差別化のポイントと考えられます。近年では食べやすく、おいしい介護スイーツも登場しています。

誤嚥
唾液や食べ物を飲み込むときに、誤って気管に入ってしまうこと。加齢によって噛む力が弱くなったり、舌を動かす筋肉が衰えたりすることで、食べ物を飲み込む嚥下機能が低下するために起きる。

「在宅高齢者の食に関するサービス利用について」のアンケート結果

形態		サービスを選んだ理由
食材配達サービス		・買い物の手間が省けるから ・買い物が身体的に困難だから ・買い物を担う家族、ヘルパーなどの負担が減るから ・安全性の高い食材を購入できるから
配食サービス	普通食 介護食 療養食	・栄養バランスのある食事がとれるから ・買い物、調理が身体的に困難だから ・買い物、調理を担う家族、ヘルパーなどの負担が減るから ・味やメニューのバリエーションが豊富だから ・減塩やカロリー制限など、治療・療養・生活改善などに対応しているから ・見守り、声かけなどのサービスが付いているから ・安全性の高い食材を使用しているから ・とろみがついていたり、きざんであったりと、食べやすさに配慮されているから

出典：三菱 UFJ リサーチ＆コンサルティング
「平成 25 年度農林水産省委託調査、高齢者向け食品・食事提供サービス等実態調査事業報告書」

スマイルケア食（新しい介護食品）の選び方

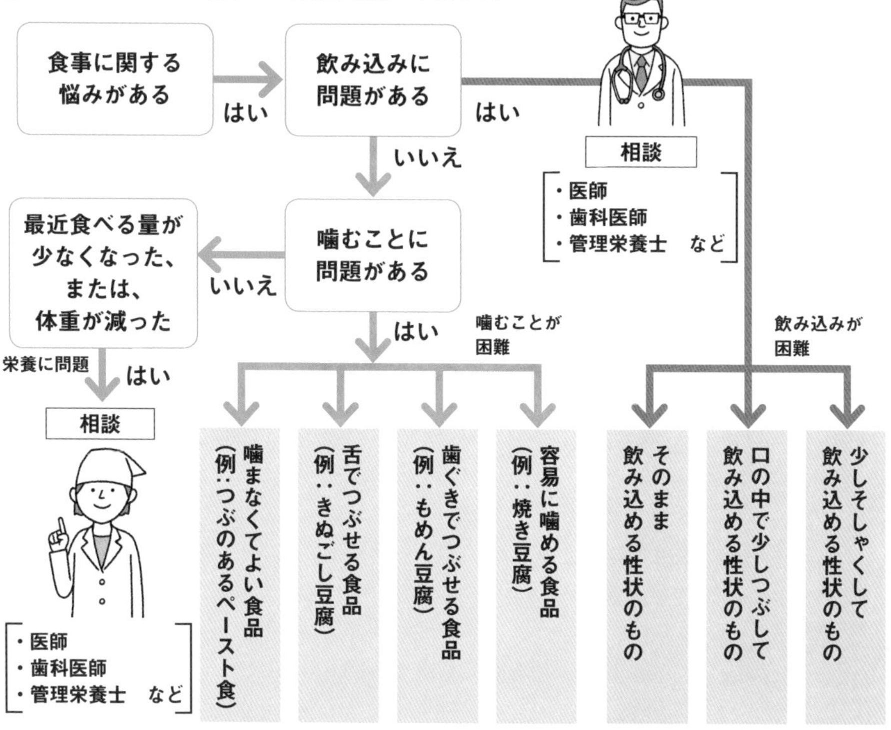

出典：農林水産省HP「スマイルケア食（新しい介護食品）『早見表』」より

整容に関するビジネス

Chapter6
07

高齢者の外出を促す整容ビジネス

要介護状態になったとしても、いつでもおしゃれをして、身ぎれいにしていたいと思う高齢者は少なくありません。そうしたニーズを受けて、高齢者施設での理美容サービスやネイルケアなどにも注目が集まっています。

拡大する高齢者向け整容サービス

高齢になると体調不良、病気などの影響によって外出の機会が減少し、他人との接触が減るため、洋服や髪型などの身だしなみに気を使わなくなる傾向があります。「整容」とは、洗顔・整髪・歯磨き・爪切り・ひげ剃り・化粧・更衣など、身だしなみを整えることをいいます。介護保険の訪問介護サービスにおいて整容は「身体整容」と呼ばれ、要介護者にとって生活リズムの確立や身体の清潔保持、意欲の向上に必要な、人として尊厳を保つために必要なケアとされています。

身体整容
訪問介護では、整容は身体介護となるため身体整容と呼ぶ。内容は爪切り、耳そうじ、ひげの手入れ、整髪、簡単な化粧などと示されている。

理美容・ネイルケアなど広がる整容サービス

厚生労働省は2017年、理美容団体に出張理容・美容に積極的に取り組むよう通知を出しました。これは理・美容師の国家資格を持つ人が、初任者研修などを修了し、訪問介護事業所に属し、訪問介護を行う場合、保険外サービスとして理美容サービスを行えることを通知したものです。外出ができない要介護者であっても、髪を整えると気分がよくなるものです。

一方、フットケアも認知度が向上してきました。これは、2017年に介護施設において高齢者へのフットケアを検討している企業が経済産業省の「グレーゾーン解消制度」を活用して、医師でない者が介護施設で爪のケアなどをできるか照会しました。その結果、医師法には抵触しないことが示され、介護施設の高齢者へのフットケアサービスが拡大しています。

また、高齢者向けのかつらやネイルケアのニーズも高まっています。おしゃれは外出する楽しみを増やし、生き生きとした生活を維持するのに必要なものともいえるでしょう。

通知
「在宅の高齢者に対する理容・美容サービスの積極的な活用について」。全国理容生活衛生同業組合連合会と全日本美容業生活衛生同業組合連合会あてに通知。

フットケア
高齢者に多い足のトラブルには、巻き爪、魚の目、たこ、皮膚の表面を覆う角質層が分厚くなる角質肥厚などがある。

グレーゾーン解消制度
産業競争力強化法に基づき、現行の規制の適用範囲が不明確な場合、事業者が法規制適用の有無を確認できる制度。

高齢者のための整容

介護保険適用 ホームヘルパーが行う身体整容	介護保険を利用しない 整容ビジネス例
日常的な行為としての身体整容 ・洗顔 ・整髪 ・口腔ケア ・爪切り ・ひげ剃り　など 	おしゃれのための整容 ・訪問理容サービス ・訪問美容サービス ・ネイルケア ・介護施設入所者のフットケア ・高齢者向け化粧品の開発 ・エステ・マッサージ ・男性用、女性用かつら ・高齢者向け衣類の販売　など

業界団体による理美容に関する検定資格の例

事業主体	名称	できること
全国理容生活衛生 同業組合連合会	ケア理容師	理容の技術だけでなく、高齢者や障がい者の状態に合わせた対応をするための知識や技術を習得
全日本美容業生活衛生 同業組合連合会	ハートフル美容師	美容の技術のほかに、高齢者・障がい者の状態に合わせて容姿を整え、精神的にも元気になってもらう技術を習得

民間団体による理美容に関する認定資格、研修制度

主催	NPO法人 日本理美容 福祉協会	一般社団法人 日本訪問理容 推進協会	NPO法人 全国福祉理美容師 養成協会 （ふくりび）	一般社団法人 日本訪問福祉 理美容協会 （JVBWA）
資格名称	福祉理美容士 認定資格	ヘアメイク・ セラピスト資格	ふくりび認定 訪問理美容師２級	訪問福祉 理美容師 認定資格
参加資格	理容師・美容師 のみ	理容師・美容師 のみ	理容師・美容師 のみ	理容師・美容師 のみ

出典：各団体HPより

Chapter6 08

適切な住まいを選ぶために

様々な高齢者住宅や老人ホームが増加するにしたがって、入居者に施設を紹介するビジネスも増えています。高齢者施設の紹介ビジネスは、許認可制度がないことから年々増加していますが、トラブルも増えています。

高齢者施設紹介ビジネスとは

高齢者市場が拡大する中、高齢者の住まいの選択肢も増えています。しかし、高齢者やその家族が、多くの情報の中から適切な高齢者施設を選択することは簡単なことではありません。一方、施設側では、入居定員に対して空床率を下げることが収益性を高めることになるため、常に待機者を抱えておくことが欠かせません。そのため、施設では営業活動が必要となりますが、専任の担当者を配置することは困難です。そこで施設では、入居者を紹介してくれる会社（紹介会社）と契約を結び、入居者が決まるごとに紹介手数料を支払います。高齢者施設紹介ビジネスは、入居希望者と施設を結ぶ「営業代行」ビジネスです。

高齢者施設紹介ビジネスの今後

高齢者施設紹介ビジネスは、宅地建物取引業法の「宅地建物取引業」に該当せず、行政への届け出が不要なことから、国は実態把握を行っていません。ところが紹介会社の中には、その人に適切な施設よりも、紹介手数料を多く得られる施設を優先して紹介するところもあり、入居者からの苦情が増えていました。こうした実情を鑑み、「公益社団法人有料老人ホーム協会」を中心とする業界団体では、2020年、高齢者住まい事業者団体連合会（高住連）を設立して、「高齢者向け住まい紹介事業者届出公表制度」を開始しました。こうした業界団体の取り組みによって業界の健全化が図られることが期待されます。今後の高齢者施設紹介ビジネスは、相談員の資質向上に加えて、個人情報保護のための認証取得などが、差別化のポイントといえるでしょう。

宅地建物取引業
不動産取引業務のこと。宅建業を行うには、国土交通大臣または都道府県知事から免許を受け、専任の宅地建物取引士を常駐させる必要がある。

高齢者向け住まい紹介事業者届出公表制度
紹介事業者は、高齢者住まい事業者団体連合会が規定する項目について届出を行い、高住連は、届出があった紹介事業者を公表する制度。

高齢者施設紹介ビジネスのしくみ

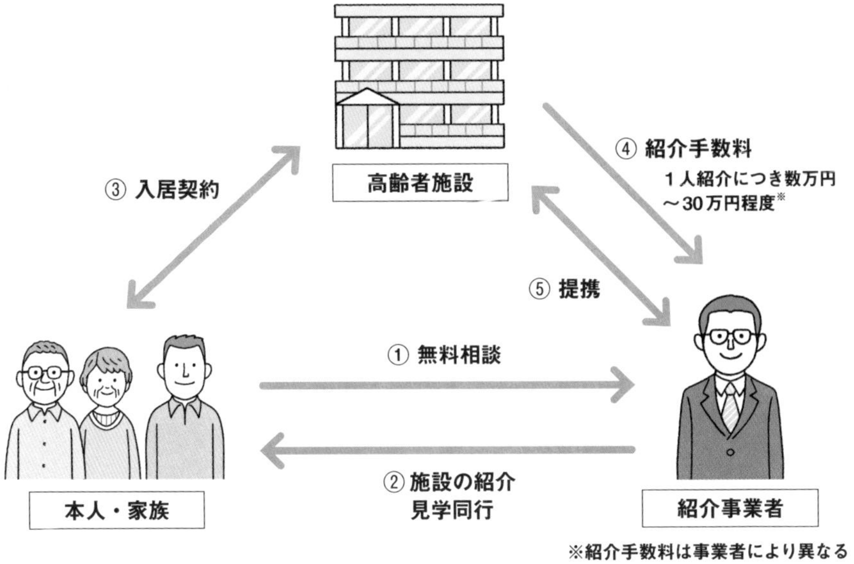

業界団体による公表制度の創設

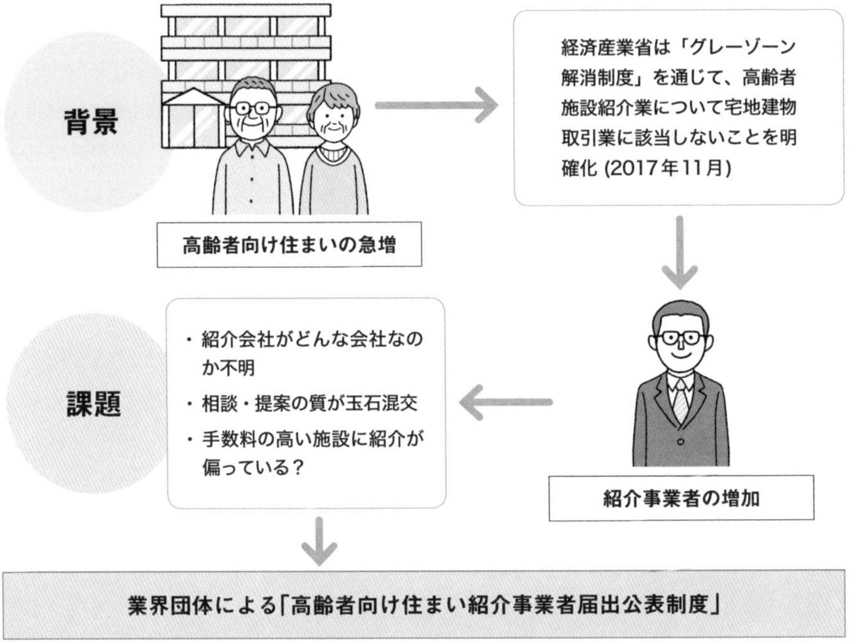

参考：厚生労働省老人保健健康増進等事業「高齢者向け住まい等の紹介の在り方に関する調査研究」2020、2021

身元保証サービス

Chapter6 09

ひとり暮らしの高齢者の保証人に

家族や親族がいないひとり暮らしの高齢者が増加する中、身元保証等高齢者サポートサービスの需要が高まっています。政府も監督体制を整備し、利用者保護を強化するためのガイドラインを策定しました。

身元保証等高齢者サポートサービスとは

頼れる家族や親族がいないひとり暮らしの高齢者が増えています。その背景には、少子高齢化、核家族化、結婚率の低下、離婚率の増加、地域社会の変化、そして長寿化などがあります。こうした背景から、「身元保証等高齢者サポートサービス」を提供する事業者が増加しています。このサービスは、病院への入院や高齢者向け住宅・施設への入居時に必要な「身元保証人」（連帯保証人、身元引受人、緊急連絡先などを含む）を、親族や友人に代わって引き受けるものです。医療・福祉分野での身元保証人の役割は、一般的な賃貸物件の身元保証人の役割に加え、判断能力が低下した場合の代理判断、死亡時の身柄や荷物の引き取り、葬儀の手配など多岐にわたります。また、日常生活支援サービスとして、病院への付き添いなど生活全般の支援も行います。このサービスを提供する事業者は急増しており、弁護士・行政書士団体、福祉関係団体、葬儀会社などが市場に参入しています。

連帯保証人
主たる債務者と連帯して債務を負担することを約束した保証人のこと。

身元引受人
法的な定義はないが介護サービス関連では、亡くなった際のご遺体の引き取りや、介護施設を退去した後の残置財産の引き取り、未払債務の精算、退去手続きなどを行う人のこと。

孤独・孤立対策推進法とビジネス

身元保証等高齢者サポートサービスは、これまで直接監督する法令や制度が存在せず、所管する行政機関もなかったため事業者数も不明でした。一方で、契約トラブルが増加していました。そうした中、孤独・孤立対策推進法が施行され、これに伴い政府は民間事業者による身元保証や葬儀などの死亡事務に関する初のガイドライン案を公表しました。法律が整備されたことによって、身元保証サービスと周辺ビジネスは、社会的に認知され、多くの事業者が参入してくることが予想されます。

孤独・孤立対策推進法
2024年4月1日施行。社会の変化により増加している孤立・孤独の状態にある人に対して、予防と支援策を推進することを目的とした法律。

身元保証のニーズとサービス

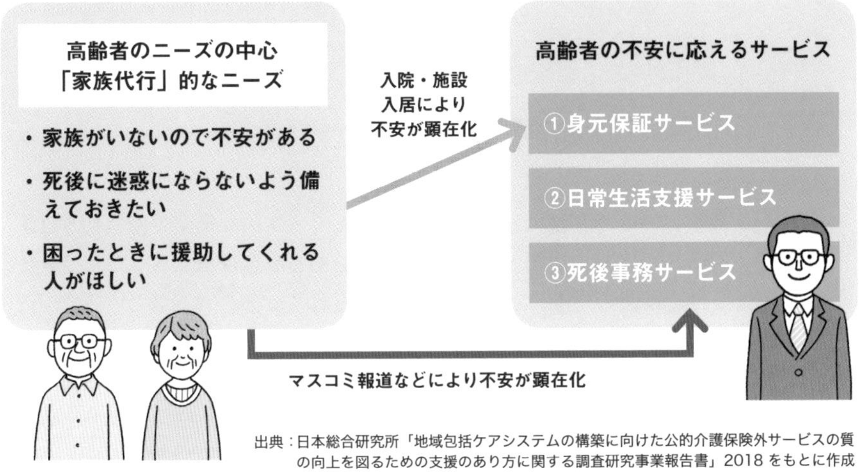

出典：日本総合研究所「地域包括ケアシステムの構築に向けた公的介護保険外サービスの質の向上を図るための支援のあり方に関する調査研究事業報告書」2018をもとに作成

身元保証ビジネスのしくみ

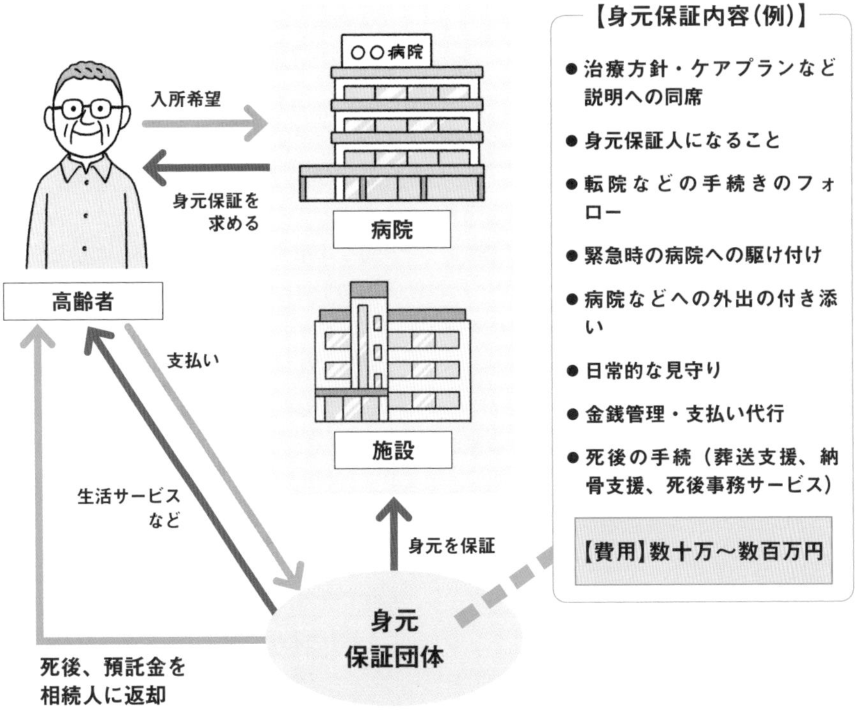

※生活サービスの有無は団体・コースにより異なる

出典：日本総合研究所「地域包括ケアシステムの構築に向けた公的介護保険外サービスの質の向上を図るための支援のあり方に関する調査研究事業報告書」2018をもとに作成

COLUMN 6

アジア諸国での介護研修を通して気づいた5つの視点

日本社会において介護の担い手となる人材不足が深刻な問題となっており、もはや国内の労働力だけで解決するのは困難になっています。

その人材不足の解消で期待されているのが、外国人介護士の存在ですが、文化や価値観の違いから様々な支障が生じるケースもあります。そこで、私が海外での教育で大切していることをお伝えしたいと思います。

- 国籍で区別しない（文化や生活、宗教の違いに気は配るが、介護の仕事をする同志となる）
- 事前情報だけで判断しない（経験者だからなど、事前情報だけで決めつけて指導はしない）
- 相手の目標を知る（相手の目標を無視して教育を行うと、やる気になってもらえない）
- 自分の役割を伝える（自身の役割を伝えないと、教育方針がぶれる）
- 楽しむ（異なる文化、個性を受け入れて楽しむことで信頼関係につながる）

海外で介護研修を始めたばかりの頃、私は「日本語能力試験でN3レベル（日常的な場面で使われる日本語をある程度理解することができるとされている）の看護学生である」という情報から、基礎知識があり、会話は可能と判断して授業を進めました。ところが、生徒の表情は暗く、理解できない、授業がつまらないと、生徒との間に壁ができ、『授業は必須だから受けておけばよい』と一方的な関係で終わってしまいました。

この経験から、先ほどの5つのことを実践することを考えました。すると、学生たちは、『日本で学んだことを母国で活かしたい』『介護の仕事はとても重要な仕事』など、専門的な知識をたくさん勉強したいと意欲向上につながり、介護の基本的なことを学びながら、根拠を考えることで、生徒中心に楽しく学ぶようになりました。この根拠ある介護教育が本当に大切であり、一緒に学びながら私自身も成長できていることを実感しています。

株式会社Takaraful代表取締役
一般社団法人国際介護士協会理事長
国際介護士　上地智枝

第7章

「介護人材」に関わるビジネス

介護業界は、慢性的な人手不足に陥っています。今後ますます高齢化が進む中、介護人材の確保は喫緊の課題です。介護人材の育成や介護人材確保のための施策はどのようになっているのか見ていきましょう。

Chapter7
01

事業運営に欠かせない

介護職員の人材派遣・紹介ビジネス

介護サービス事業は人員基準を満たさないと行うことができません。そのため人材不足を背景に、多くの人材派遣・紹介会社が介護業界に参入しています。一方、事業者にとってはその人件費が重荷になっています。

拡大する介護人材派遣・紹介ビジネス

介護保険サービスは、介護保険法令によって事業所の運営に必要な人員数が定められており、人員数を満たさなければ事業運営ができません。例えば、介護保険施設では、入所者3名に対して介護職員等を1名配置することが定められています。この場合、入所定員が60名であれば、単純計算で最低20名の介護職員が必要ですが、職員の休みなども考えると実情はそれ以上の人員がいないと介護現場では充分なケアができません。

介護サービス事業者が人材会社を利用する理由には、職員に人員基準に対する欠員が生じると介護報酬の減額になるという制度上の背景があります。介護労働安定センターの調査では、施設などで働く**介護職員**と**訪問介護員**が求められています。

介護職員
介護福祉士、初任者研修修了者など。入所系サービスでは無資格者でも介護職員となれる。

訪問介護員
介護保険法に基づいて利用者の居宅で介護を行う専門職。

紹介予定派遣
一定期間「派遣」で働き、終了後、本人と派遣先企業双方合意のもとに社員となる働き方。

介護人材ビジネスの採算性

人材ビジネスには、「派遣」、「紹介」、「**紹介予定派遣**」があります。「派遣」は、派遣会社が職種別・保有資格別に派遣料金を設定し、派遣会社の取り分を示すマージン率は25～35％が平均値となっています。一方、直接雇用を仲介する「人材紹介」では採用人材の想定年収に対して15～30％が紹介報酬の相場となっています。「紹介予定派遣」は最長6か月の派遣ののち、お互いが合意すれば直接雇用となり、その際のマージン率は想定年収の25～30％です。人材ビジネスの課題は、職員のスキルが低かったり、短期間に退職するケースに対して、人材会社のフォロー体制が不十分であったりすることです。

介護サービスにおける職員の不足状況（職種別）

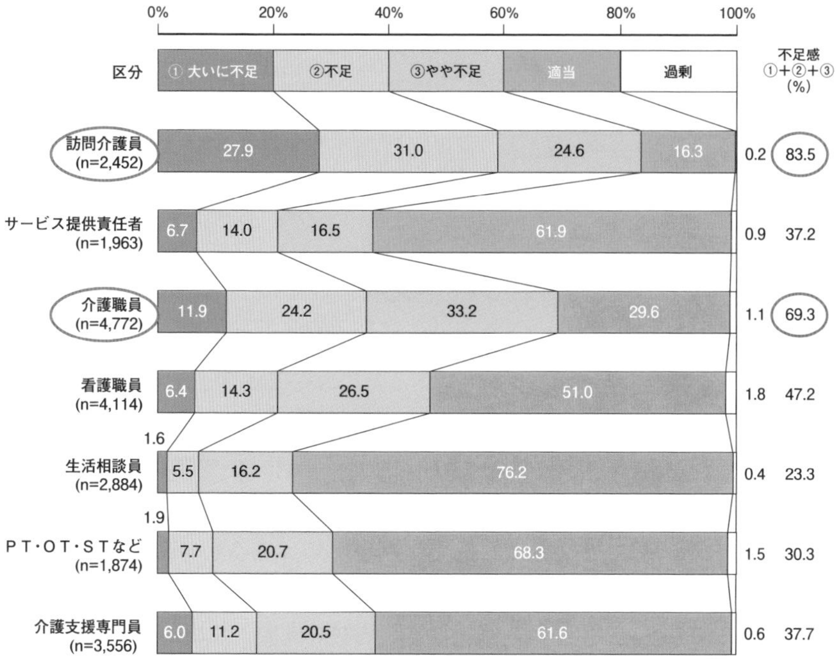

出典：介護労働安定センター「令和４年度事業所における介護労働実態調査結果報告書」2023

職業紹介事業者に支払った手数料額（採用１件あたり）

職種	介護支援専門員	介護職員	看護職員	リハビリ専門職
回答事業者数	21事業所	156事業所	91事業所	23事業所
手数料額（平均）	64.2万円	50.1万円	71.0万円	78.3万円

出典：厚生労働省「職業紹介事業に関するアンケート調査　調査結果」2019

在留資格「介護」の創設

Chapter7
02

外国人が介護職員として働く

在留資格「介護」の創設により、外国人であっても介護職員として正式に働ける道が開けました。ただし、在留資格を取得するためには、国家資格である介護福祉士試験に合格することが必要です。

在留資格「介護」の創設と新たなビジネス

在留資格
外国人が日本に滞在するための資格。在留資格で許可された活動を日本国内で行うことができる。

日本政府は、介護人材の不足を外国人によって補う施策を推進しています。2017年９月には**在留資格**「介護」が創設され、介護福祉士の資格を取得した外国人は、日本の介護現場で働くことが可能となりました。この在留資格は、外国人が日本の国家資格「介護福祉士」に合格して、介護サービス事業者などと雇用契約を結び、日本で働きながら定住できるものです。2024年に実施された介護福祉士国家試験の合格率は約82％ですが、日本語で行われる国家試験に外国人が合格することは簡単ではありません。そのため、介護福祉士資格取得を目指すための受験対策や資格取得後の就職仲介を行うビジネスが誕生しています。

２つのルートと奨学金

介護福祉士養成施設
厚生労働大臣指定の学校。四年制大学、短期大学、専門学校などの種類に分けられる。

初めて日本に来た外国人が介護福祉士国家試験を受験するためには最低でも2年もしくは3年以上の期間が必要です。その流れは、「養成施設ルート」か、「実務経験ルート」によって異なります。養成施設ルートでは留学生として入国し、日本語学校を経て**介護福祉士養成施設**を卒業するものです。一方、実務経験ルートは、技能実習生などとして入国後、介護施設などで3年以上の実務経験を経た後に国家試験を受験・合格するものです。養成施設ルートで課題となるのは、介護福祉士になるまでの学費と生活費です。そのため、あらかじめ、就職予定の介護施設から奨学金を受けている場合もあります。しかしこの方法は留学生に介護福祉士資格取得後も継続して働いてもらうことが前提となる方法です。資格を取得した留学生が他の施設に転職しないためにも適切な処遇や環境整備が大切です。

外国人が介護現場で働くための主な在留資格

在留資格	該当例	在留期間
介護	介護福祉士	5年、3年、1年または3か月
特定技能	特定技能1号	1年、6か月または4か月
技能実習	技能実習1号・2号・3号	1年、3年、5年
特定活動	経済連携協定EPAに基づく介護福祉士候補者など	5年、3年、1年、6か月、3か月または法務大臣が個々に指定する期間（5年を超えない範囲）

出典：出入国在留管理庁,在留資格一覧表（令和2年9月現在）

在留資格「介護」取得のしくみ（養成施設ルート）

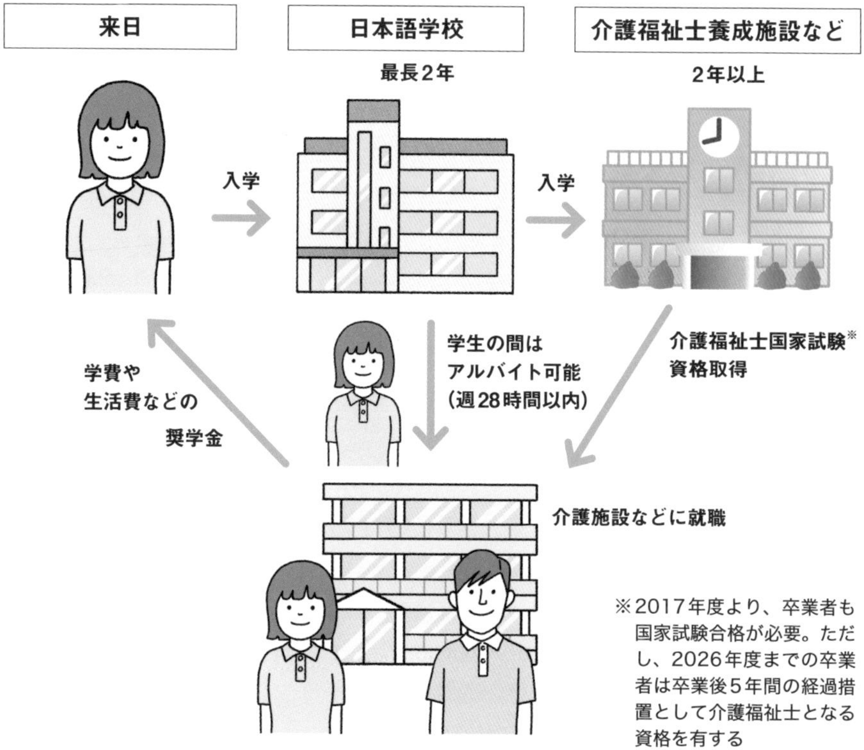

※2017年度より、卒業者も国家試験合格が必要。ただし、2026年度までの卒業者は卒業後5年間の経過措置として介護福祉士となる資格を有する

Chapter7
03

開発途上国の人材を育成する

国際協力としての外国人技能実習制度

外国人技能実習制度は、1993年に開発途上国の人材育成を目的に設立されましたが、一部で人権侵害や労働法違反の問題が指摘されています。これを受け、政府は制度の見直しを進めています。

外国人技能実習制度とは

外国人技能実習制度は、1993年に開発途上国の経済発展や人材育成を支援する国際協力を目的として制度化されました。しかし、一部で人権侵害や労働法違反などの問題が報告され、改善が求められていました。これらの問題に対応するため、政府は制度の見直しを進め、技能実習制度を廃止し、新たに「育成就労制度」を設ける方針を決定しています。技能実習制度には、実習生を受け入れる企業がすべての手続きを直接行う「企業単独型」と、実習生を受け入れる企業が監理団体を通して行う「団体監理型」があります。団体監理型では、人材を送り出す国側の「送り出し機関」と日本側の「監理団体」が連携して実習生の送り出し・受け入れを行います。

外国人技能実習制度
技能実習は1号・2号・3号とあり、それぞれ1年〜最長5年まで受け入れ可能な期間と職種が決められている。主な受け入れ職種は食品製造、農業、漁業、建築など。

監理団体
技能実習生の募集や受け入れの手続き、受け入れ後の監査などを行う団体。

介護の技能実習とビジネスモデル

介護分野では2017年に「介護職種」が追加されました。介護の技能実習生には技能実習制度本体のルールに加えて「介護固有要件」が定められており、これをクリアしなければ実習生を受け入れることができません。例えば、受け入れ可能施設は「介護福祉士国家試験の実務経験対象施設であること」などが必要です。団体監理型では、介護施設側が希望する人材を監理団体に依頼し、送り出し国で人材募集から採用選考までを行います。受け入れる介護施設は、入国時の費用（採用コスト）と、入国後の監理団体への毎月の管理費用を支払います。技能実習生に関わるビジネスはストック型ビジネスとされ、受け入れ先事業所から受け取る月々の管理費用が監理団体の収益源となります。

介護固有要件
対人援助サービスである介護は、通常の制度に加えて日本語能力、受け入れ介護施設要件、入国時要件として介護技術や専門用語を学ぶことなど独自の要件が定められている。

ストック型ビジネス
継続的に収益が入ってくるビジネス。

技能実習生制度のしくみ（団体監理型）

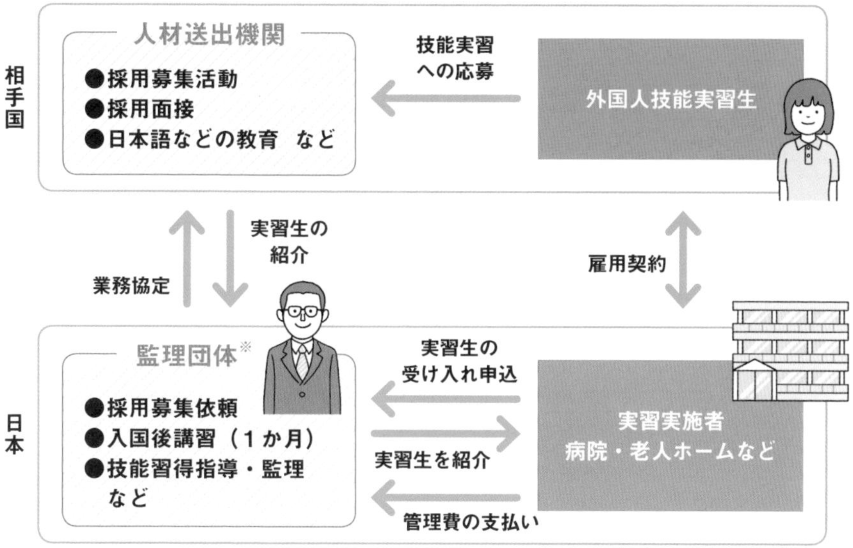

※監理事業を行う非営利法人で主務大臣（厚生労働大臣・法務大臣）より許可が必要

技能実習生を受け入れることができる施設

- 介護福祉士国家試験の実務経験対象施設
- 訪問系サービスは対象としない
- 設立後３年を経過している事業所　など

介護外国人技能実習生の採用コスト（例）

●採用時にかかる費用 ・現地での人選にかかる費用 ・出国前の日本語教育費用 ・実習生の渡航費用 ・在留資格の申請費用 ・出国前の研修費 ・来日後の研修費 ・健康診断費用 ・保険料　など	**50～100万円程度** ※相手国により異なる
●毎月かかる費用 ・監理団体の管理費	**1人当たり2.5～5万円程度** ※監理団体、職種などによって異なる

出典：著者の各団体へのヒアリングによる

Chapter7
04

新たな在留資格

介護技能を有している外国人が就労可能となった「特定技能」

新たな在留資格である「特定技能」は日本で労働するための資格です。一定水準以上の日本語能力、介護のための日本語能力、介護の技能をテストで確認し、合格した人が働くことができます。

特定技能「介護」とは

2019年より始まった「**特定技能**」は、外国人が日本で働くための在留資格です。この在留資格の取得には、定められた分野において技能を有していること、そして日常会話レベルの日本語の能力が必要とされます。介護の特定技能資格を取得するには、「**日本語能力試験**」「介護日本語評価試験」そして介護の技能について検定する「介護技能評価試験」の３つの試験に合格することが必要です。「介護日本語評価試験」と「介護技能評価試験」は日本と相手国でほぼ毎月実施されています。

特定技能
人材を確保することが困難な状況にある特定産業分野（介護・宿泊業など14業種）において働くための在留資格。特定技能1号と2号があり、それぞれ在留期間などが異なる。

日本語能力試験
日本語が母国語でない人の日本語能力を測る試験。難易度が高い順にN1〜N5の5段階がある。

介護分野では13.5万人を受け入れ予定

政府は2024年３月、2029年までに介護分野では13.5万人を上限とする外国人を特定技能「介護」の在留資格で受け入れると決定しました。特定技能での受け入れは技能実習制度と異なり、介護サービス事業者が監理団体を通さずに直接雇用することができます。また、日本に入国直後から人員基準にも算定でき、日本人介護職員と同じように「常勤職員」扱いにできます。

特定技能は介護サービス事業者が直接雇用できますが、「**登録支援機関**」が諸々の手続きを代行することも可能です。登録支援機関のビジネスは、介護サービス事業者に対して人材を紹介する際の紹介手数料や特定技能外国人の相談にのるなどの支援委託費が月々の収益となるストック型ビジネスとなります。出入国在留管理庁が公表している「特定技能1号在留外国人数」（2023年12月末）によると、介護分野の特定技能取得者の人数は28,400人となっています。

登録支援機関
受け入れる介護サービス事業者に委託され、職業生活上、日常生活上または社会生活上の支援を行う団体。出入国在留管理庁長官の登録が必要となる。

特定技能制度のしくみ

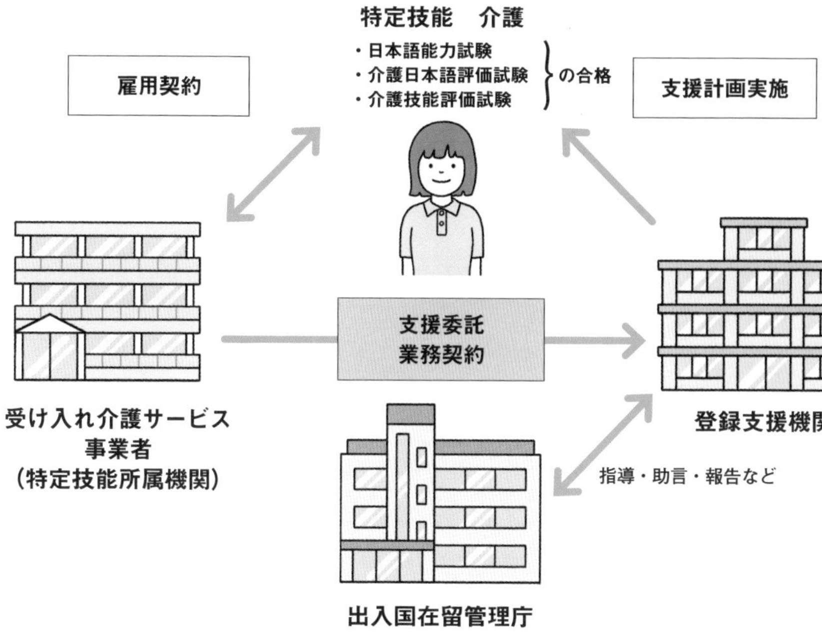

「特定技能」と「技能実習」制度比較

	特定技能	技能実習（団体監理型）
目的	就労	技術移転・国際貢献
在留期間	通算５年	最長５年
日本語能力 介護能力	●日本語能力：Ｎ４レベル以上 ●介護日本語評価試験合格 ●介護能力：介護技能評価試験合格	●日本語能力：挨拶レベル ～簡単な日常会話（Ｎ４以上） ●介護能力：試験結果は必要なし
家族帯同 （配偶者と子）	不可	不可
転職の可否	可能（同業種内）	原則不可
採用方法と 管理方法	●国内、海外どちらも可能 ●直接採用、紹介会社など ●支援計画の立案と実施必須	●海外から招聘 ●送り出し機関から紹介 ●来日後は監理団体で管理
管轄機関	出入国管理庁	外国人技能実習機構
就労条件	18歳以上	18歳以上
面接～配属 概算期間※	６か月～８か月程度	7か月～10か月程度

※期間はあくまでも目安

Chapter7 05

国家資格「介護福祉士」を養成

日本では介護を職業として選択する若年層が年々減少しており、介護福祉士を養成する学校では毎年定員割れが続いています。近年は、その定員割れを補うために外国人の入学が増加しています。

潜在介護福祉士の現状

約32万人不足
第８期介護保険事業計画の介護サービス見込み量などに基づき、都道府県が推計した介護職員の必要数を集計した数。2040年には約69万人不足する。

潜在介護福祉士
介護の現場にいた経験はあるが、すでに離れている人や、就業経験はないが介護福祉士の資格を持っている人。

厚生労働省の調査によると、2025年には介護職員が約32万人不足すると推計されています。この職員不足に対応するため、即戦力として活躍できる介護福祉士の確保が急務です。2020年には175万人以上が介護福祉士試験に合格し登録されていますが、公益財団法人社会福祉振興・試験センターの調査（2020年）によれば、介護福祉士として登録している人のうち、実際に介護業界で働いているのは一部に過ぎないことが分かりました。このように、資格を持ちながらも実際にその資格を使っていない人を潜在介護福祉士といいます。調査結果では、回答者52万人のうち、福祉等以外の分野で働いている人が約４万人、仕事をしていない人が約８万人の合計12万人おり、さらに、仕事をしていない資格保持者のうち約３割が、条件が合えば職場復帰を望んでいることも調査結果において示されています。

介護福祉士養成施設の課題と留学生の増加

介護福祉士養成施設
P.144参照。

一方、介護福祉士養成施設は、入学志願者の減少により運営が困難になっており、調査によると、定員充足率は50％程度にとどまっています。その不足を補うために、介護福祉士を目指す外国人留学生が増加しています。外国人留学生の割合は日本人に対して約３割を占めており、留学生の出身国はベトナム、ネパール、ミャンマーなどです。留学生増加の背景には、「介護福祉士修学資金等貸付制度」が留学生にも適用されることが関係しています。この制度は、卒業後に介護福祉士として介護業務に一定年数従事することを条件に、入学準備金、就職準備金、国家試験受験対策費用などを都道府県が貸し付けるものです。

将来に向けた必要な介護職員の数

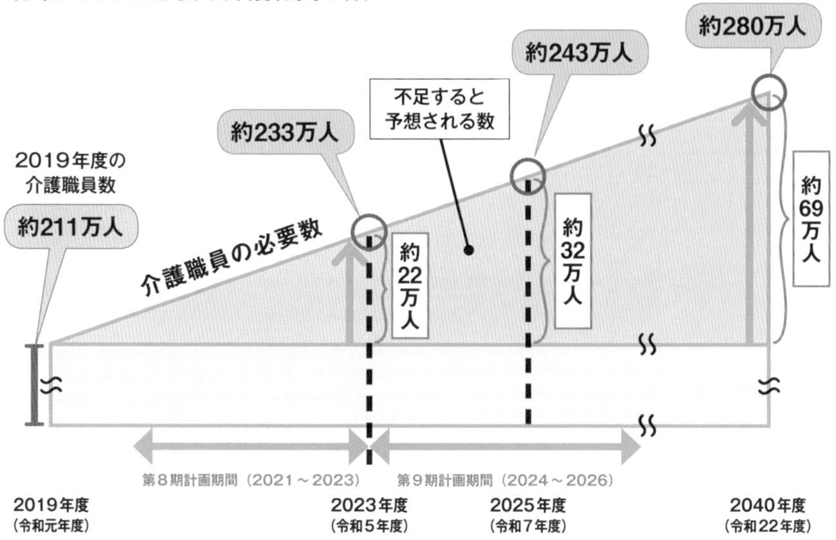

出典：厚生労働省「第８期介護保険事業計画に基づく介護職員の必要数について」より

介護福祉士の就労状況調査（2020年）

現在の就労状況

①福祉･介護･医療の分野で仕事をしている方	444,031人（76.3%）
②福祉等の資格者を養成する大学などで仕事をしている方	1,389人（ 0.2%）
③福祉等以外の分野で仕事をしている方	40,589人（ 7.0%）
④現在、仕事をしていない方	80,154人（13.8%）

潜在有資格者の福祉・介護・医療分野への就業意向

	是非働きたい	条件があえば働きたい	働きたくない	分からない
③のうち、福祉分野の就業経験がある方［A］	1,140人（3.2%）	13,595人（38.4%）	9,842人（27.8%）	10,095人（28.5%）
④のうち、福祉分野の就業経験がある方［B］	5,231人（7.2%）	25,428人（35.2%）	21,669人（30.0%）	16,936人（23.4%）
③④のうち、福祉分野の就業経験がない方［C］	680人（9.9%）	2,011人（29.3%）	1,492人（21.7%）	2,394人（34.9%）

出典：公益社団法人社会福祉振興・試験センターの調査結果より

Chapter7
06

介護に関わる教育ビジネス②

スキルアップをするための教育研修

介護に関する教育ビジネスは介護資格を取得するための「養成」が事業の柱でしたが、最近は介護サービス事業者が競合他社との差別化のためにより学習しやすいようサービスの質の向上を意識した研修に力を入れています。

資格研修、スキルアップ研修、法定研修

介護に関わる教育・研修は、介護関連の資格を取得するための教育研修、介護サービス事業者に勤務する人のスキルアップ研修、介護保険法令に定める法定研修に分けることができます。資格取得のための研修には、「介護職員初任者研修」、「介護福祉士実務者研修」、「福祉用具専門相談員指定研修」などがあります。これらの講習を企業が開講するためには**都道府県の指定**が必要となります。

法定研修は、運営基準において実施しなければならない研修であり、「高齢者虐待防止」、「身体拘束防止」などの研修があります。また、介護職員の賃金向上を目的に介護報酬を加算して支給する**介護職員等処遇改善加算**などの取得には「**キャリアパス要件**」や「職場環境要件」が定められており、職員の資質向上のための研修が加算取得の要件になっています。

都道府県の指定
開講にあたっては各自治体に講師一覧、時間割、収支・決算などの申請が必要。

介護職員等処遇改善加算
介護職員の処遇改善を目的として設けられた、介護報酬に上乗せされる加算制度。取得のためには研修や資格取得などの要件がある。

キャリアパス要件
介護職員の資質向上のための計画を策定して、研修の実施または研修の機会を設けること。加算取得のためには要件を満たすことが必要となる。

WEBによる研修が加速化

コロナ禍を経て、介護サービス事業所向けの職員研修はインターネットを使用したWEB研修が主流になりました。介護職員はシフト勤務が多く勤務時間が異なるため、1か所に集まる集合研修の実施は困難です。しかしWEB研修なら、スマートフォンやパソコンがあればいつでもどこでも職員が受講することが可能となるため、多くの事業所では朝礼後や昼休みなどの時間に5分～15分程度の短いコンテンツを視聴してもらい、研修を行っています。

研修提供ビジネスは、介護保険法令で定められた研修項目を理解し、忙しい職員でも学習を継続できるコンテンツづくりがポイントといえそうです。

法令上介護サービス事業者が行うべき研修（主なもの）

（従業者の教育訓練のための制度、研修その他の従業者の資質向上に向けた取り組み）

- 認知症及び認知症ケアに関する研修
- プライバシーの保護の取り組みに関する研修
- 接遇に関する研修
- 倫理及び法令遵守に関する研修
- 事故発生又は再発防止に関する研修（福祉用具含む）
- 緊急時の対応に関する研修（福祉用具含む）
- 感染症・食中毒の予防及び蔓延防止に関する研修
- 身体拘束の排除の為の取り組みに関する研修
- 非常災害時の対応に関する研修
- 介護予防及び要介護度進行予防に関する研修
- 医療に関する教育、研修
- ターミナルケアに関する研修
- 精神的ケアに関する研修
- 高齢者虐待防止関連法を含む虐待防止に関する研修

介護人材のキャリアパス全体像（イメージ）

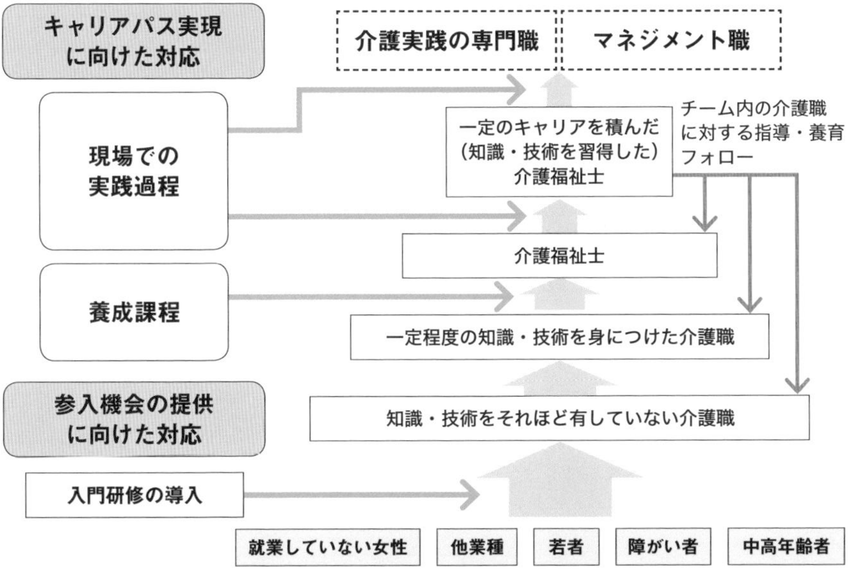

出典：厚生労働省「介護人材の機能とキャリアパスについて　2016」をもとに作成

COLUMN 7

日本で活躍するフィリピン人介護人材

2019年に特定技能制度が始まり、来日する外国人介護者が増加することが見込まれました。日本政府としては2023年までに6万人の受け入れを計画していました。

2019年末まで、私は毎月のようにフィリピンに行き、300人以上の介護候補者の面接をしていました。当時、約2万人の日本人配偶者などのフィリピン人が日本の介護施設で活躍していたこともあり、私はフィリピン人の採用に軸を置いていました。しかし、在東京フィリピン共和国大使館 移住労働者事務所が提示する採用条件を介護事業者がクリアできないこともあり、フィリピン人の採用が停滞しました。フィリピン人を採用しようと決めていた介護施設の多くが、フィリピン以外の人材に目を向けるようになり、私の周囲ではインドネシア、ネパールやミャンマーなどからの介護人材の採用が大きく進みました。

そして2020年初めからコロナ禍の影響で海外人材の来日はほぼストップ。その後約2年以上の間、海外人材の来日が停滞しました。

2024年4月で特定技能制度が始まってから5年。2023年12月時点では28,400人の特定技能介護者が現場で働いています。これらの特定技能介護者は、介護ビザを取得するために介護福祉士の国家資格試験に挑戦することになります。試験は日本語のレベルが高く、外国人は十分な日本語力をつけておく必要があります。そのため、多くの外国人介護者は介護施設で働きながら日本語を学び、日々国家試験対策に精を出しています。こうしたことから、2025年以降は介護福祉士に合格する特定技能者が多く出ると思われます。

日本各地の介護施設においては、年を追うごとに人手不足がさらに深刻になっており、外国人の採用は必須となりつつあります。これから外国人採用を進める事業者については、すでに外国人材採用に取り組んでいる介護事業者の事例を参考にしながら、具体的なアクションをとっていただければと思います。

Jコンサルティング合同会社

代表　髙橋恵介

第8章

高齢者のための「モノ」のビジネス

高齢になると、様々なところで日常生活がしづらくなります。そんなところを手助けしてくれる「モノ」があれば、自立した生活が可能になります。高齢者のための「モノ」ビジネスの現状を見ていきましょう。

介護施設などの設計・建築

Chapter8 01

高齢者が暮らしやすい「住まい」をつくる

高齢者の増加により、建築・設計分野でも介護業界は市場として注目されています。高齢者施設をつくる際は、高齢者が施設でどのような生活を送っているか、職員がどのような動きをするかを理解することが必要です。

集団処遇から個別ケアへ

1963年に老人福祉法によって制度化された特別養護老人ホームは、１部屋に４人以上が生活を共にする多床室が主流でした。多床室では利用者のプライバシーや個々の生活リズムは軽視される「集団処遇」が行われていましたが、1996年に全国社会福祉協議会が公表した「特別養護老人ホームの個室化に関する研究」によって多床室の実態が明らかにされました。報告書によると、多床室では利用者同士の会話が少なく、同居者とのストレスにさらされ、多くのトラブルが発生していることが分かりました。全国の介護施設でも「個別ケア」の重要性が意識され始め、様々な方法が実践されていました。こうした取り組みが国を動かし、「個室・ユニットケア」が制度化されました。

集団処遇
要介護者を大人数の集団で管理し、食事や日課、レクリエーションなどを決まった時間に一斉に実施するというスタイルのケア。

個室・ユニットケア
住宅に近い環境の中で一人ひとりの個性や生活リズムを尊重し、他の人との人間関係の中で生活が営まれるように介護を行うこと。

老人ホームにおける普通の暮らしとは

高齢者施設はその地域で営まれてきた高齢者の生活を再現し、違和感を最小限にとどめながら、施設での生活に移行できることが大切です。例えば、自室にこもりがちな入居者が外に出たくなるような開放性のある「場」の設置や、自分で移動できるように手すりや休憩場所を設置することが挙げられます。認知症の人には使い慣れた家具を持ち込める余裕のある居室も必要です。また、同時に介護職員にとって働きやすい環境も重要です。職員の動きを考えた効率の良い「動線」や「距離」、そして「くつろげる休憩室」などは職員の離職防止にもつながります。これからの高齢者施設は、入居者にとっては「今までの暮らし」が再現できる場として、職員にとっては「働きやすい職場」として、２つの両立を可能とする建物が求められています。

動線
職員が移動する際にたどる軌跡や経路のこと。入居者の状態を理解し、職員の動きを想定することで効率的な業務が可能となる。

高齢者施設に求められる設計

地域の特性を
施設のコンセプトに活かすこと

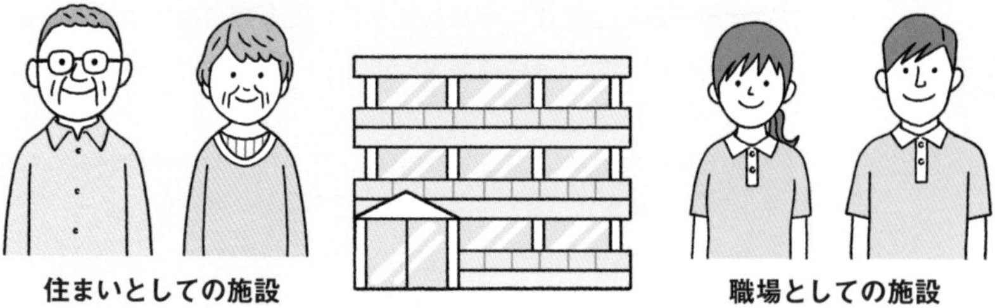

住まいとしての施設　　職場としての施設

地域の特色にあった交流

・祭り・カフェ・スーパーなど

普通の生活・住まいらしさ・住居の延長・尊厳のある生活

高齢者施設に求められるもの

要素	利用者	職員
規模	**住居らしい規模としつらえ** 家族の規模に近しい共同生活者の人数設定と住宅らしさを感じさせる空間の区切り	**介護がしやすい動線** 日中利用者が集まる居間スペースに面したトイレや職員室など、効率のよい動線と距離の設定
居心地	**本来の住居に近い居室** 長年使い慣れた家具を持ち込めるなどの余裕のある居室	**職員がくつろげる居場所** 利用者の目から離れることができる職員専用のラウンジやトイレ、休憩室
楽しみ	**視覚や嗅覚で参加できる食事の準備** 食事や配膳の準備が感じられ、楽しく待つことができる食堂スペース	**福利厚生の充実** 「横のつながり」ができやすい法人内サークルなどの支援とそのための空間
生きがい やりがい	**自分を表現できる場所** 趣味の習字などを掲示して、日々の話題として取り入れられる仕掛け	**工夫を実現できる仕掛け** 介護に必要な創意工夫を取り込みやすいしつらえと余裕のあるスペース
健康	**生活の中でのリハビリ** 歩く楽しみがあり、休憩のベンチで交流もできる廊下や散歩道など	**多様な選択肢のある休憩** 横になったり、ひとりになったりと、体調に合わせて休み方を選択できる休憩室
安心	**見守りが行き届く配慮** 危険な死角を極力減らし、緩やかな繋がりを実現する空間構成	

協力：柴田木綿子（しばたゆうこ）建築設計事務所（https://yukoshibata.com）

Chapter8
02

在宅高齢者のための住宅改修

住み慣れた家で暮らし続けるために

高齢期の住宅改修には、介護予防を目的とするものと、要介護状態となった後の自立支援を目的とするものがあります。住み慣れた家で暮らし続けるためにも住宅改修のニーズは拡大しています。

要介護者の住宅改修

多くの日本の住宅は、「段差が多い」「部屋が小さい」「畳を中心とした座敷の生活」などの特徴があり、高齢者が住み慣れた家で生活し続けることを困難にしているといわれています。高齢者の住宅改修には、要介護者となってから行うものと、要介護者になる前に行うものがあり、それぞれ目的が異なります。要介護者となってから行う住宅改修の目的は「自分でできることを増やすこと」です。例えば、手すりを付けることでトイレに自分で行くことができれば、自立の意欲が向上します。このように利用者が自分でできることが増えれば、家族や介護者の精神的・肉体的負担を軽減することにもつながります。

座敷の生活
床に直接座る床座生活のこと。高齢者の場合、加齢による筋力の低下や視力の衰え、病気や服用している薬の影響などによって立ち上がり時に転倒するリスクが高くなる。

介護予防としての住宅改修

一方、要介護者になる前に行う住宅改修は、住宅の中の危険個所を改善して「要介護となるリスクを減らすこと」です。厚生労働白書（2019年）によると、要支援者の14%、要介護者の12%が骨折・転倒が理由で介護が必要な状態になっています。さらに消費者庁の注意喚起文書（2020年）によると、高齢者の転倒・転落事故の約半数が自宅で発生しています。国土交通省は、2019年に高齢期における「住まいの改修ガイドライン」を公表しました。ガイドラインでは、高齢期の住宅改修において8つの配慮すべきポイントを整理しています。高齢社会白書（2020年）によると、65歳以上の人がいる世帯の8割以上が持ち家に居住していることから、在宅高齢者の増加に伴って住宅改修のニーズはこれからも拡大すると考えられています。

危険個所
つまづいたり、転倒したりしやすい場所。消費者庁によると、高齢者の住宅内転倒・転落事故は、階段、廊下、玄関、台所、浴室、庭で発生している。

高齢者の住宅改修の目的

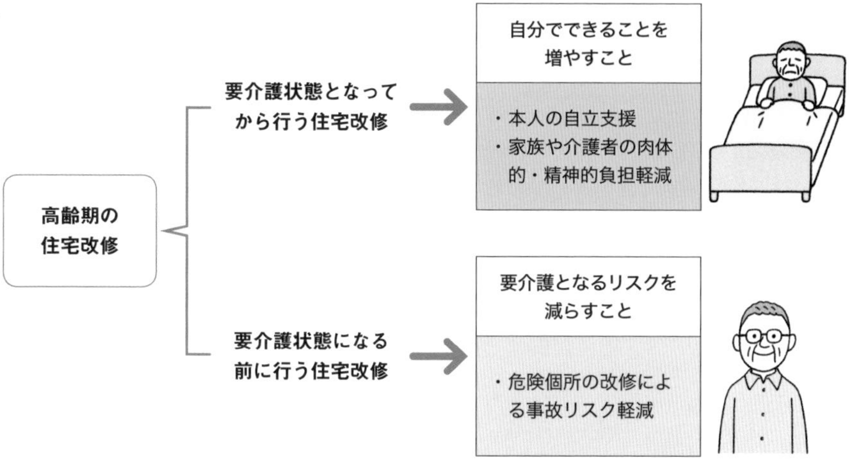

高齢期の住宅改修における８つのポイント

配慮項目	概要	特に重要と考えられる項目
①温熱環境	・開口部など住宅の断熱性を高め、冷暖房設備を適切に設置する ・居室と非居室の間で過度な温度差を生じさせない	●
②外出のしやすさ	・玄関や勝手口から道路まで安心して移動できるようにする ・外出や来訪のしやすい玄関とする	●
③トイレ・浴室の利用のしやすさ	・寝室からトイレまで行きやすくする ・トイレ、脱衣室や浴室の温熱・バリアフリー環境を確保する	●
④日常生活空間の合理化	・日常的な生活空間を同じ階にまとめる ・よく利用する空間を一体的にし、広く使えるようにする	●
⑤主要動線上のバリアフリー	・日常生活において家事、外出、トイレなどによく利用する動線をバリアフリー化する	
⑥設備の導入・更新	・安全性が高く、使いやすい、メンテナンスが容易な設備を導入または更新する	
⑦光・音・匂い・湿度など	・日照、採光、遮音、通風など適切な室内環境を確保する	
⑧余剰空間の活用	・余った部屋を収納、趣味、交流などの空間として利用する	

出典：国土交通省「高齢期の健康で快適な暮らしのための住まいの改修ガイドラインの概要」2019

Chapter8
03

自立した生活を助ける福祉用具

欧米の福祉用具は、戦争で負傷した兵士のためにつくられたことが始まりで、「障がい者」の支援機器として発展しました。日本では、「高齢者」「障がい者」の自立を助けるものとして位置付けられています。

福祉用具の歴史と対象者

福祉に関する機器開発の歴史は古く、特に戦争が生じるたびに義肢装具の研究・開発・普及が行われてきました。

現在、市場に普及している福祉機器は、欧米を中心に「障がい者」の支援機器として発展してきた経緯があります。日本では、身体障害者福祉法（1950年）や、老人福祉法（1963年）によって「福祉用具の給付・貸与」が開始され、1993年の「福祉用具法」によって福祉用具という言葉が定められました。法令において福祉用具は、高齢者と心身障がい者の「自立促進」と、介護者の「負担軽減」のためのものと定められています。

介護保険制度においての福祉用具は、要介護者などの日常生活の便宜を図り、機能訓練のための用具であって、自立した日常生活を営むことができるよう助けるものを保険給付の対象としています。

国によって異なる福祉用具の規制

日本の福祉用具は薬機法による医療機器としての認証は不要です。また、日常用品扱いのため一般製品と同様の製造物責任法（PL法）や電気用品安全法（PSEマーク）以外の規制はほぼありません。日本国内で福祉用具を販売するには、安全性、有効性のデータなどがなくても販売可能です。しかし、海外では日本の福祉用具は医療機器として判断されることが多いため、医療機器としての認証なしでは、輸出・販売できない場合があります。さらに、欧米では体格などの違いから耐荷重などの規格が異なるため、日本の規格のまま輸出するためにはJETROなどで事前の確認が必要です。

義肢装具
けがなどで手や足を失った人が装着する人工の器具。手の代わりになるものを義手、足の代わりになるものを義足と呼ぶ。

薬機法
「医薬品、医療機器等の品質、有効性及び安全性の確保等に関する法律」。薬事法が2014年の改正で名称が変更された。

PL法
「製造物責任法」。製造物の欠陥が原因で、他人の生命・身体・財産に損害が生じた場合、製造業者などに損害賠償責任を負わせる法律。

PSEマーク
電気用品安全法の基準をクリアした電化製品に掲示されるマーク。

JETRO
日本貿易振興機構（ジェトロ）。2003年に設立された独立行政法人。 海外74か所、国内48か所のネットワークで海外ビジネス情報の提供、中堅・中小企業などの海外展開を支援している。

海外と日本における医療機器の範囲の違い

	治療・予防 （患者向け）	リハビリテーション （患者向け）	自立・移動・ 歩行支援 （患者・障がい者向け）
米国	医療機器		
欧州	医療機器		
日本	医療機器	一般機器（生活支援ロボット） ・福祉用具 ・補装具 ・装具、トレーニング機器など	

日本と諸外国（EU／アメリカなど）の製品スペックの違い

	日本	諸外国 （EU／アメリカなど）
車いすの規格（例）	●想定耐荷重（最大値）は 100kg ※「軽くて扱いやすい」ものに対するニーズが高い	●想定耐荷重（最大値）は ～300kg ※体格の違いなどの理由から、重量があり、より安定性の高い製品が求められる

出典：三菱UFJリサーチ＆コンサルティング「新規分野の国際ルールインテリジェンスに関する分析（電動車椅子及び介護用ベッドの高機能化を見据えた標準化やルール形成に関する分析）報告書」2019

Chapter8
04

見守りに関する支援機器

離れていても高齢者の安全を守る

見守りには、人が人を見守るサービスと、テクノロジーによる見守りサービスがあります。介護保険施設では2024年の介護報酬改定において見守り機器導入による加算項目がさらに拡充されました。

認知症関連の行方不明者が増加

認知症により自宅や高齢者施設を出て、徘徊《はいかい》してしまう高齢者が増加しています。警察庁が発表した「令和４年における行方不明者の状況」によると、行方不明者の総数は84,910人で、そのうち認知症またはその疑いによる不明者は18,709人となっています。認知症高齢者の捜索には警察犬も使われており、その出動回数も年々増加しています。認知症の人に徘徊の症状が出るようになると、事故や行方不明になるリスクが高まりますが、本人にとって、徘徊には理由も目的もあるため、基本的に止めさせるのは困難とされています。

徘徊
認知症の人がうろうろと歩き続ける行動のこと。認知症の周辺症状のひとつといわれている。

徘徊には理由も目的もある
認知症の人にとって徘徊は、昔の職場に行く、子どものために食事をつくるなど本人にとって目的のある行動である場合が多い。

見守りに関するテクノロジー

高齢者の見守りは、「人」が見守るサービスと、「機器」が見守るサービスに分けられます。見守りの対象には「在宅高齢者」と「施設入所者」があります。在宅での見守りには独居高齢者の安否確認を定期的に行う訪問サービスや、人感センサーなどの機器設置サービスがあります。また、在宅高齢者の外出時の見守りは、GPSを利用した製品が普及しています。一方、施設においての見守りは、利用者のベッドからの転落や立ち上がりの際の転倒防止などの「安全確保」が目的となります。施設入所者の見守りは、2024年の介護報酬改定において、施設・居住系サービスなどでの見守り機器導入による加算項目がさらに拡充されました。改定では、配置すべき人員数のさらなる緩和などが盛り込まれたため、今後見守り機器の導入がさらに進んでいくことが見込まれます。

GPS
Global Positioning Systemの略で、人工衛星を利用した位置測位システムのこと。

認知症またはその疑いによる行方不明者

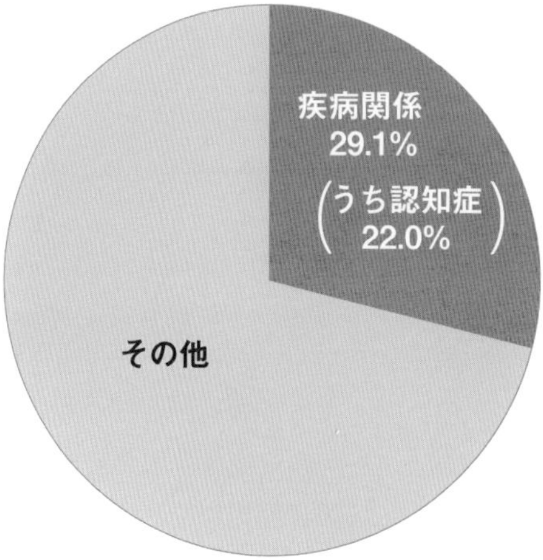

出典：警察庁「令和4年における行方不明者の状況」より

見守りサービス・機器の概要

	対象	形態	見守りの内容	実施会社
見守りサービス・機器	在宅高齢者	人が訪問するサービス	高齢者の自宅を定期的に訪れて、安否確認	・郵便局 ・宅配会社 ・宅配弁当会社 ・電気会社 ・水道会社　など
		機器によるサービス	電話やメールでの安否確認	・郵便局 ・民間営利法人　など
			カメラやセンサーを設置して動態情報を確認	・警備会社 ・民間営利法人　など
			GPSを埋め込んだ靴や持ち物で外出時に追跡	・介護サービス事業者 ・民間システム会社　など
	施設入所者	機器によるサービス ※介護報酬加算あり	施設の各居室にカメラやセンサーを設置して動態情報を確認	・介護システム会社 ・機器メーカー　など

出典：各社HPをもとに筆者作成

Chapter8 05

負担の大きい排泄ケアを支援する

排泄ケアは、利用者にとっては尊厳に関わるものであり、介護者にとっては負担の大きい介護とされています。そんな問題を解決するため、排泄のタイミングを予測できる製品なども登場しています。

トイレで排泄できるように支援すること

排泄に関わるケアは介護をする家族や介護をする人にとって大きな負担となっています。在宅介護では、要介護者が排泄において他者の介助を受けなくてはならなくなると家族の介護負担が急増し、在宅生活の継続が困難になることが明らかになっています。

介護施設において排泄ケアは、毎日何回も行われる業務です。排泄は、人として最期まで**尊厳の保持**とプライバシーに配慮すべき業務として位置付けられています。排泄ケアは本来、利用者のおむつを替えることではなく、どのようにしたらおむつを使わないようにできるかを考え、自立に向けてトイレでの排泄ができるように支援していくことです。

尊厳の保持
すべての個人が人間として尊重されること。排泄介助においては自身の排泄物の処理を他者に委ねることは行為の喪失感と羞恥心を強く感じる場面であるため、職員は自尊心に配慮した介助が必要である。

排泄パターン
排泄の規則性。排泄パターンを把握するためには排泄時刻、回数、トイレでの1回毎の量、失禁の状態などを記録する。おむつの場合は吸収した尿量を記録する。

排泄を可視化するテクノロジーの登場

人間はそれぞれ一定の排泄リズムを持っています。排泄ケアは、このリズムを記録し、**排泄パターン**を把握することから始まります。介護職員は記録から導きだされる利用者の排泄パターンに基づき、トイレへ誘導する時間や、おむつ交換の時間を予測します。しかし、この方法では、利用者の排泄が「いつ」行われたかを正確に把握することはできません。この部分を補完してくれるのがテクノロジーです。超音波により尿量を把握する膀胱観察機器や、下着やベッドなどに装着して、「濡れ」や「臭い」を感知するセンサーなどを介護記録システムと組み合わせる製品が登場しています。こうした製品は、排泄を可視化し、排泄ケアにかかわる業務負担を軽減しようとしています。

高齢者施設における排泄ケアの課題例

介護者の負担

- 職員不足により、排泄時にタイムリーに支援できない
- 経験や勘に頼っているため、職員によって排泄タイミングの予測がバラバラ
- 紙の記録のため、記入の業務負担が大きい

利用者にとっての負担

- 認知症の利用者は尿意、便意を訴えられない
- おむつを開けて排尿・排便を確認される抵抗感
- 夜間におむつ交換が行われ覚醒してしまう

テクノロジーの活用によって課題解決

排泄 → 排泄データ自動記録 → 排泄タイミングの把握 → 排泄パターンの予測 → 早めにトイレ誘導／タイムリーなおむつ交換

排泄感知システムの例（主に介護施設向け）

製品名	方式	開発・販売
ゆりりん	超音波	ユリケア（株）
Dfree（ディーフリー）	超音波	トリプル・ダブリュー・ジャパン（株）
リリアムスポット2	超音波	（株）リリアム大塚
おむつモニター mini	臭いセンサー	（株）エフエージェイ
Helppad 2	臭いセンサー	（株）aba ／パラマウントベッド

Chapter8
06

「聞こえ」の支援は認知症を防ぐ

聴力の低下は、会話が困難になり、社会的孤立へとつながることが多く、認知症のリスクを高め、心の健康にも悪影響を及ぼすと考えられています。そのため、高齢者の「聞こえ」を支援することは彼らの健康維持に不可欠です。

高齢者の難聴と認知症

加齢性難聴
加齢に伴い耳の奥の音を感じる細胞がダメージを受けて起きる難聴。放置すると脳の認知機能が低下し、うつ病や認知症になるリスクが高まるとされる。

フレイル
P.122参照。

高齢者に多い「加齢性難聴」は、耳の内耳にある有毛細胞が減少し、聴力が衰えることが原因です。この難聴は70代の男性で5人に1人、女性で10人に1人の割合で見られます。聴力低下によりコミュニケーションが困難になると、社会的孤立やうつ病、フレイル（虚弱）へとつながることがあります。加齢性難聴が進行すると、社会的孤立が進み、認知症のリスクが高まるとも指摘されており、2017年の国際アルツハイマー病会議では難聴が認知症のリスク要因として挙げられました。日常の会話が困難になると、認知症の進行も早まると考えられています。

「聞こえ」の市場の拡大

補聴器
聴覚障がい者の聞き取りを補助する補装具であり、医療機器。マイクから入ってきた音を、聞こえにあわせた音に加工し、聞こえを補助する。

国立長寿医療研究センターの調査によると、65歳以上の高齢難聴者は1,500万人以上いるとされています。日本補聴器工業会によると、補聴器の出荷台数は2020年の56万3千台から2023年には65万2千台へと増加しています。しかし、補聴器の所有率（普及率）は、欧米の30～50%以上に比べて、日本では約15%と低いことが報告されています。

独自技術による対話支援スピーカーの設計・開発・販売を行うユニバーサル・サウンドデザイン株式会社は、高齢による難聴の方で、耳に装用することが難しい場合を想定した対話支援システムを発売しています。このシステムは、難聴の利用者や入居者との意思疎通の負担を軽減することによって介護従事者の業務負担軽減にもつながるため、注目されています。難聴は認知症の最大のリスクとの報告もあり、認知症進行抑止の観点から「意思疎通支援」の関連市場は今後さらに拡大することが予想されます。

日本国内の補聴器出荷台数の推移

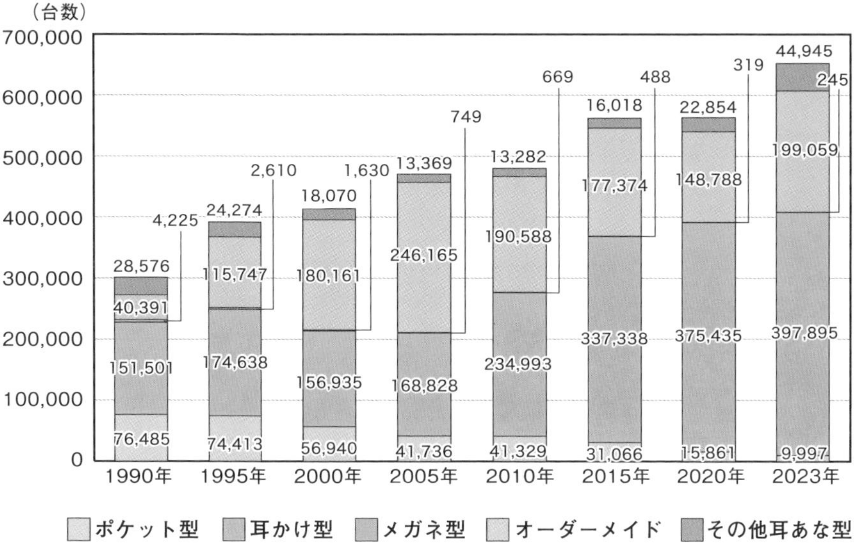

出典：一般社団法人 日本補聴器工業会

「comuoon」（コミューン）」と「comuoon pocket（コミューンポケット）」

comuoon（コミューン）

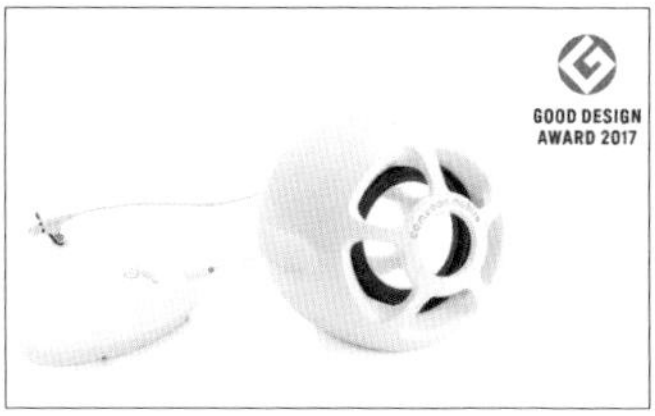

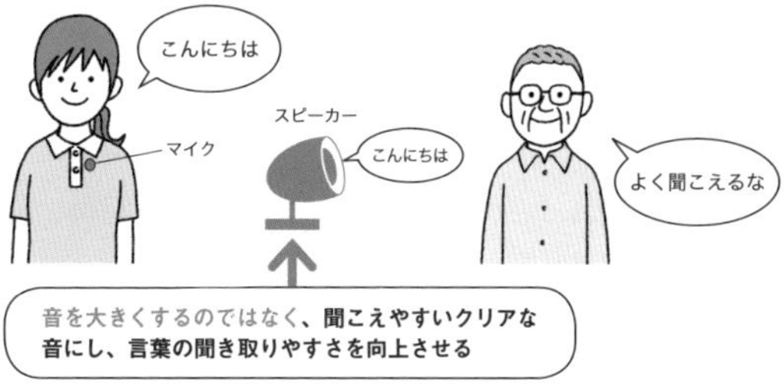

comuoon pocket（コミューンポケット）

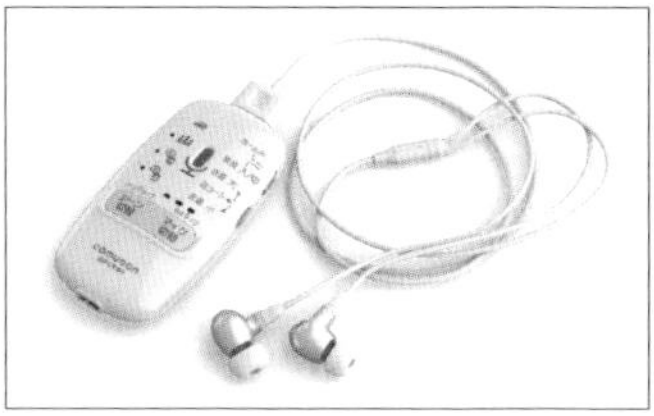

写真提供：ユニバーサル・サウンドデザイン（株）

「家具」が高齢者の安全を支える

高齢になると、椅子から立ち上がる、座るといった当たり前の日常生活に必要な「生活機能」が低下します。高齢者が使いやすい、また、身体の動きを支援するような家具や住宅設備機器の開発も求められています。

高齢者の行動特性に配慮した製品づくり

高齢になると、加齢に伴い病気も増え、日常生活での困難を感じることが多くなります。高齢者の自立を助ける製品開発には、高齢者の身体的な変化や生活の中での問題についても知ることが必要です。特に身体機能の低下した要介護高齢者にとって、ベッドや椅子は日常生活の場となるため、介護をする側とされる側の双方にとって使いやすく、安全性に配慮したものが必要です。高齢者行動ライブラリには、高齢者向けに必要とされている安全性に配慮した製品開発情報が公表されています。

高齢者が食事をするときの椅子の例

高齢者にとって日常の大半を過ごす「椅子」は、高齢者が寝たきりにならないために「座位保持」を行う大切な場所です。しかし、多くの介護現場では、車いすを「椅子」として使っている場合も多く、車いすに座ったまま食事をされる人もいます。車いすは本来「移動手段」として使う製品であり、食事の際の椅子には適していません。

車いすに座ったままで食事をとると、車いすのフットレスト（足置き）に足を乗せた状態で床に足がつかないため、踏ん張りがききにくく、誤嚥を引き起こす可能性もあります。

ケアスタディ株式会社では、こうした高齢者の特性を調査し、食事中の高齢者の姿勢に着目した椅子を製造しています。この椅子は高齢者の姿勢をしっかりとサポートし、座面の高さも調整できるため、床に足をつけ、正しい姿勢で食事をすることができます。高齢者にとって自立につながる製品のさらなる拡大が期待されます。

生活機能
身体機能や認知機能だけでなく、製品の使い方や環境も含めて、社会参加や活動で使う機能全体のこと。

高齢者行動ライブラリ
国立研究開発法人産業技術総合研究所が運営する高齢者にとって安全性の高い製品・サービスを開発するための情報を掲載しているサイト。

座位保持
上半身を90度またはそれに近い状態に起こした姿勢を保てること。

高齢者向け製品開発のための検討事項 10項目

対象	検討項目
高齢者	・筋力低下への対応が考えられているか ・視力低下への対応が考えられているか ・聴力低下への対応が考えられているか ・知覚機能低下への対応が考えられているか ・認知機能変化への対応が考えられているか ・想定可能な誤使用への対応が考えられているか
介護者	・介護者が安全で使いやすい製品か
製造者	・経年劣化による危険性の提示をしているか ・使用可能な環境・状況・対象者に関する情報提供をしているか ・高齢者に配慮した製品であることの情報提供をしているか

出典：国立研究開発法人　産業技術総合研究所
「高齢者の生活機能変化に配慮した安全に関するユニバーサルデザインの実現に向けて」2020

食事の姿勢に配慮した椅子

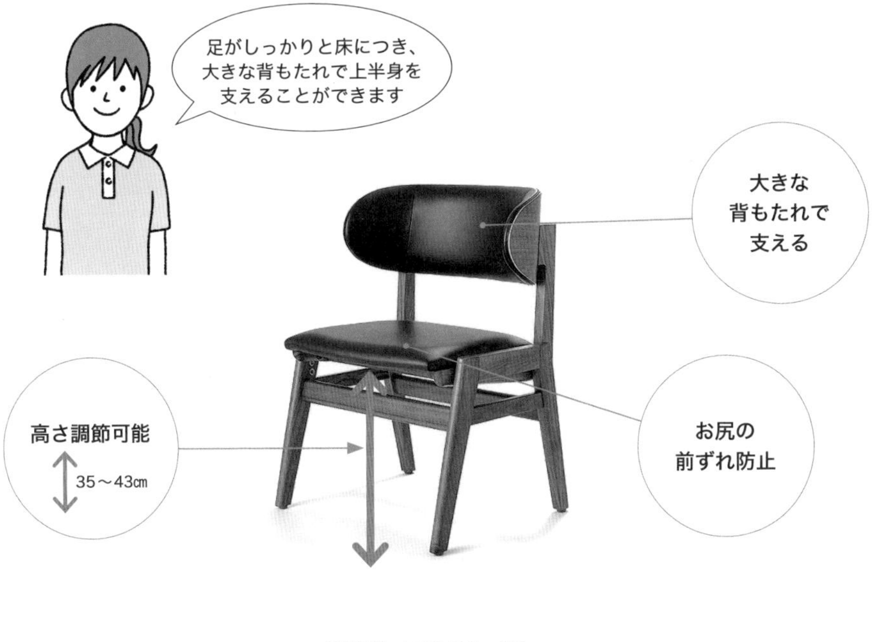

写真提供：ケアスタディ（株）

Chapter8
08

誰もが使いやすいモノを

ある製品に少しの工夫をすることで、健常者はもちろん、高齢者や障がい者、誰もが使いやすい製品になることがあります。誰もが利用しやすい製品やサービスは、多くの人が暮らしやすい社会をつくっていきます。

「規格」先進国である日本

地域共生社会の実現を目指す日本では、高齢者や障がいのある人、そして認知症の人が社会参加をするためにも、誰にでも使いやすい製品やサービスが求められています。

日本では、高齢者や障がいのある人にも利用しやすい製品やサービスの規格（**JIS規格**）を策定し、その多くが国際規格（ISO）に採用されています。例えば、シャンプーとリンスのボトルを触るだけで区別できるようにボトル側面にギザギザ（触覚マーク）をつけたものや、飲み物の缶にある点字は有名な例です。障害の有無にかかわりなく、より多くの人々が共に利用しやすい製品・施設・サービスのことを「共用品・共用サービス」と呼びます。類似の言葉である「**ユニバーサルデザイン**」は、共用品・共用サービスを包含する概念といわれています。

JIS規格
日本産業規格（JIS＝Japanese Industrial Standardsの略）。日本の産業製品に関する規格や測定法などが定められた日本の国家規格。自動車や電化製品などから、サービスに関する規格など多岐にわたる。

ユニバーサルデザイン
製品、設備、施設、サービスなどを、障害の有無、年齢、性別、人種などにかかわらず多様な人々が使いやすいようにするデザイン。

年々拡大する共用品市場

共用品・共用サービスは、福祉用具と重なる製品・サービスも多く、広い意味で「広義の福祉用具」と呼ぶ場合もあります。共用品・共用サービス市場は年々拡大しており、2022年度の市場規模は3兆1,389億円となっています。特に顕著な伸びを示しているのが、温水便座や座席シフト乗用車、ホームエレベーター、補聴器、眼鏡、かつら、義歯などの製品です。

全世界が高齢化していく中、共用品・共用サービス市場は今後もさらに拡大していくと考えられ、すべての製品・サービスが対象となる世界的ビジネスに発展していく可能性があります。

福祉用具と共用品

共用品・共用サービスとは

1. 福祉用具がもとで一般化した福祉目的の設計
2. 最初からすべての人々を対象に、適合するよう考える共用設計
3. 一般製品の利用上の不都合をなくすバリア解消設計

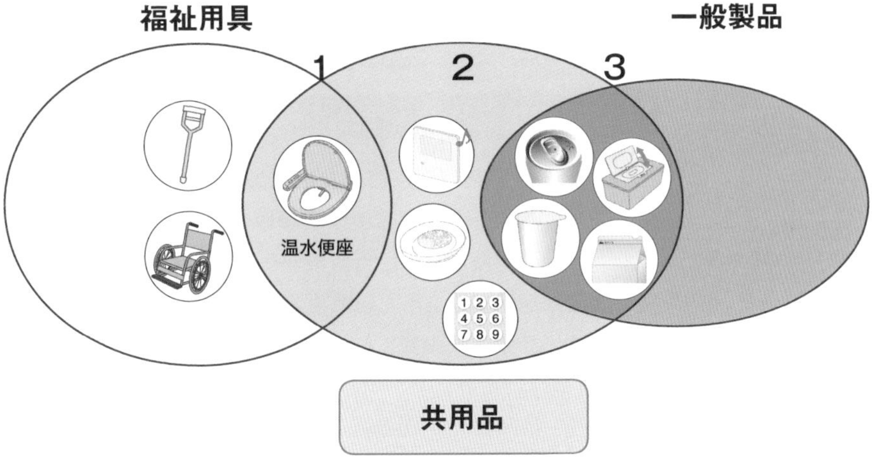

出典：公益財団法人　共用品推進機構HP　https://www.kyoyohin.org/

共用品・共用サービスの例

触って分かる

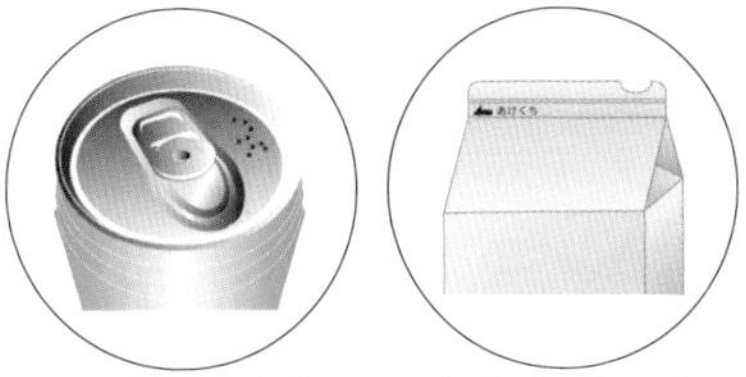

酒の缶には点字　　牛乳パックの印

開けやすい

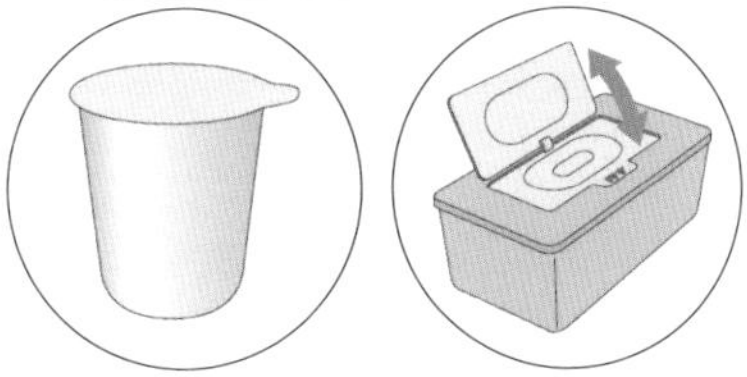

つまみが大きい　　片手で開けられる

大きな文字とコントラスト

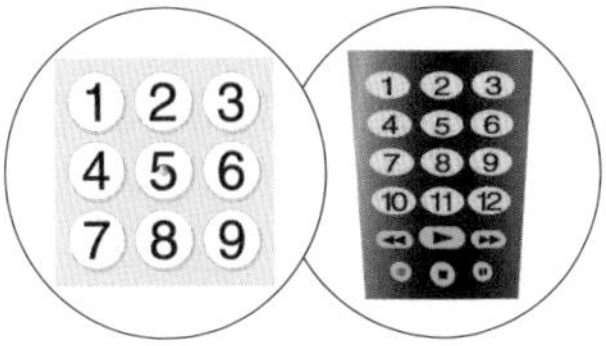

視力が弱くても見やすい
5に印がある

力がなくても作業できる

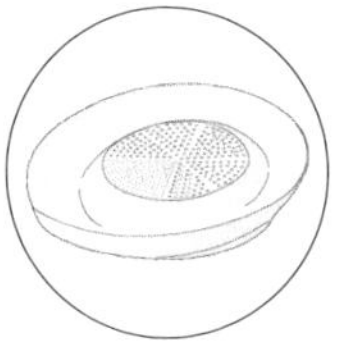

滑らないので
片手でも作業できる

音や光でも知らせる

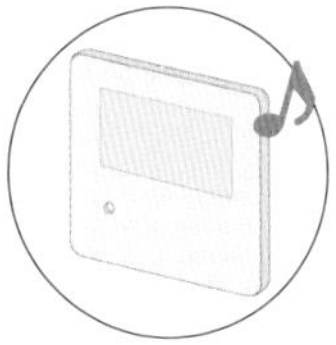

文字以外の方法でも
知らせる

福祉用具の開発と普及

多くの人に「使いやすいモノ」を安全に安く使ってもらうために

近年、新たなテクノロジーを搭載した福祉用具が多数開発されていますが、これらを介護保険で利用するには法令で定められた対象種目・種類への追加が必要です。厚生労働省は慎重に検討を進めています。

介護保険福祉用具における種目・種類

福祉用具の研究開発及び普及の促進に関する法律（**福祉用具法**）では、福祉用具は高齢者や心身障害者を対象としています。しかし、介護保険制度の給付対象となる福祉用具は、要支援者・要介護者が居宅で白立した日常生活を送るのを助けるものとされています。介護保険制度において福祉用具を利用したサービスには、「福祉用具貸与」と「特定福祉用具販売」があり、福祉用具貸与では13種目、特定福祉用具販売では6種目があります（P.78参照）。介護保険における福祉用具の対象品目は法令（給付対象種目を定める告示）によって定められており、メーカーが新たな製品を開発しても、その種目・種類に該当しなければ介護保険の適用とはなりません。

福祉用具法
日常生活に支障のある高齢者や心身障害者の自立促進と介護者の負担軽減を目的とし、福祉用具の研究開発と普及を促進する法律。

新たな製品を福祉用具にするためには

近年、メーカーは新たなテクノロジーを搭載し、従来の種目・種類に収まらない製品を多数開発しています。新たなテクノロジーを有した製品が介護保険で利用できるようにするためには、法令で定められている福祉用具の対象種目・種類に追加されることが必要です。そのため、厚生労働省では福祉用具の対象種目・種類の拡充について検討する「介護保険福祉用具・住宅改修評価検討会」を開催しています。検討会では、「介護保険制度における福祉用具の範囲の考え方」（**7要件**）をもとに、製品の「有効性」「安全性」「保険適用の合理性」を検討しています。一方で、検討会を主催する厚生労働省は、介護給付費の増大につながる福祉用具種目・種類の拡大・拡充に対して慎重な姿勢を示しています。

7要件
P.173参照。

介護保険制度における福祉用具の範囲と考え方　7つの要件

1	要介護者などの自立の促進または介助者の負担の軽減を図るもの
2	要介護者などでない者も使用する一般の生活用品でなく、介護のために新たな価値付けを有するもの
3	治療用など医療の観点から使用するものではなく、日常生活の場面で使用するもの
4	在宅で使用するもの
5	起居や移動などの基本動作の支援を目的とするものであり、身体の一部の欠損または低下した特定の機能を補完することを主たる目的とするものではないもの
6	ある程度の経済的負担があり、給付対象となることにより利用促進が図られるもの
7	取り付けに住宅改修工事を伴わず、賃貸住宅の居住者でも一般的に利用に支障のないもの

出典：一般社団法人 日本作業療法士協会「介護保険制度における福祉用具の新たな種目・種類の追加・拡充に関する提案の手引書」

介護保険における福祉用具の貸与・販売製品になるためには

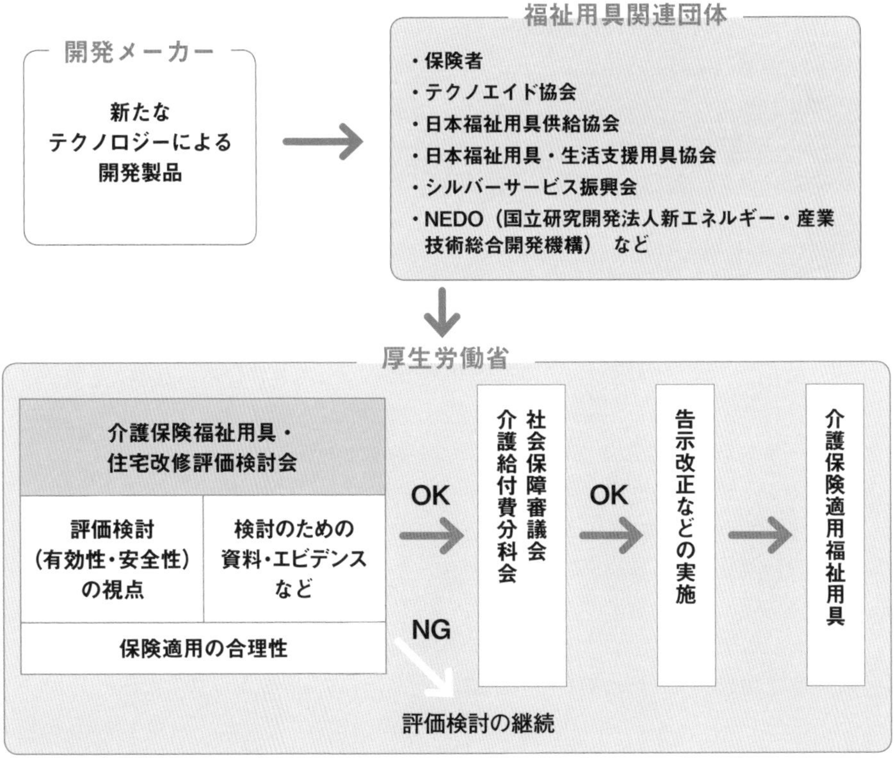

出典：厚生労働省 介護保険福祉用具・住宅改修評価検討会資料より

COLUMN 8

ヘルスケアにおけるテクノロジーの未来

ヘルスケア領域で、テクノロジーからもたらされる恩恵は非常に多いと思う。なかでも、センサー、AIによる恩恵は大きくなるであろう。

すでに、センサーによってもたらされたイノベーションで見ると、アップル社のアップルウオッチで、心電図計測機能が搭載されたことが挙げられる。腕時計に、今までなかった心電図計測センサーが加わることで、常時心電図を計測することが可能になったのだ。従来は専用の高価な測定器で測定してもらうために、病院に行き、専門のスタッフが測定していた。それが、スマートウオッチに内包されることで、病院の医療機器ほどの精度はなくとも気軽にチェックできるようになった。

変化は、いつでも測定できることだけにとどまらない。常時バイタルデータを取得できるようになると、そのデータの解析がより高度に進化する。1年に1度のデータよりも、毎日計測しているデータのほうが分かる内容も多い。例えば、寝不足だった日のデータと、よく寝た日のデータを比較すると見えてくることもあるはず。これにより、体のどこかに異常が発生し、異常後発覚するのではなく、予兆をデータから見出すことが可能になってくる。ここがまさにAIの出番になる。

同じ製品を使う人が増えて、データが膨大になってくると、AIの中でも、深層学習と呼ばれる技術がその本領を発揮してくる。取得されたデータから、人間では判断ができないような高度な分析を行うことが可能になってくるのだ。一見、自覚症状はないが、データで正常の中から、未来の異常の予兆を見出し、早期に対応が行えるようになってくるのだ。

すでに、心電図だけでなく、レントゲン画像や、眼底撮影画像などからも、AIによって診断できるようにもなってきている。このように、診断のもとになるデータを膨大に集めるセンサー技術と、そのデータを解析するAI技術の両輪が進化することで、ヘルスケア領域のイノベーションは進むであろうと考える。

ｕｇｏ株式会社 CSO
フューチャリスト　羽田卓生

第9章

介護サービス事業者を対象としたビジネス

介護サービス事業者がよりよい介護サービスを行ったり、収益を上げたりしていくためには、外部の専門家の協力を得ることも必要です。介護サービス事業者を支えるためにどのようなビジネスがあるのか見てみましょう。

省コストに関わるビジネス

Chapter9 01

介護サービス事業者も経営の安定は重要課題

介護サービス事業者が利益を出すためにも、当然支出をおさえることが重要です。しかし、介護保険制度のもとで動いている介護事業は制度の先行きが見えにくいため、省コストに関するビジネスの需要が高まっています。

介護サービス事業者におけるコスト

介護ビジネスが他のビジネスと異なる点は、介護報酬で得られる収入の単価が定められていることです。そのため、コスト抑制・削減が介護サービス事業者の経営課題となります。

介護サービス事業者の最大の経費は人件費です。施設系サービスでは、人件費に次いで大きな経費が「給食費」「水道光熱費」「業務委託費」となります。給食費や業務委託費を見直す方法には契約の見直しや委託会社の変更があり、水道光熱費を見直す方法には省コスト機器の導入などがあります。介護サービス事業者にとって手を付けやすいものは水道光熱費でしょう。

介護報酬

介護サービス事業者が利用者に介護サービスを提供した場合に、その対価として事業者に対して支払われる報酬。国が決める介護サービスの価格であり、事業者の売上となる。

水道光熱費の削減は古い建物ほど効果あり

光熱費の削減には、エネルギーを監視・管理する「スマートメーター（電力量計）」や「電力デマンド監視サービス」があります。これは、電気の使用量を常時監視し、設定された目標値を超えないように音やランプで知らせてくれるサービスです。LED電球は、蛍光管との価格の差額が大きく、普及途上といえます。太陽光発電は既存施設においては費用面からハードルが高いものとされていますが、新築であれば検討の可能性が高まります。一方、水道費の削減では、蛇口に取り付け、水量を減少させる器具や手をかざすと水が出る自動水栓などの導入が進んでいます。今まで介護サービス事業者の多くは、経費削減にはあまり注意を払ってきませんでした。しかし、コロナ禍による経営環境の厳しさからコスト削減を意識せざるを得ない状況となり、省コストに関わるビジネスは拡大を見せています。

スマートメーター

電気使用量をデジタルで計測する、通信機能を備えた電力量計。電気使用状況を可視化でき、電気料金の抑制や節電に役立つ。

電力デマンド

最大需要電力。電気料金は、この最大需要電力（デマンド値）の中で最も大きい値が基本料金の計算に使用される。

収益に対する経費の平均割合（特別養護老人ホームの場合）

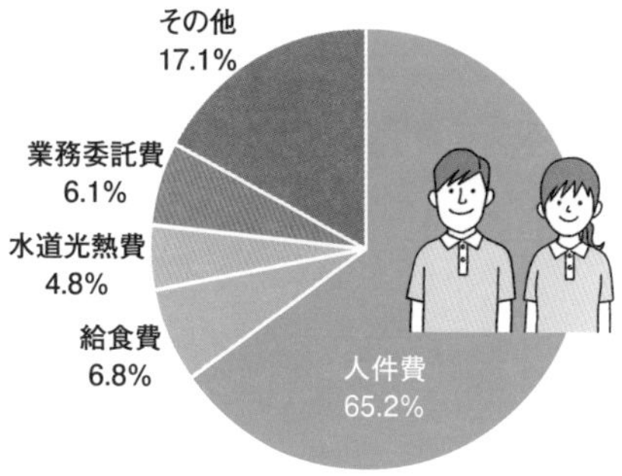

従来型（主に４人部屋）

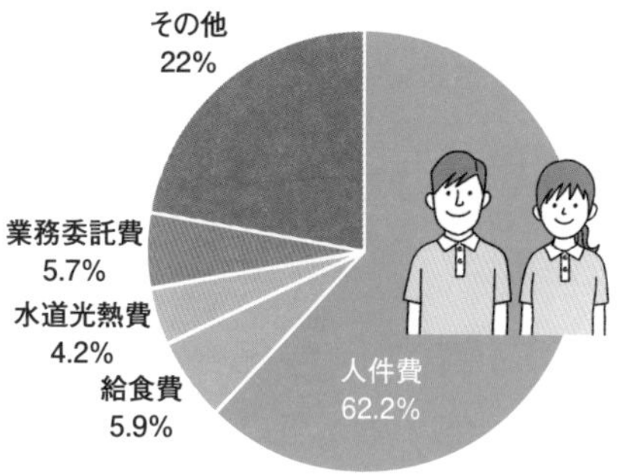

ユニット型（個室）

出典：独立行政法人福祉医療機構「特別養護老人ホームの経営状況について」2019年度

施設・居住系サービスの経費削減対策

光熱費

エネルギー管理	・スマートメーター（電力量計）の設置 ・電力デマンド監視サービスなど
省エネ設備などの導入	・空調　：最新型エアコン・ヒートポンプ ・照明　：LED照明など ・断熱　：複層ガラス・日射調整フィルム ・創エネ：太陽光発電など
運用方法の工夫	・植物によるグリーンカーテン ・こまめな電気のON／OFFなど

業務委託費

見積合せなどによる業務委託先との契約内容の見直し

業務委託先の変更など

出典：環境省「高齢者福祉施設における省エネ・低炭素化の取組」2016

Chapter9 02

専門職が支援するビジネス

「弁護士」などの士業への相談が増加

介護サービス事業においても様々な分野の専門家の助言や支援が不可欠です。また今後一人暮らしの認知症高齢者が増加することもあり、成年後見制度など士業のニーズが高まることが予想されます。

労働関係の課題解決ニーズが多い業界

介護サービス事業者に関係する専門家は、「弁護士」「社会保険労務士」「行政書士」などが挙げられます。その中でも日常的に関係性の高い専門職には「社会保険労務士」が挙げられます。

福祉・介護事業者は、従業員の雇用管理に関する理解が十分でない事業所が多く、全産業と比較しても労働基準法などに違反する割合が高い状態です。違反の多い項目は、「割増賃金」「労働時間」「就業規則」となっています。こうした状況を改善するために、国は2012年より介護保険法に介護保険事業所指定の際の欠格要件及び取消要件に労働基準法等違反を追加しました。労働法規遵守のためにも介護サービス事業者に社会保険労務士などの専門職の関わりが求められています。

労働基準法
労働者の権利の保護を目的として賃金、労働時間、休日、年次有給休暇、災害補償、就業規則など労働条件の最低基準を定める法律。違反した会社には罰則が与えられる。

成年後見制度と専門職

2000年から介護保険制度がスタートし、利用者本人が介護サービス事業者と「契約」してサービスを受けられるようになりました。同時に判断能力が十分でない認知症、知的障害、精神障害などの利用者を支援する「成年後見制度」も始まりました。成年後見関係事件（後見開始、保佐開始、補助開始及び任意後見監督人選任事件）の申立て件数も年々増加傾向にあり、弁護士、司法書士、行政書士、社会福祉士などといった士業関係者が成年後見人として選任されています。今後一人暮らしの認知症高齢者が増加していくことが見込まれており、介護サービス事業所においても専門職である士業への相談ニーズがさらに高まってくるといわれています。

成年後見制度
認知症などで判断力が低下した人の財産管理や生活に必要な契約を代行する制度。

士業
弁護士、司法書士、社会保険労務士、行政書士、社会福祉士など。法律で業務や試験内容などが規定された国家資格の職業を指す場合が多い。

労働基準局による定期監督等実施状況・法違反状況（2018年）

業種	定期監督等実施 事業場数（A）	労働基準関係 法令違反があった 事業場数（B）	B/A（%）
全産業	136,281	93,008	68.2%
医療保健業	1,602	1,225	76.5%
社会福祉施設	5,938	4,422	74.5%

社会福祉施設・医療保健業における労働基準法違反の内訳

違反法令	社会福祉施設	医療保健業
労基法第15条（労働条件の明示）	15%	17%
労基法第32条（労働時間）	24%	36%
労基法第37条（割増賃金）	28%	30%
労基法第89条（就業規則）	14%	16%
労基法第108条（賃金台帳）	14%	16%

出典：厚生労働省労働基準局「労働基準監督年報」2018

成年後見監督人等が選任された件数、成年後見監督人等の内訳・割合

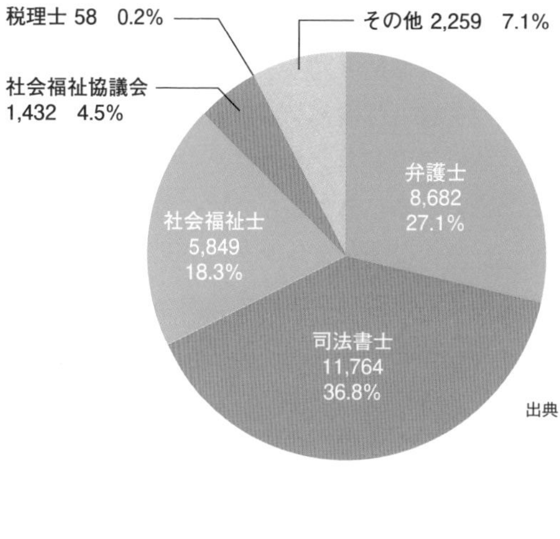

出典：最高裁判所事務総局家庭局
「成年後見関係事件の概況」
令和４年１月~12月

資金需要に応える

Chapter9 03

ファクタリングサービスで資金繰りを支える

事業経営にとって常に資金は必要不可欠です。しかし、介護保険サービスの報酬は請求から入金まで2か月程度かかります。そこで、「借入」ではなく、「ファクタリング」という資金調達方法が認知されはじめています。

介護報酬を早期現金化するファクタリング

介護サービス事業者の収入となる介護報酬は、1か月ごとに都道府県の国民健康保険団体連合会（国保連）に請求します。入金まで2か月程度かかりますが、介護サービス事業者には、入金までの期間も毎月職員の人件費や家賃などの経費の支払いが生じます。ファクタリングは、国保連からの入金前に売掛金を現金化するサービスで、介護サービス事業者にとってすぐにでも手元資金が必要な場合の資金調達手段として認識されています。

ファクタリング
企業から手数料を徴収して売掛債権を買い取る手法。

介護事業では福祉医療機構による低金利の融資が受けられる場合もあるため、介護サービス事業者が通常の事業運営においてファクタリングを利用する機会は少ないと考えられます。しかし、経営上、早期資金化が必要な場合には有用なサービスのひとつと考えられます。

ファクタリングのメリット・デメリット

介護サービス事業者にとってのファクタリングサービスを利用するメリットは、国保連からの入金を待たずに資金調達できることです。ファクタリング会社にとっても、国保連という公法人が売掛先となるため、倒産などの貸し倒れの危険性はないと考えています。一方、ファクタリングのデメリットは、介護サービス事業者にとって、手数料が他の資金調達方法に比べて高額であることです。またファクタリング会社にとっても、介護サービス事業者の請求データの誤りやエラー、そして法令違反などにより介護報酬の減算などが生じ、予定していた売掛金額が回収できなくなるリスクがあります。

貸し倒れ
売掛金などの債権が倒産などの理由で回収できずに損失となること。

介護報酬ファクタリングのしくみ

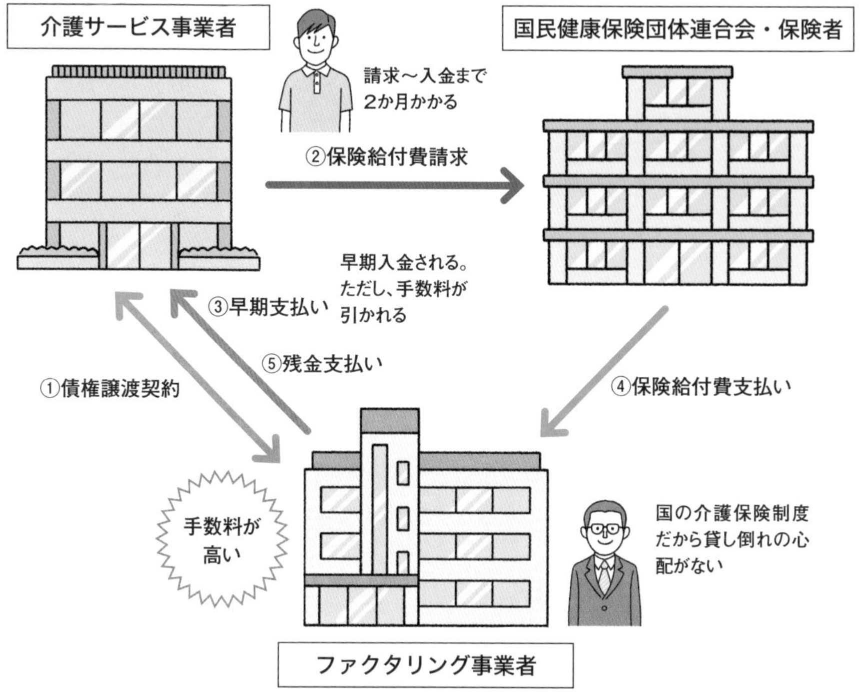

介護サービス事業者の請求～入金スケジュールの例

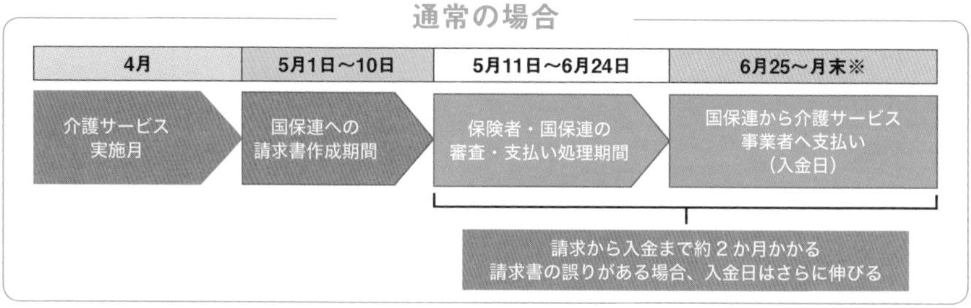

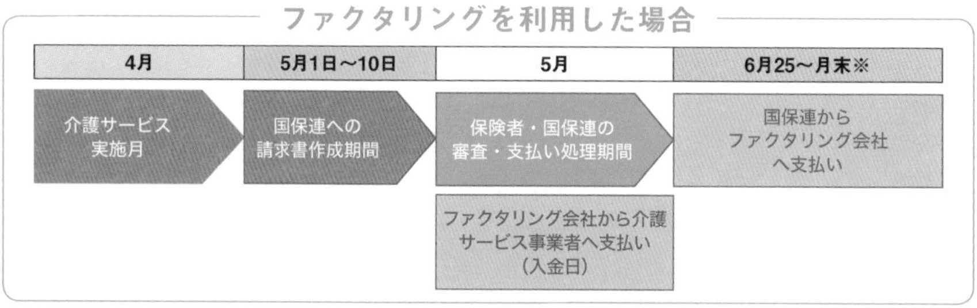

※入金日は各都道府県の国民健康保険団体連合会によって異なる
出典：東京都国民健康保険団体連合会HPをもとに作成

今後の介護業界再編を目指して

要介護高齢者の増加による市場拡大を見込んで、大手介護サービス事業者や投資ファンドによる介護サービス事業の売買が増加しています。公的制度に支えられた介護事業は投資家には安定事業に映るでしょう。

Ｍ＆Ａの拡大

大手介護サービス事業者や、投資ファンドによる介護サービス事業者のM&Aが増えています。その背景には投資資金の流入があり、高齢者市場の拡大、介護保険制度による安定的な収益性、そして競争激化による業績不振や後継者不在による売却案件の増加、さらに介護サービス事業者の倒産が増えていることもあります。

投資ファンド
投資家や個人から集めた資金を運用する基金（ファンド）会社。買収後に経営陣を派遣して会社を再生し、価値を高めたあとに売却、高収益を上げる。

介護事業のM&Aは、事業を売りたい事業者と事業を買いたい事業者をマッチングさせる仲介ビジネスです。介護サービス事業者のＭ＆Ａには「事業譲渡」と「株式譲渡」による方法が多く見られます。なお、公益法人である社会福祉法人のM&Aは、施設建設や運営に税金が投入されているため、所轄官庁が関与しながら「合併」「事業承継」を進めていく形となります。

介護サービス事業者のM&Aの特徴

M&Aは同一のアドバイザーが売り手と買い手の間に立ち、交渉の仲介を行い、中立的な立場でM&Aの成立に向けて助言業務を行うことが一般的です。また、「売り手側」と「買い手側」に分かれてFA（ファイナンシャル・アドバイザー）をつける場合もあります。売買が成立した場合の成功報酬は売買価格の数％から定額費用まで様々ですが、売買金額が高いほど高額な手数料収入が入ることも特徴です。売買の前には売り手事業者に対するデューディリジェンスを行い、適正な売買価格を算出します。

FA（ファイナンシャル・アドバイザー）
M&Aにおける助言業務を行う人。

デューディリジェンス
M&Aなどの取引に際して、会社の資産価値・事業リスクなどを経営・財務・法務・環境などの観点から精査・分析すること。

介護事業M&Aでは、通常のデューディリジェンスに加えて、介護保険法令における行政指導内容や「返還金の有無」などを確認することも重要な要素となります。

介護事業におけるM&A増加の背景

後継者の不在
2000年の介護保険制度の創設時に事業を始めた経営者が後継者を探す年齢にかかってきている

事業再生・選択と集中
他の介護事業者との競争に破れて経営不振になった場合や、介護報酬の引き下げと人材不足などによる介護事業からの撤退

パートナーシップ探し
介護事業は成功しているが、人材確保など、大企業の傘下で効率的な経営を行うため

救済型譲渡
新型コロナウイルスによる感染を恐れた利用者の手控えや感染防止対策費の負担増などにより破綻した事業者からの譲渡など

↓

M&Aによる規模拡大・人材確保・効率的経営

介護M&A（合併・買収）の主な種類

株式譲渡

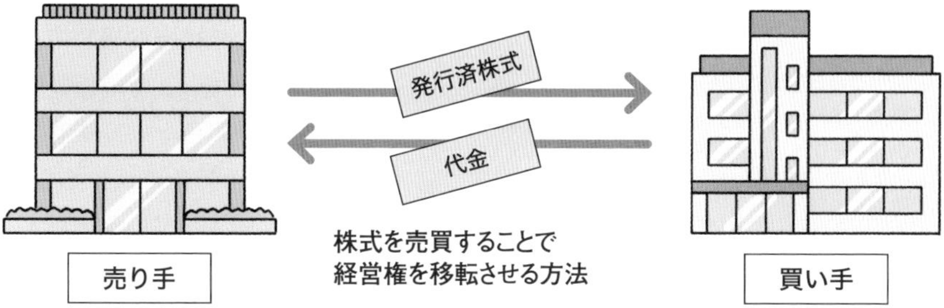

事業譲渡

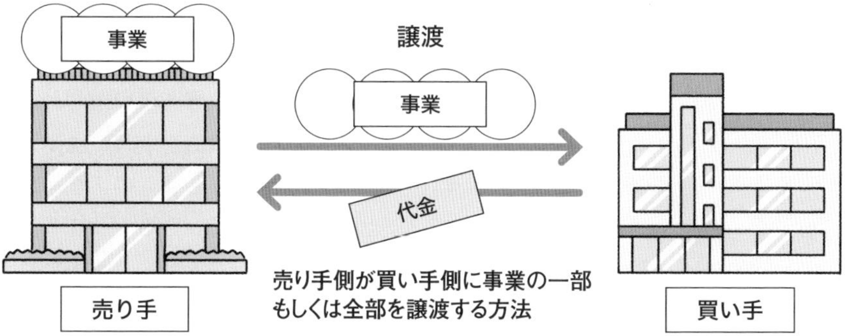

※譲渡する資産には、土地、建物のほか、売掛金や従業員もある

Chapter9
05

介護業界に「生産性向上」の視点を

国は介護サービス事業者に生産性向上を求めています。その目的は、介護人材が不足する中、限られた人材で質の高いケアを利用者に提供することです。その方法のひとつにICT機器などの利用促進が挙げられています。

介護サービスにおける生産性向上

介護サービスはその業務特性から、従来「生産性の向上」や「効率」とは無縁の業種と考えられがちでした。しかし、人口減少社会の進行と働き手の減少が予測される中で、介護人材の確保がさらに困難になっているため、国は介護業務の生産性向上を推進しています。一般的に、生産性向上は「業務のやり方を工夫して『ムリ』『ムダ』『ムラ』をなくし、業務をより安全に、正確に、効率的に行い、負担を軽減する」ことと定義されます。一方、介護現場での生産性向上は、ロボットやセンサー、ICT機器を用いた業務改善と効率化が挙げられます。これらの技術を利用して、職員の文書作成などの間接的な業務の負担を軽減し、その結果生み出された時間を直接的なケアに充てることが可能となります。このように、職員が利用者とより多く接する時間を確保することで、介護サービスの質を向上させることが期待されているのです。

ICT機器
コンピュータや通信機器を使った情報処理や通信技術の総称。介護現場ではインカムやスマートフォン、タブレットなどの機器を利用しての情報共有が行われている。

間接的な業務
情報の記録・入力や各種会議、研修への参加など、利用者に直接介護を行わない業務のこと。これに対して、食事介助、排泄介助、入浴介助などを直接的業務と呼ぶ。

業務改善に関するビジネス

介護現場が地域における安心の担い手として機能するために、「介護現場革新会議基本方針」(2019年)では、人手不足の中でも介護サービスの質を維持・向上させるマネジメントモデルの構築が示されています。具体的には、介護業務を洗い出し、切り分け、役割を明確化することで、本来の直接的なケアにより多くの時間を割くことが推奨されています。しかし、このような業務改善は「職員の従来の仕事のやり方を変える」ことを意味し、その変化がすぐに結果をもたらすわけではありません。そのため、業務改善に関するビジネスは、中・長期的な支援を提供することが求められます。さらに、継続的なフォローアップも不可欠です。

介護現場における生産性向上（業務改善）の捉え方

一般的な産業においての生産性向上 ＝ 少ないコスト（労働力や資本）で企業が効率よく利益を上げられるようにすること

↓

- ◎ 業務プロセスの中の無駄を省いて改善する
- ◎ 非効率で無駄な作業をなくす
- ◎ 材料費などの無駄を省いてコスト削減する

介護サービスにおける生産性向上の捉え方

上位目的	介護サービスの質の向上	人材の定着・確保

働く人のモチベーションの向上
楽しい職場・働きやすい職場づくり

生産性向上に取り組む意義	人材育成	チームケアの質の向上	情報共有の効率化

↓

介護サービスにおける生産性向上

介護現場においての生産性向上の例

自動化・機械化

- ・見守り機器などを活用した夜間見守り
- ・介護記録の音声入力
- ・ケアプランの自動作成など

介護助手の活用

- ・清掃、備品の準備や片付け、補充作業
- ・ベッドメイキング
- ・洗濯、洗濯物の回収と配布など

→

職員が利用者と直接かかわる食事、入浴、排泄などの直接介助に集中できる

↓

高齢者の生活の質向上

出典：厚生労働省「介護ロボット等による生産性向上の取組に関する効果測定事業」（令和４年度実証事業）、厚生労働省「介護分野における生産性向上ポータルサイト」

介護サービスの質の評価

Chapter9

06

「サービス」の質を第三者が評価する

介護サービスの「質の評価」は、法令が水準を定めるものとISOやプライバシーマークなど民間の認証機関が定める水準があります。評価事業は、株式会社などの民間企業も参入可能なビジネスです。

介護サービスの質の評価とは

国の制度に沿って事業を行っている介護保険サービスでは、事業者ごとに提供するサービスにばらつきがあっては公的サービスとして水準が保てません。介護サービス事業者は法令で定める人員基準や運営基準を遵守することによって最低限のサービスの質を担保しています。さらに介護報酬においては、「加算」というしくみで介護サービス事業者の質を評価しています。

法令で定められている介護サービスの質の評価には「**介護サービスの情報公表制度**」、認知症グループホームなどに義務付けられている「自己評価・外部評価」、そして都道府県が実施する「**福祉サービスの第三者評価**」などがあります。それぞれの評価の実施主体は都道府県などですが、実際に調査・評価を行う機関は、株式会社などにも門戸が開かれています。

介護サービスの情報公表制度
介護保険法に基づき、利用者が介護サービスや事業所・施設を比較・検討して適切に選ぶための情報を、都道府県が提供するしくみ。

福祉サービスの第三者評価
事業者の提供するサービスの質を当事者以外の公正・中立な第三者評価機関が専門的かつ客観的な立場から評価すること。

認証導入支援ビジネス

一方、介護サービス事業者の評価には、自主的に行うものもあります。例えば、公益社団法人全国有料老人ホーム協会では会員企業のホーム向けに独自の評価スケールを使った「サービス第三者評価事業」を行っています。また、国際的な評価・認証である「**ISO9001**」や「**ISO14001**」をサービスの質の証として独自に取得する介護サービス事業者もあります。

ISO9001
品質マネジメントシステムに関する国際規格。

ISO14001
環境マネジメントに関する国際規格。

今後、都市部を中心に介護サービス事業者の競争が激化していくことが予想されます。介護サービスは、サービスを選択する際の情報や情報経路が限られているため、利用者が介護サービスを選択する際に手がかりとなる第三者の評価・認証の重要性は拡大していくと考えられます。

介護サービスにおける評価・認証のしくみ

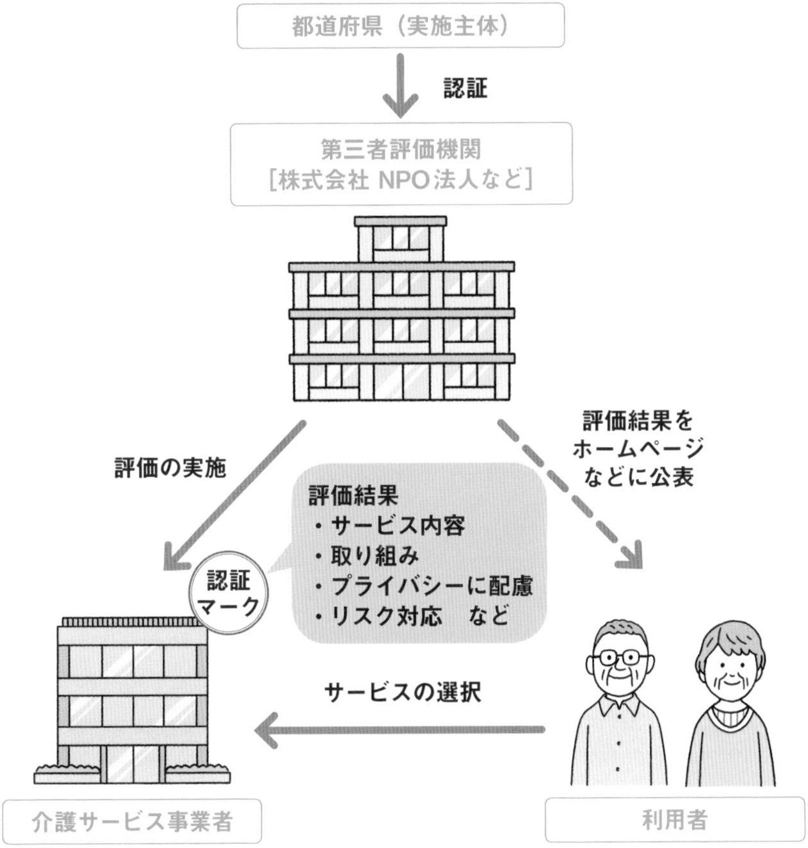

介護サービス事業者が自主的に取得する主な評価、認証

ISO 9001（品質）	一貫した製品・サービスを提供し、顧客満足を向上させるためのマネジメントシステム規格
ISO 14001（環境）	環境を保護し、環境パフォーマンスを向上させるためのマネジメントシステム規格
JIS Q 15001（個人情報保護）	個人情報について適切な保護措置を講ずる体制を整備している事業者などを評価して、その旨を示すプライバシーマークを付与し、事業活動に関してプライバシーマークの使用を認める制度

出典：一般財団法人日本品質保証機構HP、一般財団法人日本情報経済社会推進協会HP

Chapter9
07

フランチャイズビジネス

フランチャイズで介護事業を起業する

介護サービスを対象としたフランチャイズ（FC）ビジネスには、介護保険などの制度を対象としたものと、制度を対象にしないものがあります。FCは初めて介護分野に参入するための方法として注目されています。

フランチャイズビジネスとは

個人が起業する場合や法人が新規事業に進出する際の選択肢としてフランチャイズ（以下：FC）加盟という方法があります。FCは、加盟店に自社の商標やブランド、ノウハウの提供を行い、加盟店は本部から商標・ノウハウ利用の対価としてロイヤリティを支払うしくみのビジネスです。

ロイヤリティ
加盟店が本部の商標やノウハウを利用するときに支払うお金。

介護FCには、介護保険制度や医療保険制度などを使うものと、制度を使わないものがあります。制度を使うFCでは、「訪問看護」、「デイサービス」、「訪問マッサージ」などがあります。制度を使わないFCでは、「高齢者向け宅配弁当」などがあります。

介護フランチャイズビジネスの収益性

介護FC加盟者が本部に支払うロイヤリティは、毎月十数万円程度の定額または毎月の収入に対して５％程度といわれています。介護サービス事業の経営に関する数字は、厚生労働省が収支差率（利益率）という指標を公表しています。介護事業経営実態調査（2023年）によると、介護サービス事業者の利益率は平均2.4％となっており、この利益率から見ると、FC本部に支払うロイヤリティ（５％程度）は大きいことが分かります。介護保険では、経営に関する多くの情報が公表・分析されているため、FCに加盟する前に確認しておくことも重要です。また、FCには時代のトレンドがあり、近年では高齢者サービス対象よりも「障がい者」「子育て支援」関連のFCが増加しています。

収支差率
介護サービスの利益率のこと。収入から支出を差し引いた金額（利益）が、収入全体の何割を占めるかを示す。

介護事業経営実態調査
介護保険サービスを提供する事業者の経営状態を把握する調査。３年に一度実施される。

フランチャイズシステムのしくみ

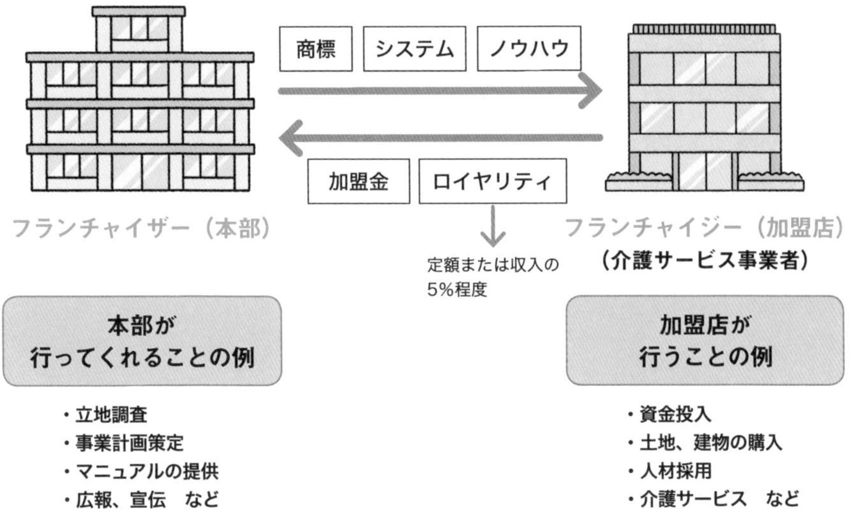

福祉・介護フランチャイズの動向

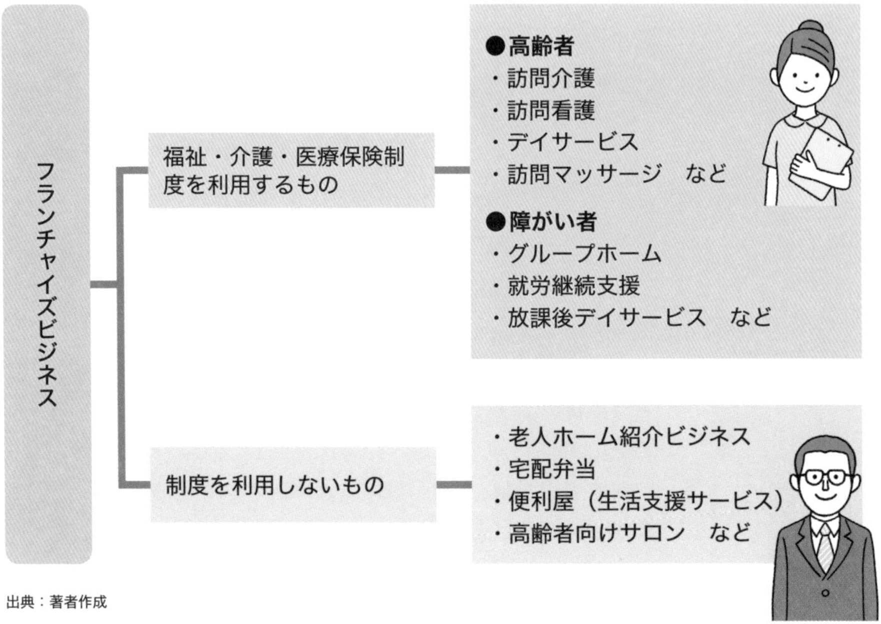

出典：著者作成

Chapter9 08

介護サービス事業の理念や内容を伝える

介護サービス事業者の情報発信は、自社の理念などを地域に伝え、利用者が施設を選ぶときの資料、職員募集などにも影響する重要なツールになります。広報にも法令上のルールがあり、理解しておくことが大切です。

情報発信は介護サービス事業者の必須事項

介護サービス事業者の多くは広報宣伝が上手ではありません。その理由として考えられることは、地域に密着したサービスを提供しているため、広域に宣伝する必要性を認識していないことと、広報担当者を配置できないことなどが考えられます。一方で、介護サービスの利用者にとっては、市町村から渡される介護サービス事業者リストだけでは名称や連絡先が分かるものの、どの事業者を選んだらよいか分かりません。利用者が適切な介護サービスを選ぶためにも、法人がどのような理念と特徴を持って介護サービスを提供しているのかを広報する必要性が高まっています。

介護サービス事業者リスト
介護保険サービスを利用する際に市町村から提供される事業者一覧リスト。

介護サービス事業者の広告制限に注意

医療法では病院などにおける広告制限が厳しく定められていますが、介護保険法令にも同様に広告制限があります。在宅サービスでは居宅サービス運営基準第34条に「指定訪問介護事業所について広告をする場合においては、その内容が虚偽又は誇大なものであってはならない。」とされています。一方、介護保険施設である介護老人保健施設や介護医療院などには、医療の内容に関する事項は広告できない制限があり、罰則もあるため注意が必要です。(介護保険法98条、介護保険法112条)。また、有料老人ホームの広告では、「利用者が有料老人ホームを選択する際に制約事項があるのに未記載であったり、表示の内容が明らかにされていないもの」を不当表示として規定している場合があり、留意が必要です。介護サービス事業者における情報発信は、利用者と地域、そして職員採用のための有効な手段となるため、ホームページ制作や動画配信などの広告ビジネスも拡大しています。

介護保険法98条
介護老人保健施設の広告規制に関する条項。設備や構造、職員の人員数、レクリエーションの内容などは広告できるが、医療の内容についての事項は広告できない。

介護保険法112条
介護医療院の広告規制に関する条項。介護老人保健施設と同様の広告規制がある。

介護サービス事業者の広報・広告の課題

課題

- 広報を担当する人材がいない
- どのような情報を発信すればよいか分からない
- ホームページやパンフレットを長年更新していない
- ホームページのアクセス数など効果測定を行っていない
- 広報の意義が理解できない
- 予算がない

↓

利用者に介護サービス事業者を選んでもらうためにも
「情報発信力」の向上が必要

介護サービス事業者の情報発信広報の目的

利用者の確保　｜　職員採用　｜　地域社会への浸透

出典：東京都福祉サービス第三者評価のヒアリングなどにより著者作成

介護サービス事業者の広告制限（介護保険法）

介護保険サービス	法令	内容
居宅サービス事業者	居宅サービス運営基準 第34条ほか	広告内容が虚偽又は誇大なものであってはならない
介護老人保健施設 介護医療院	介護保険法98条 介護保険法112条	次に掲げる事項以外、これを広告してはならない ・施設の名称、電話番号及び所在の場所を表示する事項 ・施設に勤務する医師及び看護師の氏名 ・厚生労働大臣の定める事項 ・都道府県知事の許可を受けた事項

有料老人ホームなどに関する不当な表示の例（景品表示法）

表示内容	実際	違反内容
「医療24時間体制」と広告	実態は 夜間看護師は不在	優良誤認にあたる恐れ
「終の棲家生涯介護」と広告	医療依存度が高く なった場合など 契約解除される	有料老人ホームに 関する不当な表示

出典：消費者庁「有料老人ホームに関する不当な表示」の運用基準

COLUMN 9

介護事業M&Aの実際

介護保険法施行から20年以上が経過し、この間に介護業界は着実に成長している。特に株式会社など民間企業の参入を促したこともあり、短期間で数多くの介護事業が立ち上がり運営されてきた。

急速な介護業界の成長とともに介護事業のM&A案件も増加の一途を辿っており、比較的規模の小さいM&A仲介会社でも介護事業案件の取り扱いが増えてきている。

訪問・通所系サービスであれば訪問介護・訪問看護など、施設・住宅系サービスであれば有料老人ホーム・サービス付き高齢者向け住宅などの案件が多く、医療機関を絡めた複合型の案件も少なくない。

事業の運営主体としては株式会社がほとんどであるが医療法人や非営利法人であるNPO法人・一般社団法人などもまれにある。

また、譲渡の理由については様々だが、継承者の不在によるものやExit（イグジット：創業者の利益獲得目的）、多角経営を行っている事業会社が「選択と集中」を行う過程で事業売却するケースなどが主である。事業拡大の意向が強い同業他社や新規参入を目指す異業種、あるいは単なる投資を目的としたファンドなどの購入ニーズとマッチして比較的短期間での案件成立が多い。

一方で業績の不振により事業を売却せざるを得なくなるようなケースも増えてきている。前述の通り短期間で急速に成長を遂げた介護業界だが、その事業の多くが財務基盤の脆弱な中小規模の事業者の新規参入などによって運営されている。準備不足のままに運営を始め、計画通りに利用者が集められなかった、あるいは介護職員の確保が進まなかったなどの理由で譲渡案件となるケースも少なくない。また、人員基準や設備基準といった運営に関するルールを十分に理解せずに運営を行い、行政から厳しい指摘を受けて運営を断念するようなケースもある。こういった事業再生型の譲渡案件は購入者が限られてくることからM&Aが成立する可能性は高くはない。

株式会社アナログ
斉藤《サイトウ》欣幸《ヨシユキ》

第10章

介護ビジネスのリスクマネジメント

高齢者を顧客としてビジネスを行っている以上、利用者の安心・安全が最も重要です。最近では、事故だけでなく、高齢者が感染症や災害の被害者になることも多いため、予防策だけでなく事業を継続するための対策を行うことが重要になってきています。

Chapter10
01

介護事業におけるリスク

介護現場でおきるリスクは、日々の生活の中のちょっとした不注意から、転倒して骨折から寝たきりになってしまったり、感染症や災害に見舞われたりと多岐にわたります。問題が起きる前にリスクを回避する対策が必要です。

介護は安全性・公共性が求められる事業

介護保険におけるサービスは、「契約」に基づいて提供されます。契約では利用者・事業者の互いの「権利・義務関係」が明確となっており、さらに介護事業は高齢者を支援するサービスのため、高い安全性や公共性も求められています。

介護サービス事業所においての**リスク**は要因によって様々なものがありますが、一番のリスクは、利用者や家族から社会的な信頼を失うことです。例えば、「介護職員による虐待事件の発生」や「不誠実な事故対応」などは、家族の信頼を裏切ることになります。近年、介護現場では利用者の権利意識の高まりから、事故や事件の訴訟が増加しており、**リスクマネジメント**の必要性が強く認識されています。

リスク
危険、危機、危険性、危険度。組織活動に好ましくない影響を及ぼすと予測される因子のこと。

リスクマネジメント
事故防止活動などを通して組織の損失を最小限に抑え、利用者・家族および職員の安全を確保し、サービスの質を保証すること。

ハラスメント
嫌がらせ。相手に不快感や不利益を与え、その尊厳を傷つけること。介護のカスタマーハラスメントでは利用者本人からのものと、その家族から受けるものがある。

介護事業におけるリスクマネジメントとは

介護現場を取り巻くリスクは、転倒や虐待、感染症や災害など、利用者の生命に関わることだけでなく、**ハラスメント**、職員による情報漏えいなど、多岐にわたっています。そのため、介護サービス事業者は組織としてのリスクマネジメント体制の構築が急務となっており、介護保険法令などにおいても、「事故」「災害」「ハラスメント」などのリスクに対して対応策を講じることが定められています。利用者の権利意識の高揚とともに、サービスに対する要求事項も多岐にわたってきています。介護サービスのリスクは最悪の場合利用者の生死に関わることになるため、リスクマネジメントを組織として取り組むことが最重要事項となります。

介護サービス事業で想定されるリスク

類計	リスク	具体的事例
経営・運営	法務のリスク	法令違反・基準違反など
	財務のリスク	請求事務のミスによる支払い遅延・保留・返戻 行政指導・監査による報酬返還など
	労務のリスク	職員士気の低下、労働争議、集団離職、セクシャルハラスメント、パワーハラスメントなど
政治・経済・社会	政治的リスク	法律・制度改正など
	経済的リスク	金融機関の倒産など
	社会的リスク	風評被害など
その他	施設関連	老朽化・設備の故障・機械の整備不良など
	市場変化、苦情、クレーム対応	競合激化、価格破壊など
		苦情対応のミス、クレーム対応のミス、初期対応ミスなど

介護サービス事業者の想定されるリスクと法令による定め

類型	リスク	具体的事例	法令において定められている事項
事故	利用者の事故	●転倒・転落・衝突・誤飲・誤食・異食・食中毒・不適切な介護による事故など ●感染症 	【報告対象事故】 ・死亡に至った事故 ・医師の診断を受け、投薬や処置などの治療が必要となった事故 【報告方法】 ・事故発生後５日以内 ・電子メールなど 【感染症に関わる業務継続計画（BCP）の策定】 ・計画の策定 ・研修、訓練
	職員の事故	●利用者からの暴力などの被害（ハラスメント） ●介護サービス提供中の労災事故　など	【ハラスメントの防止】 ・事業主の方針などの明確化、周知・啓発 ・職場での相談体制の整備
災害	自然災害	●火災、地震、水害、台風など	【災害業務継続計画（BCP）の策定】 ・計画の策定 ・研修、訓練

出典：厚生労働省「介護保険最新情報」などより

Chapter10
02

感染症対策

介護サービスにおける感染症対策

介護サービス事業者はこれまでも感染症対策を行ってきましたが、新型コロナウイルス拡大以降、より厳しい感染防止対策のルールをつくり、感染症に対する職員の意識向上、予防策を実施することが求められるようになりました。

感染症にかかりやすい高齢者

高齢者は、体力が衰え、病原体から身体を守る免疫力が低下しているため、感染症にかかるリスクが高くなります。さらに介護サービスでは利用者と介護職員の関わりが密になるため、接触感染や飛沫感染そして空気感染なども多く、感染経路が分かりにくいことも特徴です。高齢者がかかりやすい感染症は、「インフルエンザ」「肺炎」「感染性胃腸炎（ノロウイルスなど）」「MRSA」「尿路感染症」「結核」そして「新型コロナウイルス（COVID-19）」などが挙げられます。

MRSA
メシチシリン耐性黄色ブドウ球菌。高齢者など抵抗力の弱い人が感染すると、重症感染症の原因となる。

介護報酬改定と感染症対策

厚生労働省は、介護サービス事業者向けに新型コロナウイルス感染症拡大防止対策も含め、数多くの対策マニュアルと感染症対策研修動画をWEB上に公開しています。感染症対策の基本は、①感染させないこと　②感染しても発症させない感染制御であり、基本は「**標準予防策（スタンダード・プリコーション）**」や「感染経路別予防策」と呼ばれる措置を徹底することと示されています。

標準予防策（スタンダード・プリコーション）
すべての患者の血液、体液、分泌物、嘔吐物、排泄物、創傷皮膚、粘膜などは感染する危険性があるものとして扱われる標準的な感染予防策のこと。

感染症対策において介護サービス事業者が必要としているものには、マスクや消毒剤を始め、様々なものがあります。国は感染症対策として予算措置を行い、介護サービス事業者に感染症対策製品購入のための補助金・助成金を支給しました。販売業者は、介護サービス事業者に感染症対策製品を販売したい場合、単に製品を案内するのではなく、補助金や助成金などの申請代行も同時に行うことが営業のポイントです。

高齢者がかかりやすい感染症の例

細菌
- 結核菌
- 赤痢菌
- レジオネラ菌
- MRSA
- 肺炎球菌
- 腸管出血性大腸菌
- 緑膿菌
- 梅毒トレポネーマ

ウイルス
- インフルエンザウイルス
- 肝炎ウイルス
- ノロウイルス
- 麻しんウイルス
- 風しんウイルス
- 新型コロナウイルス
- HIV

真菌
- 白癬（水虫）
- カンジダ

その他
- ヒゼンダニ（疥癬虫）
- 回虫

感染症対策の基本

1 感染源の排除

2 感染経路の遮断

3 宿主（人間）の抵抗力の向上

嘔吐物、排泄物、血液などの体液に触れるときは標準予防策（スタンダード・プリコーション）を講じる

- 手指衛生
- 手袋の着用
- マスク・エプロン・ガウン着用
- 器具・リネンの消毒など

【介護サービス事業者が必要としている対策備品などの例】

消耗品
- □N95マスク
- □手袋
- □個人防護具 (PPE)
- □ゴーグル
- □ペーパータオル
- □液体ハンドソープ
- □アルコール系消毒剤
- □次亜塩素酸ナトリウム液　など

機器
- □自動水栓
- □足踏み式ゴミ箱
- □抗ウイルス・抗菌キーボードカバー
- □車いすタイヤ洗浄機
- □体表温度計測計
- □パーテーション
- □飛沫拡散防止パネル
- □空気清浄機　など

出典：厚生労働省「介護職員のための感染対策マニュアル」2023

Chapter10
03

自然災害とBCP（事業継続計画）

介護報酬改定では、すべての介護サービス事業者の義務として、感染症の拡大や災害が発生した場合の業務継続に向けた計画などの策定、研修や訓練の実施が盛り込まれました。

大規模災害などにおいての弱者

大規模な自然災害が起こった場合、最も生命の危機にさらされるのは、高齢者や障がい者です。2011年に発生した東日本大震災では、亡くなった方の約6割が60歳以上の高齢者です。身体機能が低下している高齢者は体育館などの避難所に逃れたとしても、劣悪な環境と医療・介護体制の脆弱さから、病気の発症や持病の悪化などで亡くなる方が多いことも報道されました。災害時における避難所での支援のあり方については、世界中の人道支援者やNGOがまとめた「**スフィア基準**」が参考となります。

スフィア基準
避難所において避難者はどう扱われるべきであるかを個人の尊厳と人権保障の観点から示している国際基準。

BCPをはじめとした危機管理ビジネス

BCPとは自然災害など不測の事態が発生しても、突発的な経営環境の変化などに見舞われても重要な事業を中断させない、または中断しても可能な限り短い期間で復旧させるための方針、体制、手順などを示した「事業継続計画」のことです。福祉・介護サービスにおいては東日本大震災をきっかけに必要性が認識され始めましたが、**2017年に政府が実施した調査**では、医療・福祉分野のBCP策定率はわずか17.6%に過ぎませんでした。

2017年に政府が実施した調査
「平成29年度企業の事業継続及び防災の取組に関する実態調査」のこと。

厚生労働省では、こうした状況を改善するために「介護施設・事業所における業務継続ガイドライン」を公表し、2021年にはBCP策定が介護報酬改定事項に盛り込まれました。そして、2024年度よりすべての介護サービス事業者は感染症や災害への対応力強化としてBCP策定が義務となりました。そのため、防災ビジネスでは継続的な研修や備蓄品販売などの関連サービスの拡大が考えられます。

東日本大震災における被害状況(亡くなられた方)

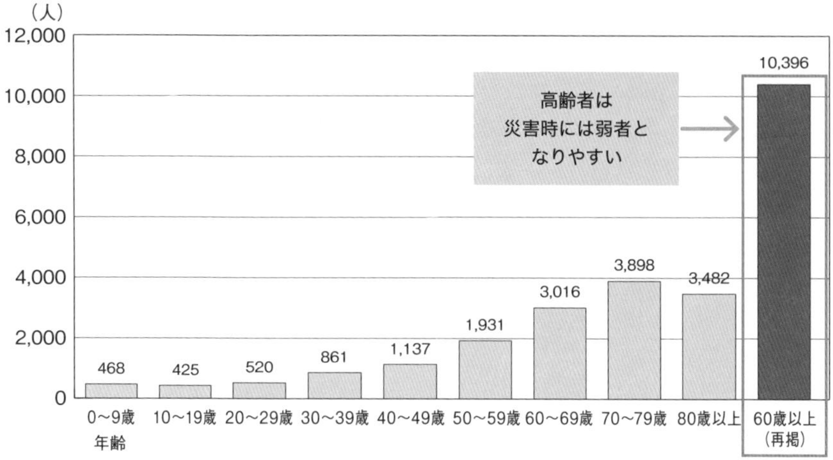

出典:警察庁「東北地方太平洋沖地震における検視等実施・身元確認状況等について【23.3.11〜27.3.11】」

防災計画とBCPの違い

	防災計画	BCP
主な目的	● 身体、生命の安全確保 ● 物的被害の軽減	● 身体、生命の安全確保に加え、優先的に継続、復旧すべき重要業務の継続または早期復旧
考慮すべき事象	● 拠点がある地域で発生することが想定される災害	● 自社の事業中断の原因となり得るあらゆる発生事象
重要視される事象	● 以下を最小限にすること ・「死傷者数」 ・「損害額」 ● 従業員などの安否を確認し、被害者を救助・支援すること ● 被害を受けた拠点を早期復旧すること	● 左記に加え、以下を含む ・重要業務の目標復旧期間・目標復旧レベルを達成すること ・経営および利害関係者への影響を許容範囲内に抑えること ・利益を確保し企業として生き残ること
活動、対策の検討範囲	● 自社の拠点ごと	● 全社的(拠点横断的) ● 依存関係にある主体 (委託先、調達先、供給先)

ポイント
従来の防災計画に、避難確保、介護事業の継続、地域貢献を加えて、総合的に考えること

出典:一般社団法人福祉防災コミュニティ協会作成を著者改編

Chapter10
04

介護労働における労働災害

介護職員の多くが抱える腰痛のリスク

介護サービスは、ベッドから車いすへの移乗、トイレへの誘導、入浴の介助などを繰り返し行います。介護職員は技術を身に付けていたとしても、負担は蓄積されます。仕事が原因でけがや事故にならないような工夫が必要です。

介護労働における労働災害

仕事が原因で、従業員がけがをしたり、病気になったりすることを労災事故といいます。**中央労働災害防止協会**が公表している「労働災害分析データ」（2022年）によると、社会福祉施設における労働災害発生件数は年間約１万件を超えています。労災事故は大きく腰痛や転倒などの「身体的なもの」と、うつ病や統合失調症などの「精神的なもの」に分けられます。

介護現場では、利用者の移動・移乗・排泄・入浴・食事などの介助の繰り返し動作が多いため、介護職員に高い確率で腰痛が発生することが問題となっています。その理由のひとつとして、介護職員の高齢化が挙げられています。

中央労働災害防止協会
労働災害防止団体法に基づき、厚生労働大臣の認可により設立された公益法人。労働災害防止活動の促進を通じて、安全衛生の向上を図っている。

腰痛予防に関する周辺ビジネス

介護労働における腰痛や転倒は、「動作の反動や無理な動作」が大きな原因といわれ、厚生労働省では「職場における腰痛予防対策指針」（2013年）において福祉用具（**介護リフト**や**スライディングシート・ボード**）などの活用を推奨しています。また、近年では空気圧やゴム素材を使用し、腰だけでなく体全体をアシストする機器やサポーターなどが製品として登場しています。介護現場においては、「簡単に装着できること」「軽さとスリムさ」「価格の安さ」を満たした製品が求められています。

腰痛予防製品は介護現場に関わらず、物流、製造、農業、林業などの作業現場でも利用が想定されることから、この市場の成長率は高いと予想されます。

介護リフト
ベッド上から車いすへの移乗などの際に、利用者の体を持ち上げて移動する目的で使用される機器。

スライディングシート・ボード
体位変換や移動・移乗の際に利用者の体を持ち上げずにすべらせることで介助者の負担を軽減する機器。

介護施設における労働事故の内容と発生年齢

■介護職員の平均年齢

職種	平均年齢
訪問介護員	54.7歳
介護職員	47.3歳
看護職員	52.2歳
ケアマネジャー	53.0歳
生活相談員	46.2歳

■社会福祉施設における労働事故の年齢別発生状況（2017～2022年）

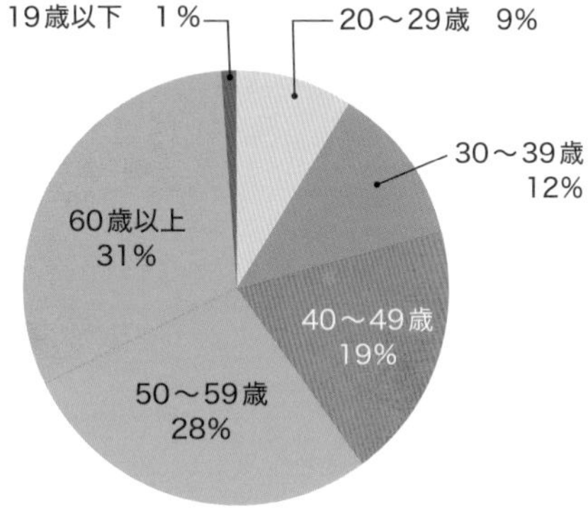

社会福祉施設での事故の内容の内訳（2017～2022年）

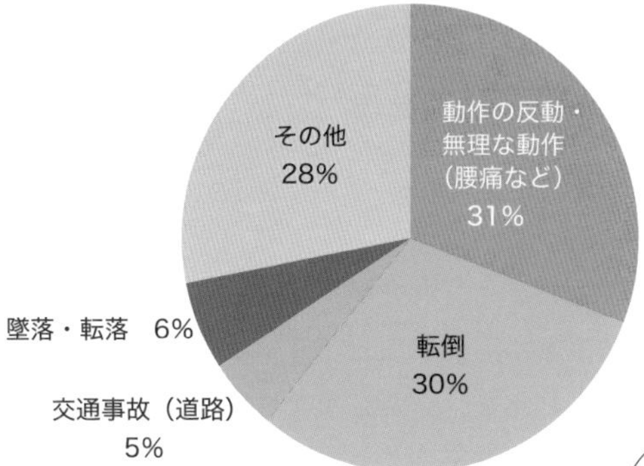

基本的な腰痛予防対策

① 原則、人力のみで利用者の抱え上げは行わない
② 福祉用具を活用
・スライディングボード
・スライディングシート
・リフト
・腰痛予防アシストスーツ※
など

※空気圧を利用したものや、ゴム素材を使用したもので、体に装着し腰の負担を軽減するもの

出典：中央労働災害防止協会「労働災害分析データ」2023、
公益財団法人介護労働安定センター「介護労働の現状について」2022

Chapter10
05

従業員が受けるリスク

利用者やその家族からのハラスメント

ハラスメント（Harassment）は直訳すると『嫌がらせ、いじめ』のことです。介護現場では利用者や家族から受けるハラスメントにより退職に追い込まれる職員もいて、事業運営上のリスクとなっています。

介護サービスとカスタマーハラスメント

職場におけるハラスメントはあらゆる業界でも問題となっていますが、介護業界では特に利用者・家族などからの**カスタマーハラスメント**に悩まされています。厚生労働省の調査（2019年）では、介護サービスに従事している職員の4～7割が利用者本人からのハラスメントを受けた経験があると答えています。その内容について見てみると、入所系サービスでは、利用者からたたかれたり、つねられたりする「身体的暴力」が多く、訪問・通所系サービスでは怒鳴られたり、理不尽な要求をされる「**精神的暴力**」や職員を抱きしめたり、卑猥な言動を繰り返す「セクシュアルハラスメント（セクハラ）」などが挙げられています。

カスタマーハラスメント
自社の従業員が顧客や取引先から恫喝や理不尽な要求、暴言や暴力を受けること。介護サービスでは、介護職員が利用者とその家族などから受けるケースが多い。そのせいで、離職する職員も多い。

精神的暴力
心ないことを言ったり、嫌がらせなどをしたりすることで、相手の心を傷つけること。精神的暴力によってPTSD（心的外傷後ストレス障害）などの精神障害に至った場合、刑法上の傷害罪として処罰されることもある。

ハラスメント対応の強化と体制整備

介護サービスにおいてハラスメントが生じる背景には、利用者の身体への接触が多いこと、女性職員の割合が高いこと、生活に不可欠なサービスであり安易に中止できないことなど、介護サービスの特性が考えられます。一方、事業者はハラスメントの発生原因に「利用者・家族の性格または生活歴」や「利用者・家族がサービスの範囲を理解していない」ことが起因していると考えています。そこで、厚生労働省は2021年の介護報酬改定で「ハラスメント対策の強化」を改定事項に盛り込みました。介護サービス事業者は、「ハラスメントは組織として許さない」といった方針を示し、防止マニュアルの作成、発生時の対処方法、報告・相談窓口の設置などの取り組みが必要です。

介護職員に対する利用者・家族からのハラスメント例

身体的暴力

身体的な力を使って危害を及ぼす行為

- コップを投げつける
- 蹴る
- 手を払いのける
- たたく
- 手をひっかく、つねる
- 首を絞める
- 唾を吐く
- 服を引きちぎる

精神的暴力

個人の尊厳や人格を言葉や態度によって傷つけたり、おとしめたりする行為

- 大声を発する
- サービスの状況をのぞき見する
- 怒鳴る
- 気に入っているホームヘルパー以外に批判的な言動をする
- 威圧的な態度で文句を言い続ける
- 刃物を胸元からちらつかせる
- 「この程度できて当然」と理不尽なサービスを要求する
- 利用者の夫が「自分の食事も一緒に作れ」と強要する

セクシュアル ハラスメント

意に添わない性的誘いかけ、好意的態度の要求など、性的ないやがらせ行為

- 必要もなく手や腕をさわる
- 抱きしめる
- 女性のヌード写真を見せる
- 入浴介助中、あからさまに性的な話をする
- 卑猥な言動を繰り返す
- サービス提供に無関係に下半身を丸出しにして見せる
- 活動中のホームヘルパーのジャージに手を入れる

出典：厚生労働省「介護現場におけるハラスメントに関する調査研究報告書」2019

Chapter10 06

個人情報漏えいのリスク

介護サービス事業者は、利用者やその家族について、他人が簡単には知ることができないような詳細な情報を知る立場にあります。そのため、個人情報の取り扱いには細心の注意を払うよう法律でも求められています。

個人情報漏えいのリスク

介護サービスではケアプランの作成、提供したサービス内容などの記録、事故の状況などの記録などにおいて利用者の氏名や住所・電話番号・生年月日をはじめ、身体状況、病状、住居環境、経済状況などの個人が特定される情報を扱うため、すべての従業者は個人情報保護法を遵守しなければなりません。利用者の個人情報が漏えいした場合、漏えいの行為者に加え、介護サービス事業者自身に対しても介護保険関係法令による守秘義務違反による民事上の責任のほか、**個人情報保護法**による行政刑罰として1億円以下の罰金などが課される場合もあります。

法改正により加わった要配慮個人情報

2017年施行の「改正個人情報保護法」では「**要配慮個人情報**」という区分が設けられ、2022年施行の同法では、要配慮個人情報が漏えいされた場合、件数に関係なく国への報告と本人への通知が義務化されました。介護サービスで対象となるものは、介護関係記録に記載された病歴や身体状況、障害の事実などがあたります。厚生労働省では改正に伴い、「医療・介護関係事業者における個人情報の適切な取扱いのためのガイダンス」を公表し、周知に努めています。

一般社団法人国際情報セキュリティーマネジメント研究所では、介護サービス事業者向けに、個人情報保護に関するeラーニングの提供や顧客からの苦情相談窓口としての支援を行っています。また、医療・介護関係事業者に向けた「**CLIPマーク認証制度**」を創設し、個人情報保護法で定める義務事項を評価・認証しています。

個人情報保護法
個人の情報を守るため、個人情報を取り扱うすべての事業者に対しての注意を定めた法律。最新の改正個人情報保護法は、2022年4月に全面施行された。

要配慮個人情報
不当な差別や偏見その他不利益が生じないように特に配慮を要するものとして法律、政令及び規則で定める記述が含まれる個人情報。

CLIPマーク認証制度
一般社団法人国際情報セキュリティーマネジメント研究所が認定する医療・介護事業者向け「個人情報取扱事業者の義務」遵守の第三者認証制度。

介護サービス事業者が特に注意すべき個人情報

	法令 （個人情報保護法）	医療・介護関係事業者 （ガイドライン）
個人情報	生存する個人に関する情報	生存する個人に関する情報のうち、医療・介護関係の情報を対象とするもの
要配慮個人情報	本人の人種、信条、社会的身分、病歴、犯罪の経歴、犯罪により害を被った事実その他本人に対する不当な差別、偏見その他の不利益が生じないようにその取扱いに特に配慮を要するものとして政令で定める記述等が含まれる個人情報	ケアプラン、介護サービス提供にかかる計画、提供したサービス内容等の記録、事故の状況等の記録など

出典：厚生労働省「医療・介護関係事業者における個人情報の適切な取扱いのためのガイダンス」2024

介護サービス事業者における情報漏えいのリスク例

対象者	具体的な事例
介護職員	・喫茶店などで利用者の話をする ・介護の出来事をSNSに投稿する ・パスワードのかかっていないPCを外に持ち歩く
退職職員	・知り得た情報を、次に働く施設に提供する ・事業所のカギを返さない ・暗証番号を使い、許可なく出入りする
PC機器	・バージョンアップ、アップデートをしていない ・ウイルス対策ができていない ・パスワードの設定がされていない ・フリーソフトなどを許可なくダウンロードしている ・重要な情報をUSBを利用して持ち歩いている
盗難など	・戸締りが徹底されていない ・鍵が刺さったままの棚に利用者情報が保管されている

Chapter10
07

利用者や家族からの苦情リスク

介護は職員の知識や技術、接し方などによってサービスの良し悪しが評価されます。しかし、どんなに良いサービスを提供したと思っても苦情が出ることがあります。苦情はサービス改善のヒントとして捉えることが大切です。

介護サービスの苦情件数と内容

介護保険制度では、利用者の保護と介護サービスの質の維持・向上の観点から、利用者とその家族は、介護サービスに不満がある場合、苦情申立てをできることが制度化されています。

苦情申立て
介護サービスに対して不満があった場合に苦情窓口に相談すること。介護保険法では、介護サービス事業者、居宅介護支援事業者、市町村、国民健康保険団体連合会が苦情対応を行うと位置付けられている。

東京都国民保険団体連合会が公表している「東京都における介護サービスの苦情相談白書 2023」（以下：白書）では、2022年度の苦情の受付件数は3,326件となっており、そのうち利用者本人からが41.0%、家族からが49.8%となっています。白書によると苦情件数で多い内容は、「サービスの質」（26.9%）、「従事者の態度」（17.2%）、「説明・情報の不足」（20.1%）が6割以上を占めています。

苦情をリスクでなく契機として捉える

白書では、利用者や家族が苦情に至るには、共通した要因があると分析しています。その主な要因は、介護サービス事業者側の利用者に対する説明不足や他職員・職種との情報共有不足です。情報共有は、ICT機器の活用によって解決しようとする試みも行われています。すでに先駆的な介護サービス事業者では、スマートフォンやSNSを使い、利用者や家族の要望を介護現場からリアルタイムで他職員と情報共有するしくみを構築しています。

SNS
ソーシャルネットワーキングサービスの略。登録された利用者同士が交流できる。LINEやChatworkなどでは介護業界への普及拡大に力を入れている。

権利意識が高いといわれている団塊世代以降の高齢者・家族が介護サービスを利用する時代では、苦情に真摯に向き合い、スピーディーに対応していくことが良い評判にもつながります。苦情をリスクでなく、サービス改善の契機と捉えることが必要です。

東京都における介護サービスの苦情内容

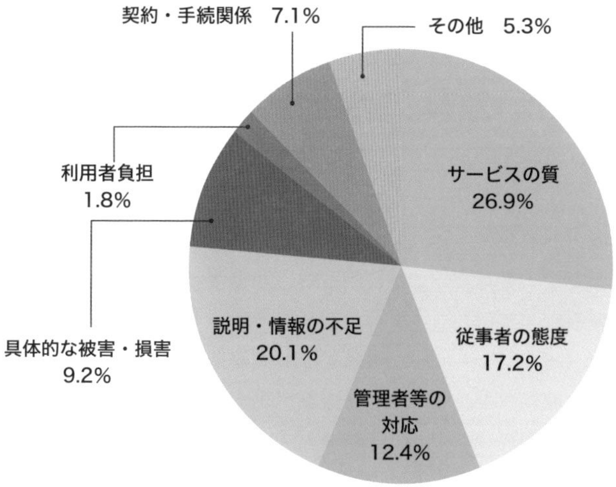

苦情の要因と改善の取り組み例

苦情の要因	改善の取り組み例
①利用者などへの説明不足	口頭での説明だけでなく、書面による説明を併せて行う。 利用者などが理解しやすい方法を工夫し、同意を得る
②利用者の状態把握不足	利用者の心身の状態や介護上の注意点などについて的確に把握し、必要に応じて計画書を見直す
③利用者からの要望把握不足	利用者・家族から把握した要望については、必ず記録に残し、関係者間で情報共有する
④情報共有・連携・検討の不足	職種間の情報の共有化、連携を図るとともに、共有した情報を検討し、サービスの改善を図る
⑤記録の不備	介護サービス事業者は、研修などを通じて必要な情報が的確に記録できるよう職員を教育指導する。 IT化も有効

出典：東京都国民健康保険団体連合会「東京都における介護サービス苦情相談白書」2023より筆者改編

COLUMN 10

介護事業特有のリスクとその対策

私は、介護・福祉現場のトラブル解決を専門とする弁護士です。最も多いトラブルは利用者の転倒・誤嚥などの事故を発端とするものです。高齢化が進み、利用者の医療依存度が高まった結果、容態の急変や褥瘡、医療処置のミスや終末期の「看取り」に関するものも増えています。

施設で転倒しても、高齢者であり元々転倒リスクが高く自宅と同じように過ごしている以上、施設に責任はない…と思うかもしれませんが、現実には大半のケースで裁判所も施設運営法人に厳しい判決を出す傾向があります。

最終的には、事業設立の際に加入する損害賠償保険で賄われるため、賠償額につき施設側の持ち出しはない（弁護士費用や利用者・家族への対応のための労力・時間については別ですが）のですが、問題は、交通事故の場合と異なり、被害者である利用者側と、加害者となってしまう施設側が解決に向けて直接交渉しなければならないという点です。多くの施設・事業所ではこの対策まで手が回らず、いざ事故が起きると病院への搬送までで止まってしまい、どうしても対応が後手になってしまう傾向があります。

頻発する転倒事故に関しては、予防と同程度に事後対応についても法的な観点からマニュアルを作成し、担当者を決め、システム化することをおすすめします。現場で物理的に転倒させない努力も大切ですが、それと同じくらい、リーガルリスク（法令違反によるリスク）を考慮し、契約書や重要事項説明書、事故後の対応方法などを見直すことも重要です。

超高齢社会は多死時代ともいわれますが、亡くなる場所が病院から自宅、あるいは施設に移行しつつある中で、介護サービス事業者は「高齢者の最期に立ち会う」という、法的にリスクの高い役割をより多く引き受けるようになりました。看取りに向け、家族間の意見調整や万が一法的責任を追及されないような工夫は今後一層重要となります。

弁護士法人おかげさま
代表弁護士　外岡潤

第11章

介護業界・介護ビジネスの未来

介護保険制度の成立から時は流れ、高齢者の趣味や生活の多様化、デジタル化の進展など、介護業界・介護ビジネス業界を取り巻く環境も日々変化し続けています。介護業界・介護ビジネス業界の今後の可能性や新しい動きを紹介しましょう。

Chapter11 01

近未来の介護サービス事業

少子高齢化による高齢者人口の増加は2040年代まで続きます。高齢者が増加することで市場は拡大が見込まれているものの、働き手の確保が困難になり社会保障制度も厳しい局面が予想されています。

高齢者人口が減少する近未来に向けて

団塊ジュニア
1971年（昭和46年）から1974年（昭和49年）生まれの世代。最多は1973年出生の210万人。第二次ベビーブーム世代とも呼ばれる。

2040年代には、団塊ジュニア（1971～74年生まれ）が65歳以上の高齢者となります。この時期、日本の高齢化率は35％を超え、現役人口（20～64歳）は1.4人で1人の高齢者を支えなければならない時代が到来します。その後、65歳以上の人口は約4000万人のピークを迎え、減少傾向に転じると推計されています。

都市部では介護が必要な人が増加する一方で、労働人口の減少により人手不足がさらに顕著になります。労働人口の減少により、事業者間での労働者の取り合いが起こり、賃金の引き上げが必要になるでしょう。介護保険制度では、介護職の賃金である介護報酬を上げると介護保険料も上昇し、結果的に保険料の滞納やサービスの利用控えが予想されます。

ビジネスチャンスの拡大への戦略

介護サービス事業者が市場で成功を収めるためには、単に介護サービスを提供するだけではなく、利用者およびその家族との信頼関係を深め、幅広い生活面での支援者としての役割を果たすことが重要です。そのためには、介護保険以外の収益源を積極的に探求し、介護が必要ない高齢者やその家族も顧客であるという視点が効果的です。このアプローチにより、国の社会保障だけでは満たされない多様なニーズに対応することができ、新たな収益機会を創出し、事業者としての価値を向上させることが可能です。このような多角的なサービス提供を通じて、介護サービス事業者は高齢者とその家族にとっての信頼できるパートナーへと進化を遂げることができると考えられます。

2040年 高齢者人口増加のリスク

ひとり暮らし高齢者世帯の増加・介護ニーズの増加

介護人材不足

- 介護人材不足が解消しない可能性
- 2040年には全労働人口の約1/5が医療・介護に従事する必要性

解決案

- 潜在介護職員の活用
- 外国人介護職員の活用
- 働ける高齢者の活用
- 少人数でも介護現場が回せるためのテクノロジーの活用

など

地域間格差

- 都市部では医療や介護の需要が爆発
- 地方では医療・介護サービスの撤退が生じる可能性

解決案

- 市街地区域に住民を集約化
- コンパクトシティ[※1]の推進
- 自治体の連携・合併
- 日本版CCRC[※2]の推進
- 地方移住の推進　など

需要の拡大・多様化

- 100歳以上の人口が30万人以上に
- 人々の価値観や選択肢、医療・福祉サービスへの期待も多様化。コミュニティの喪失

解決案

- 空き家をリフォームした低廉な老人ホームの創設
- 「認知症ケア」「リハビリ」など特徴のあるサービスの提供

など

出典：経済産業省「未来イノベーション・ワーキンググループ中間取りまとめ」2019.3.著者改編

※1. P.226参照。
※2. Continuing Care Retirement Communityの略。健康なときから介護が必要になっても継続的ケアを提供するコミュニティ。1970年代のアメリカで生まれた。

今後起こりうる介護サービス事業者の課題とその対応策

- 介護報酬の削減
  →介護保険収入以外のサービスの検討など
- 利用者の介護保険料の上昇、自己負担割合の増加によるサービス控え
  →高齢者の資金需要に対する制度（リバースモーゲージなど）の理解と提案など
- 介護人材不足
  →職場環境の整備、定着率の向上、高齢者人材の活用、外国人介護職員の検討、テクノロジーの活用など

Chapter11
02

全国の自治体に広がる認知症条例

高齢者の増加に伴い、認知症の人も増加します。2024年1月に施行された「共生社会の実現を推進するための認知症基本法」は、認知症の人が尊厳を保持しつつ希望を持って暮らせるよう共生社会の実現を目指しています。

認知症基本法の施行

「共生社会の実現を推進するための認知症基本法」が2024年1月1日に施行されました。この法律は、2025年には700万人に達すると予想される認知症の人口増加を背景に、国や自治体、産業界、国民全体が認知症対策に一体となって取り組むために制定されました。法律は認知症の人々が個性と能力を生かし、人格と個性を尊重しながら支え合い、共生する社会の実現を目指しています。認知症基本法に基づいて、政府は「認知症施策推進本部」を設置し、「認知症施策推進関係者会議」で認知症の人や家族が参加して具体的な施策を検討し、「認知症施策推進基本計画」を策定する予定です。この法律では都道府県や市町村による計画策定が努力義務とされていますが、全国の自治体で計画が策定されることが期待されます。

共生社会の実現を推進するための認知症基本法
P.124参照。

全国の地方自治体に広がる認知症条例

認知症の人々が穏やかに暮らすためには、周囲の理解と支援が必要です。例えば、小売店、金融機関、公共交通機関の従業員が認知症に関する正しい知識を持っていれば、認知症の人々も尊厳を持って暮らせます。認知症は医療や介護だけでなく、法律や経済、そして地域社会全体で取り組むべき問題です。この背景から、全国の自治体で認知症条例の制定が進んでいます。愛知県大府市は2007年の認知症による鉄道事故をきっかけに「大府市認知症に対する不安のないまちづくり条例」を制定しました。この条例は市民、事業者、地域組織などすべての関係者が認知症の人々に対する支援を強化することを目指しています。認知症対応は、日本の社会において今後さらに重要な課題となります。

認知症鉄道事故
認知症の高齢男性が愛知県大府市で電車にはねられて死亡した事故。家族の監督義務のあり方をめぐって最高裁まで争われた。

認知症高齢者数の推計

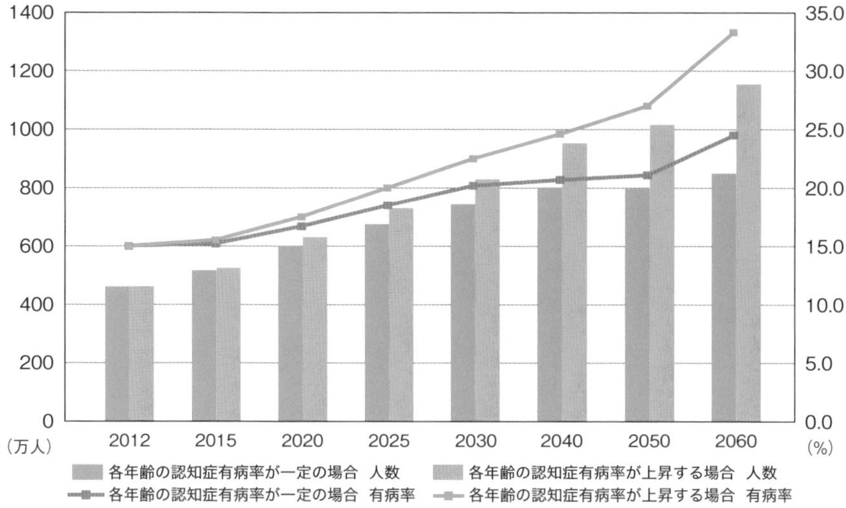

出典：内閣府「高齢社会白書」2017

地方自治体における認知症施策に関する条例

※令和２年施行分まで

自治体名	条例の名称
愛知県大府市	大府市認知症に対する不安のないまちづくり推進条例
神戸市	神戸市認知症の人にやさしいまちづくり条例
愛知県設楽町	設楽町認知症の人にやさしい地域づくり基本条例
愛知県	愛知県認知症施策推進条例
和歌山県御坊市	御坊市認知症の人とともに築く総活躍のまち条例
島根県浜田市	浜田市認知症の人にやさしいまちづくり条例
愛知県知多市	知多市認知症施策推進条例
名古屋市	名古屋市認知症の人と家族が安心して暮らせるまちづくり条例
愛知県東浦町	東浦町認知症にやさしいまちづくり推進条例
滋賀県草津市	草津市認知症があっても安心なまちづくり条例
東京都世田谷区	世田谷認知症とともに生きる希望条例

出典：一般財団法人地方自治研究機構「認知症施策に関する条例」

Chapter11
03

民間介護保険と認知症保険

認知症になると、家庭の事情によっては介護保険だけで対応できなくなることがあります。そこで、高齢者の増加とともに、生命保険会社や損害保険会社では、民間介護保険や認知症保険の販売に力を入れ始めています。

公的介護保険を補完する保険

国の社会保険である公的介護保険制度が開始された当初、介護サービス利用時の自己負担額はかかった費用の１割でしたが、現在は所得に応じて１割から３割の負担となっています。国は制度維持のために公的保険のカバー範囲を縮小しており、この傾向は今後も続くと考えられます。この背景に対応して、生命保険会社や損害保険会社では、「民間介護保険」や「認知症保険」など公的介護保険を補完する保険商品の開発・販売に力を入れています。

認知症保険としての個人賠償責任保険

生命保険会社が販売する「民間介護保険」は、所定の要介護状態になった場合に、一時金や年金形式で現金を受け取ることができる商品です。この現金は、公的介護保険でカバーされない自己負担部分に充てることが可能です。一方、損害保険会社が提供する「認知症保険」は、認知症によるトラブルが原因で認知症患者やその家族、監督義務者が賠償責任を負う場合に補償される個人賠償責任保険です。この保険は認知症鉄道事故裁判を契機に広く知られるようになり、神奈川県大和市では全国に先駆けて認知症保険を活用した事故救済制度を導入しました。

日本では社会保障制度が充実しているので、一部からは民間保険は不要との意見もありますが、介護に関わる費用は一般的に本人または家族の預貯金で賄われます。医療や介護の費用、事故やトラブルに備えるための民間保険の充実は、社会の要請として市場が拡大しています。

認知症保険
認知症に特化した保障性商品。生命保険会社は、一時金や年金が受け取れる「治療保障」タイプ、損害保険会社は「損害補償」タイプを販売している。

個人賠償責任保険
日常生活で他人に対してけがをさせたり、物を壊したりして賠償が発生した際に賠償金や弁護士費用などの損害を補償する保険。

認知症鉄道事故裁判
2007年認知症の高齢男性が電車にはねられて死亡。遺族が鉄道会社から約720万円の損害賠償を請求された。最高裁まで争われ、家族の支払い義務を否定する判決が確定。

公的介護保険と民間保険のイメージ

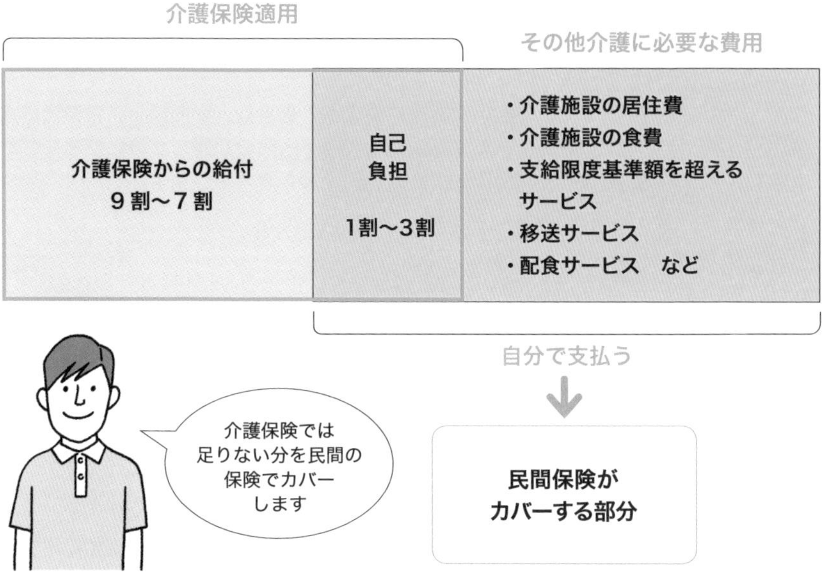

個人賠償責任保険を利用した自治体による「事故救済制度」

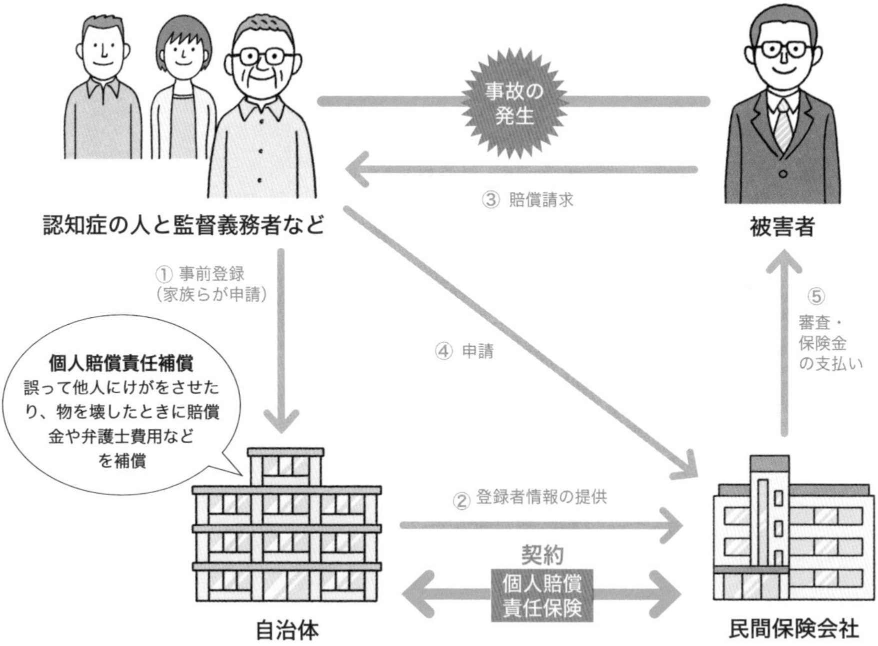

Chapter11 04

企業の介護離職を防ぐ支援ビジネスも

介護を理由に仕事を辞める「介護離職」をする人が増加し、企業では人手不足に頭を悩ませています。企業の職員が家族の介護のために仕事を辞めずに、生活を続けられるよう支援するサービスも増えています。

介護離職者は年間約10万人

働き盛りの40～50代が家族の介護のために仕事を辞めるケース（介護離職）が増加しています。総務省の「就業構造基本調査」によると、過去１年間に介護・看護のために離職した人は10万6,000人にものぼります。国は介護離職ゼロを目指し、「育児・介護休業法」の改正など介護支援制度を拡充しています。しかし、「仕事と介護の両立等に関する実態把握のための調査研究事業」(2022年）によると、介護離職の主な理由として「勤務先の両立支援制度の問題や介護休業取得の困難な雰囲気」が最も多く、次いで「(仕事を続けたかったが、）介護保険サービスや障害福祉サービス等が利用できなかった、利用方法がわからなかった等」が挙げられています。

育児・介護休業法
育児・介護と仕事を両立できるよう支援する制度。介護は介護休業制度と介護休暇があり、要件を満たした場合であれば、介護休業中にも雇用保険から介護休業給付金が支給される。

介護離職防止のための相談支援サービス

介護者の多くは働き世代であり、企業の中核を担う労働者です。介護離職が増加すると、企業にとっても大きな損失となるため、これに対処するために民間団体が介護離職防止の専門家の育成に力を入れています。例えば、日本介護支援専門員協会は、「ワークサポートケアマネジャー」の育成を進めており、これは介護と仕事の両立を支援する役割を果たします。これらの団体が育成した検定合格者は、企業に所属するか、契約を結んで個人の相談に応じる形態となっています。さらに、大手企業では従業員相談支援プログラム（EAP）を導入し、家族問題、介護問題、ハラスメント問題などを解決するためのしくみづくりが進んでいます。

EAP
Employee Assistance Programの略。家族問題、介護、依存症などによる労働力低下予防を目的にしたアウトソーシング型の従業員相談支援。

就業状態別介護・看護のために過去１年間に前職を離職した者の数の推移

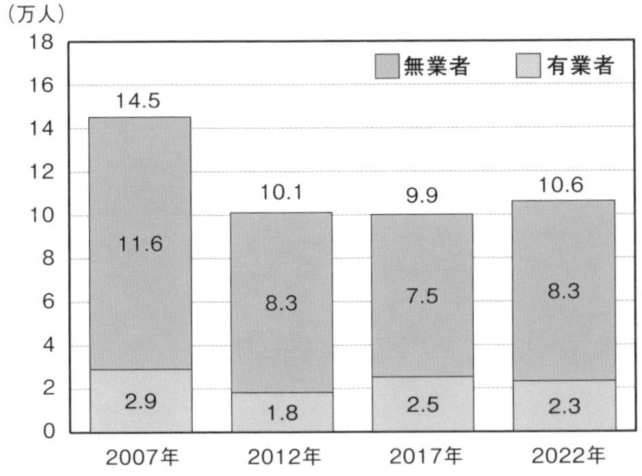

※全国、2007～2022年
出典：総務省統計局「令和４年就業構造基本調査結果 」

産業ケアマネジャー・産業ソーシャルワーカー（民間資格）

保有資格	名称	実施団体
介護支援専門員※ （ケアマネジャー）	ワークサポートケアマネジャー	一般社団法人 日本介護支援専門員協会
	産業ケアマネ	一般社団法人 日本単独居宅介護支援所事業協会 ケアマネジャーを紡ぐ会
	産業ケアマネジャー	東京海上日動 ベターライフサービス株式会社
社会福祉士	産業ソーシャルワーカー	一般社団法人 産業ソーシャルワーカー協会

※「主任ケアマネジャー」または日本ケアマネジメント学会認定資格「認定ケアマネジャー」も含む
出典：各団体のHPなどをもとに著者作成

Chapter11
05

介護が必要な高齢者は約２割

「高齢化」というと、介護や医療などの暗い面ばかりが取り上げられますが、実は介護が必要な高齢者は、高齢者全体のうち約２割といわれています。残りの約８割を潜在利用者としてビジネスを考える必要があります。

制度として捉えられてきた高齢化問題

日本において高齢化問題は主に、年金・医療・介護などの制度問題として論じられています。しかしながら、新たなビジネスとしての「介護」を考える場合、国の制度だけを見ていても新たな発想は生まれてきません。

例えば、高齢者になれば介護が必要になるだろうと考えがちですが、すべての高齢者に介護が必要となるわけではありません。介護保険が適用となる65歳以上の第１号被保険者のうち要支援・要介護認定の割合は約19％にすぎません（2021年度）。つまり、介護ビジネスでは残りの約8割を占める高齢者が何に困っており何を求めているかという視点が必要といえます。

若返る高齢者とエイジレス社会

政府が策定する「高齢社会対策大綱」（2018年）では、「65歳以上を一律に高齢者と見る傾向は、もはや現実的なものではなくなりつつある」として、エイジレス社会を目指すとことを提言しています。その背景のひとつには高齢者の「若返り」があります。スポーツ庁が実施している「体力・運動能力調査」（2022年）では、65～79歳までの高齢者（男女）の体力・運動能力は20年前よりも上回っていることが示されています。

こうした現状から日本老年学会・日本老年医学会では、高齢者の定義を75歳以上からとし、90歳以上の人を超高齢者とする提言をしています。高齢者を対象とするビジネスは、従来の高齢者のイメージだけで捉えていては、新しい高齢者サービスの創造はできません。今まで人類が経験してこなかったエイジレス社会は日本が世界に先駆けて突入した新市場といえるでしょう。

高齢社会対策大綱
高齢社会対策基本法によって政府に作成が義務付けられている高齢社会対策の中長期的な指針。

エイジレス社会
年齢で区切った画一的な施策を見直して生涯にわたって社会の重要な構成員として活躍できる社会。

体力・運動能力調査
スポーツ庁が実施する調査。高齢者は ①日常生活活動テスト ②握力 ③上体起こし ④長座体前屈 ⑤開眼片足立ち ⑥10m障害物歩行 ⑦6分間歩行の項目がある。

新体力テストの合計点の推移

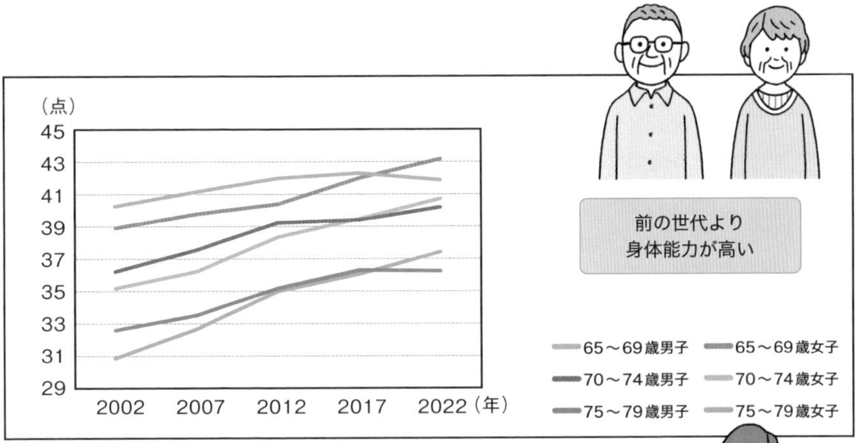

出典：スポーツ庁「令和４年度 体力・運動能力調査の結果」(2022)

新しい高齢者の定義提言

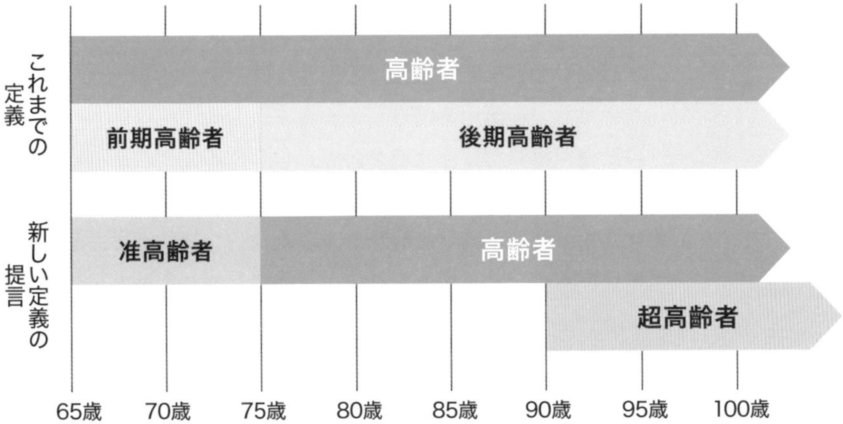

出典：日本老年学会・日本老年医学会「高齢者に関する定義検討ワーキンググループ」報告書2017

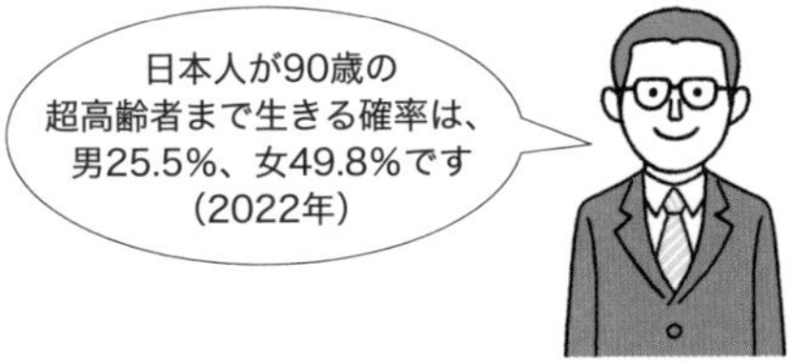

高齢者の就労

働きたい高齢者のためのビジネス

日本の労働市場において、長年のキャリアを積んだ高齢者がその経験を活かせる適切な場が不足していると指摘されています。この問題に対処するため、元気な高齢者が地元の高齢者施設で働く取り組みが進められています。

高齢者の就業の現状

政府は、高齢者が労働市場に参加しやすくなるような政策を推進しています。2021年4月からは改正高年齢者雇用安定法が施行され、65歳までの雇用確保が義務化され、70歳までの就業推進が努力義務となりました。これは、労働力不足の緩和と国の社会保障負担の軽減を目的としています。2022年には、65歳以上の就業者数が前年比3万人増の912万人に達し、1968年以降で最多を記録しました。産業別では、「卸売業・小売業」が127万人、「医療・福祉」が104万人となっています。

高年齢者雇用安定法
主なねらいは定年退職時期を遅らせ年金財政の健全化を図ることだが、制度で後押ししても高齢者の経験を発揮させる場が存在しないことが問題といわれている。

高齢者の活躍と介護ビジネス

厚生労働省は介護現場での生産性向上を目指し、高齢者の介護助手としての活用を推進しています。介護助手は話し相手、食事の配膳、掃除など、資格を必要としない周辺業務を担当し、介護スタッフをサポートします。これにより、介護職員は専門的なケアに集中できるようになります。また、介護助手は高齢者にとっても有意義な働き場所を提供し、社会参加と生きがいにつながります。

2022年度の調査によると、介護助手として活躍している人の約57%が60歳以上です。これは、未経験者や無資格者でも参入しやすい環境が整っていることを示しており、介護助手という役割が高齢者にとって適合する仕事であることを強調しています。高齢者がこの役割を担う利点として、利用者やその家族との年齢が近いためにコミュニケーションがスムーズに行えることが挙げられます。

「何歳くらいまで収入を伴う仕事をしたいか」についての回答

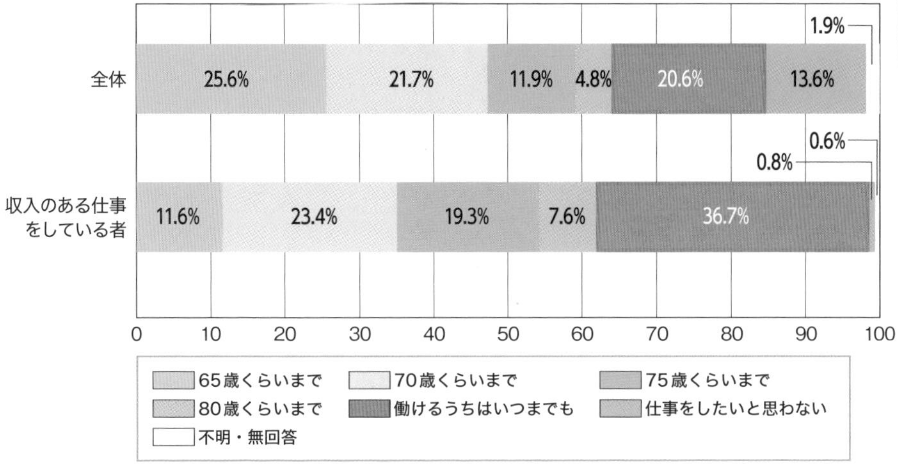

出典：内閣府「令和５年版高齢社会白書」

元気高齢者による『介護助手』モデル事業(三重県)

①介護職の業務を切り分け細分化し、細分化した業務のうち、比較的簡単な作業の部分を担う「介護助手」という考え方を導入

②「介護助手」の担い手として、元気高齢者を起用

介護助手の分類（業務の切り分け）

Aクラスの仕事

一定程度の専門的知識・技術・経験を要する比較的高度な業務（認知症の人の見守り、話し相手、趣味活動の手伝いなど）

Bクラスの仕事

短期間の研修で習得可能な専門的知識・技術が必要となる業務（利用者の体調に合わせたベッドメイキング、配膳時の注意、水分補給など）

Cクラスの仕事

マニュアル化・パターン化が容易で、専門的知識・技術がほとんどない人でも行える業務（居室の清掃、片付け、備品の準備など）

専門性

高 ⟷ 低

資格・年齢・体力・興味などによって振り分け

出典：三重県医療保健部長寿介護課の資料をもとに作成

Chapter11
07

注目される「リバースモーゲージ」

家はあるものの、現金がない高齢者が多いといわれています。高齢になると、医療費や介護費、介護施設への入居費などの資金が必要になります。そんなときに頼りになるのが、「リバースモーゲージ」というしくみです。

高齢者の収入は半数以上が年金収入

私たちは歳をとるにつれて様々な不安を抱えます。中でも、病気や介護が必要になった際の経済的な不安は大きいものです。「国民生活基礎調査」によると、高齢者世帯の半数以上の収入源は公的年金だけです。さらに「家計調査報告」（2022年）によれば、65歳以上の無職高齢者夫婦世帯の実収入は月平均約24万6,237円です。また、総務省の「住宅・土地統計調査」によると、65歳以上の単身世帯の66.2％、夫婦のみの世帯では87.4％が持ち家に住んでいます。これは、高齢者は持ち家を持っているものの、流動性のある資金が不足していることを示しています。

リバースモーゲージと家族信託

リバースモーゲージと家族信託は、高齢者が経済的な不安を軽減するための重要な手段です。リバースモーゲージでは、持ち家を担保にして金融機関から定期的に融資を受けることができ、所有者の死亡や退去時に住宅を売却し借入金を返済します。このサービスには、公的機関による低所得者向けの「不動産担保型生活資金」や、民間金融機関が提供する「不動産活用ローン」などがあります。さらに、認知症のリスクに対応する新しい形態として、家族信託を組み込んだリバースモーゲージも開発されています。この形式では、契約者が認知症になった場合でも、事前に指定された家族が信託契約に基づいて物件の管理や売却を行うことができます。これにより、指定された家族は市場の動向に応じて不動産の売却や、融資の返済資金の管理を行うことが可能です。

公的年金
国が運営する年金。20歳以上60歳未満のすべての国民が公的年金に加入する。「国民年金」と「厚生年金」の2種類がある。

リバースモーゲージ
英語でリバースは「逆」、モーゲージは「抵当」。一般的に、逆抵当権融資方式ともいわれるローン。

家族信託
認知症などにより、自分の財産管理をできなくなってしまったときに備えて、家族に自分の財産の管理や処分をできる権限を与えておく方法。

信託契約
委託者（財産を所有している人）が受託者（財産の管理処分の権限を任せる人）に財産権の管理処分の権限を与え、財産の管理・処分などをさせる契約。

リバースモーゲージのしくみ

契約開始時

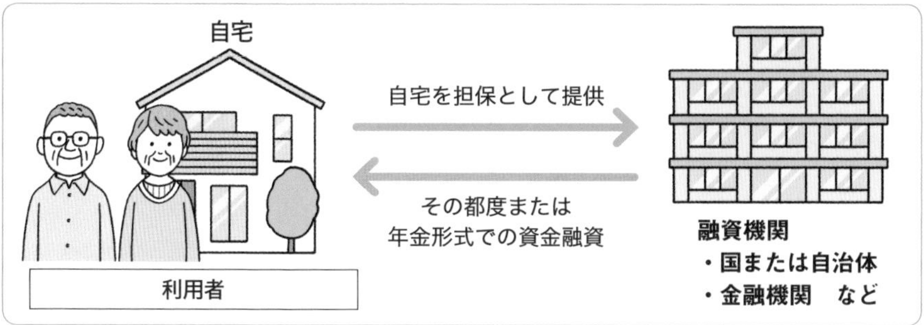

契約終了時

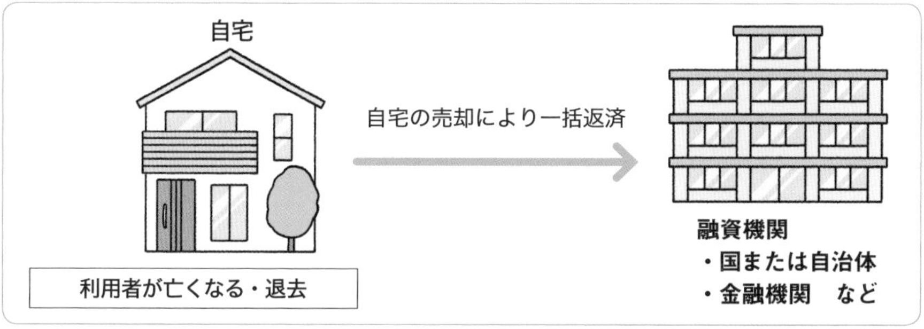

公的機関と民間企業運営が行うリバースモーゲージの種類

提供者	名称	資金の種類	貸付限度額	保証人
公的機関	不動産担保型生活資金	低所得の高齢者世帯に対し、一定の居住用不動産を担保として生活資金を貸し付ける資金	・土地の評価額の70%程度 ・月30万円以内	要 ※推定相続人の中から選任
公的機関	要保護世帯向け不動産担保型生活資金	要保護の高齢者世帯に対し、一定の居住用不動産を担保として生活資金を貸し付ける資金	・土地及び建物の評価額の70%程度（集合住宅の場合は50%） ・生活扶助額の1.5倍以内	不要
民間企業	・住宅金融支援機構「リ・バース 60」 ・りそな銀行「あんしん革命」 など	・東京スター銀行「充実人生」 ・みずほ銀行「みずほリ・バース 60」		

出典: 厚生労働省「生活福祉資金貸付条件等一覧」各社HPより

Chapter11
08

どうする？　高齢者の移動手段

高齢になり足腰が弱ると、外出などの移動に支障が出てきます。高齢者の移動の問題は、過疎地域などの交通機関がないところだけでなく、都市部でも外出を支援する移動手段の確保が課題となっています。

移動手段の減少と買い物難民の増加

高齢者にとって「移動」は生活や社会参加のための重要な行為です。「全国都市交通特性調査集計結果」（2021年度、国土交通省）によると、60代は70代に比べて通勤や業務での移動が、70代は60代に比べて買い物での移動が男女ともに多い結果となっています。しかし、高齢になると身体機能が低下し、外出が難しくなります。これにより、必要な生活行為や社会的交流が減少し、身体機能の低下が進みます。高齢者の外出をさらに困難にしているのは、通勤や通学の利用者減少に伴う公共交通の縮小や廃止、地元小売業の廃業、商店街の衰退です。これにより「買い物難民」が増加しています。

買い物難民
高齢者を中心に食料品の購入や飲食に不便や苦労を感じる人。流通機能や交通網の弱体化とともに、食料品などの日常の買い物が困難な状況に置かれている人々。

介護サービス事業と移動手段

介護保険では、ホームヘルパーが自動車で行う「通院等乗降介助」というサービスがあり、主に病院送迎に限られます。多くの高齢者は年金収入が主で、移動費の経済的負担も大きいです。この問題の解決策として注目されているのがMaaS（マース）です。これは、スマートフォンの専用アプリを使い、電車、バス、レンタサイクルなど様々な乗り物の検索、予約、決済を一括で行うサービスで、「マイカーより便利」を目指しています。例えば、群馬県の「GunMaaS（グンマース）」は、公共交通の再構築とマースの推進を同時に進めています。このアプリを用いれば、スマートフォンひとつで目的地までのルート検索、予約、決済が完了します。また、温泉地へのフリーパスなどを通じて外出機会を創出し、住民のニーズに応じた生活支援サービスを展開しています。

MaaS
ひとつの手続きで目的地までの最適な経路や手段を手配してくれるシステム。

高齢者の移動の目的別1日あたりの移動回数（平日）

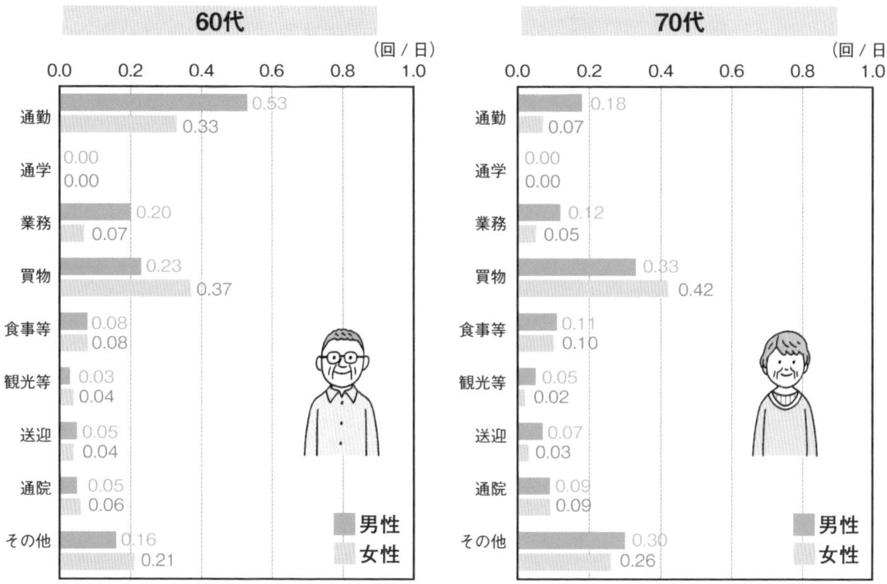

出典：国土交通省「都市における人の動きとその変化」～令和３年度全国都市交通特性調査集計結果より～

MaaSの活用

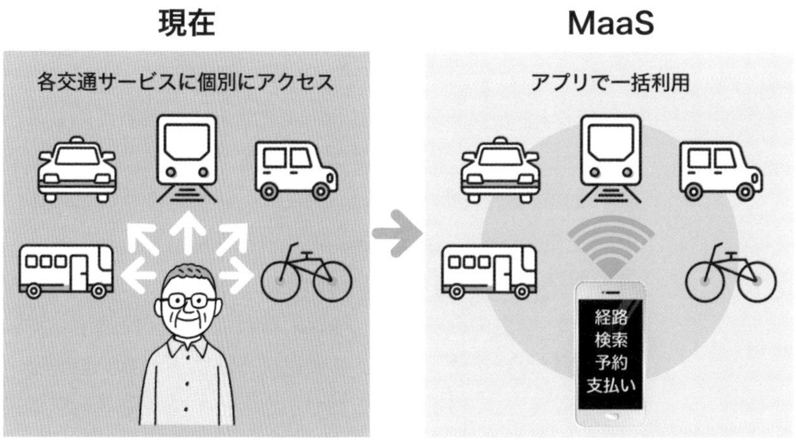

MaaS（マース：Mobility as a Service）とは、地域住民や旅行者一人ひとりの移動ニーズに対応して、複数の公共交通やそれ以外の移動サービスを最適に組み合わせて検索・予約・決済などを一括で行うサービス。

出典：国土交通省「日本版MaaSの推進」

歩いて暮らせるコンパクトシティ

日本のまちは郊外へと広がり、白動車がなければ生活がしにくい構造になっています。少子高齢社会となり、障がい者や高齢者、子ども連れの人など、誰もが住みやすいコンパクトなまちづくり求められています。

コンパクトシティの効果

現在、少子高齢化による過疎化が進行し、まちの様子が変化しています。郊外へと広がったまちは、自動車を利用できない高齢者にとって、公共施設や店舗へのアクセスが困難で、行動範囲が制限されています。この課題に対処するため、国や地方公共団体は、ある程度の人口が集中する集約型の都市構造（コンパクトシティ）の形成を推進しています。コンパクトシティが実現すると、高齢者は福祉・商業などの生活サービスに徒歩や公共交通で容易にアクセスできるようになり、外出が促進されます。これは市町村にとっても、高齢者の外出促進が介護予防につながり、介護保険料の増大を抑える財政的なメリットをもたらします。

コンパクトシティ
集約型の都市構造。外に居住地域が広がるのを抑え、できるだけ生活圏を小さくしたまちのこと。

コンパクトシティと介護サービス

コンパクトシティの実現は、介護サービス事業者にもメリットをもたらします。訪問介護などの在宅サービスで、車を使わずに狭い地域内を巡回できれば、限られた時間で多くの利用者にサービスを提供することが可能となり、収益性が高まります。近い将来、このようなコンパクトシティが地方を中心に広がると考えられます。厚生労働省では、福祉人材が限られている中、地域の実情に合わせた適切なサービス提供を行う観点から、高齢者・障がい者サービスをひとつの拠点で総合的に提供する「地域共生型サービス」を推進しています。今後の介護サービス事業は、まちと共に進化し、高齢者だけでなく、対象者の区別なしに総合的にサービスを提供する「総合福祉ビジネス」が主流となることが予想されます。

共生型サービス
介護保険または障害福祉のいずれかの指定を受けた事業所がもう一方の制度における指定を受けやすくする制度。

コンパクトシティのイメージ

まちの中での地域共生型サービス

事業者にとってのメリットの例

- 共生型サービスにより貴重な福祉・介護人材を有効活用できる
- 介護職員が高齢者と障がい者の双方に関わることで介護技術と専門性の向上に寄与
- 収益性が安定する　など

出典：厚生労働省ホームページ「福祉・介護共生型サービス」をもとに改変

Chapter11
10

ICT技術でサービス変革を

介護現場に広がるDX

介護業界は、人材不足、手作業による事務作業など多岐にわたる課題を抱えています。最新デジタル技術の活用を通じて課題を解決し、サービスを変革することが求められています。

遅れているデジタル化

介護業界では、手書きの記録をはじめとするアナログ業務が多く、慢性的な人手不足、職員の離職、若者の介護離れが問題となっています。職場環境が職員の負担に直結し、それが介護サービスの質と安全性に影響を及ぼしているため、厚生労働省は現場の生産性向上を推進しています。しかし、業界全体で見ると職員の負担軽減やサービスの質向上には十分につながっていない状況です。このため、厚生労働省は2024年の介護報酬改定において介護施設サービスにおける「生産性向上委員会」の定期開催を、3年間の経過措置を経て2027年度から正式に義務化しました。この委員会では、業務改善活動の体制構築、職場課題の可視化、5S活動、情報共有、介護記録ソフトの利用、介護ロボットの導入、介護助手への取り組みを推進することを求めています。

アナログ業務
高齢者や介護職員がデジタル機器に慣れていない、機器導入や維持にコストがかかる、アナログのほうが素早い対応が可能であるなどの理由から、介護業界ではアナログ業務が多い。

5S活動
整理、整頓、掃除、清潔、躾のことで、5つの頭文字がすべてSなので5Sという。職場環境を整備する活動のこと。

デジタルトランスフォーメーションと介護

介護サービス事業におけるデジタルトランスフォーメーション（DX）は、「テクノロジーを活用して介護サービスを変革し、利用者や事業者の価値を最大限に向上させる」と定義されています。これは、介護サービス事業が国によって設計された介護保険制度に基づいて運営されているため、ビジネスモデルの大幅な変革が困難であるためです。介護サービス事業者におけるDXでは、ICTの活用による省力化がもたらした時間を、職員の生産性向上、サービスの質の向上、保険外サービスの提供に充てることで、利用者と介護職員から選ばれる競争優位性を持つ事業者へと変革することが期待されます。

デジタルトランスフォーメーション
スウェーデンのウメオ大学のエリック・ストルターマン教授が提唱。進化し続けるテクノロジーが人々の生活を豊かにしていくという概念。

介護DXが求められる背景

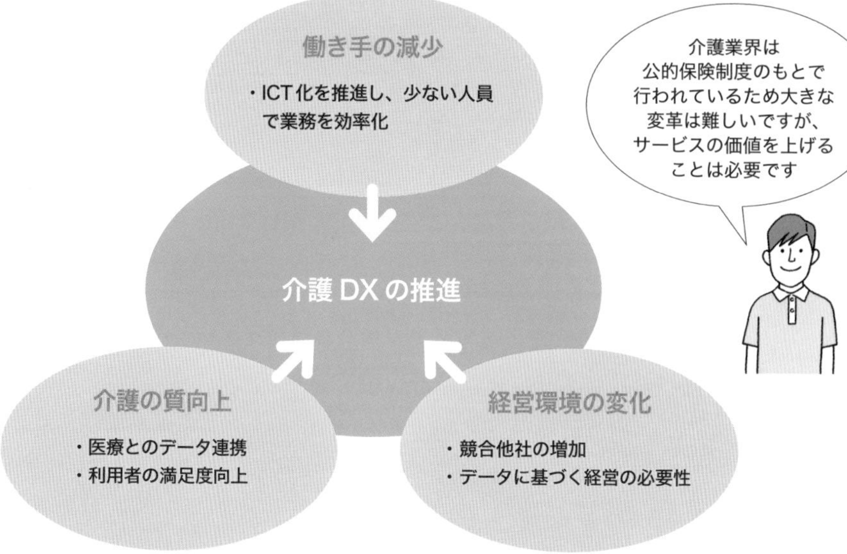

介護現場におけるDXのステップ

	① デジタル化	②業務をさらに効率化	③競争上の優位性を確立
	アナログなものをデジタル化	デジタル化されたシステムを活用し業務をさらに効率化させる	業務や組織、プロセスなどを変革。競争上の優位性を確立する
変革の具体例	・記録の電子化 ・情報共有ツール ・TV会議 ・見守りシステム ・ケアプラン作成システム ・シフト作成システム など	・訪問件数増加、稼働率向上 ・事務作業軽減 ・残業時間削減 ・本来業務に専念 ・経費削減分を賃金の引き上げに ・生産性の向上　など	・職員の定着率の向上 ・人材不足解消 ・利用者満足度の向上 ・売上の拡大 ・選択される介護事業者 など

出典：経済産業省「デジタルトランスフォーメーションを推進するためのガイドライン」

Chapter11
11

介護用ロボット開発の未来

介護用ロボットにはまだ法律上の明確な定義が存在しませんが、人材不足や介護職員の高齢化などの課題を背景に、政府の支援を受けて導入が進められています。

介護用ロボットとは

政府は介護人材の確保が喫緊の課題であり、介護職員の処遇改善に加えて、介護用ロボットやICTなどのテクノロジーの導入を進めています。これによって職員の業務負担を軽減し、ケアの質を確保することで介護現場の生産性向上を目指しています。厚生労働省は、介護用ロボットを情報を感知、判断、動作する３つの要素技術を有する知能化された機械システムと定義し、これを利用者の自立支援や介護者の負担軽減に役立つ介護機器であるとしています。また、経済産業省は開発に補助金を提供し、介護現場でのモニタリング調査や評価支援も行っています。法的には、介護用ロボットは医療用ロボットと異なり、製造販売に特別な許認可は不要です。現在は海外メーカーと国内大手企業が市場に参入しています。

介護用ロボット
介護分野で使用されるロボット。医療機器としての薬機法（医薬品、医療機器等の品質、有効性及び安全性の確保等に関する法律）による許認可などは不要だが、ロボットサービスの安全規格としてISO規格やJIS規格はある。

医療用ロボット
医療分野で使用されるロボット。医療機器に該当するものについては、薬機法による許認可などが必要。内視鏡手術支援ロボット「ダヴィンチ」が有名。

介護用ロボットのニーズと普及

2022年に厚生労働省が実施した全国の介護施設・事業所における介護用ロボットの導入状況調査によると、「見守り支援機器」は入所・泊まり・居住系サービスで30.0％の施設が導入済みと回答しました。入浴支援機器は11.1％、介護業務支援機器は10.2％の施設が導入しています。しかし、導入効果に対する理解不足や投資対効果の考え方の未確立が課題とされています。さらに、使用目的や意義の浸透不足、適切な人材の不足、従来の仕事方法の変更の困難さ、導入後の効果検証と業務改善が進まないことも問題点として挙げられています。また、介護用ロボット導入を検討していない施設も一定数存在し、その理由や課題の把握が必要だとされています。

介護業務支援機器
ロボット技術を用いて、見守り、移動支援、排泄支援をはじめとする介護業務に伴う情報を収集・蓄積し、それをもとに、高齢者などの必要な支援に活用することを可能とする機器。

医療用・介護用ロボットの目的と例

	医療用ロボット	介護用ロボット
目的	疾病の治療や身体の構造・機能に影響をおよぼすことを目的とするロボット	・介護分野で使用されるロボット（左記の目的以外）
例	■手術支援ロボット ・手術支援ロボット「ダヴィンチ」 ・hinotori サージカルロボットシステム など ■調剤支援ロボット 薬品の選択／秤量／配分／分割／分包をロボットが行う	■介護用ロボット ・移乗介助（装着型／非装着型） ・移動支援ロボット ・排泄支援ロボット ・入浴支援ロボット ・見守りロボット ・コミュニケーションロボット　など
許認可の有無	・薬機法に該当するものについては許認可などが必要	・製造販売するにあたっての許認可などは不要 ・安全基準として ISO 規格、JIS 規格がある

介護用ロボットの導入概況

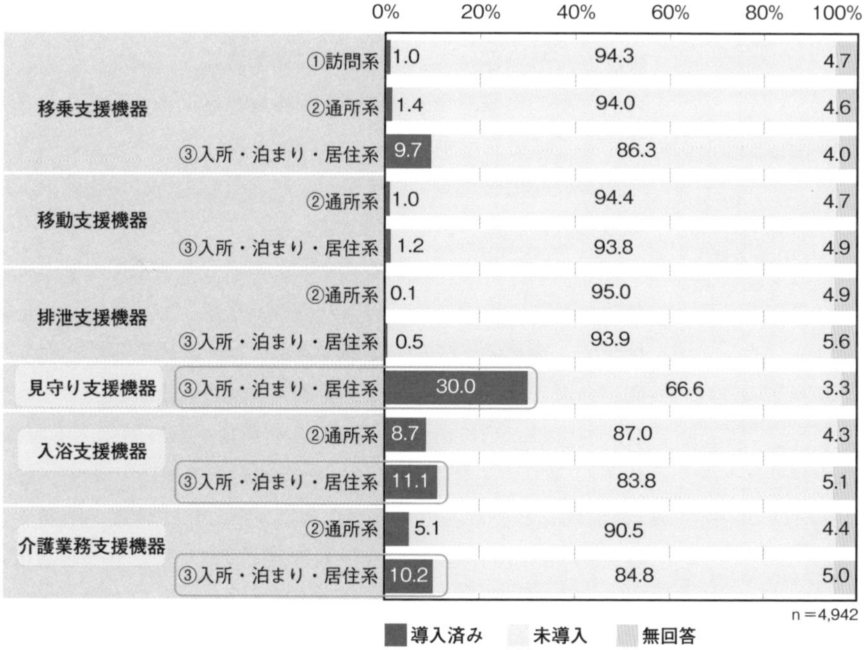

出典：厚生労働省「介護現場の生産性向上の推進（改定の方向性）」社会保障審議会介護給付費分科会（第233回）（令和5年11月）

Chapter11
12

日本の介護を海外へ

アジア諸国に対する介護サービスの輸出

日本の介護技術や介護保険制度は、世界に誇るべきシステムです。日本政府は、高齢化が進むアジア諸国に対し、国際貢献と産業振興の観点から介護技術やシステムの輸出を推進しています。

世界およびアジアの高齢化の現状

2050年には世界の60歳以上の人口が21億人に達すると予測されており、アジア諸国では日本と同等またはそれ以上の速さで高齢化が進んでいます。これを受け、日本政府は「アジア健康構想に向けた基本方針」(2016)を策定しました。この政策は国連の持続可能な開発目標(SDGs)に基づく「ユニバーサル・ヘルス・カバレッジ(UHC)」の実現を背景に持っています。

アジア健康構想に向けた基本方針
アジアにおける健康課題の解決貢献と健康関連商品・サービスを扱う日本企業の海外展開促進を狙いとした日本政府の取り組み。

ユニバーサル・ヘルス・カバレッジ(UHC)
Universal Health Coverageの略。すべての人が生涯を通じて必要なときに基礎的な保健サービスを、負担可能な費用で受けられる状態のこと。

韓国
韓国の介護保険制度は老人長期療養保険制度といい、2008年に導入され、社会保障制度において国民健康保険と同様に社会保険に位置付けられている。

日本の介護サービス輸出の展望と課題

アジア諸国の中では韓国と中国の一部の省を除いて介護保険制度がまだ整備されていないため、高齢者の人口増加に伴い、これらの制度の構築や介護サービスの需要が高まると予想されています。すでに日本の事業者は現地で日本式の老人ホームの開設や福祉用具の輸出を行っていますが、介護に対する社会的認識の違いや収益の確保に苦戦しています。

アジア諸国では、伝統的に介護は家族や家政婦の役割と捉えられています。そのため、日本が培ってきた「自立支援」や「認知症ケア」などのノウハウを展開するには、介護を専門職として捉え、介護を受ける人の尊厳を重視する社会的認識の変革が必要です。さらに、日本の介護サービス事業者が海外展開する際には、以下の3つの主要なハードルを越える必要があります。第一に「異文化」という歴史や文化の違い、第二に「政策・制度」という法的・行政的枠組み、そして第三に事業としての「収益化」という経済的課題です。これらの課題に対して、日本式介護の何をどこまで現地化するべきか考える必要があります。

アジア諸国の高齢化

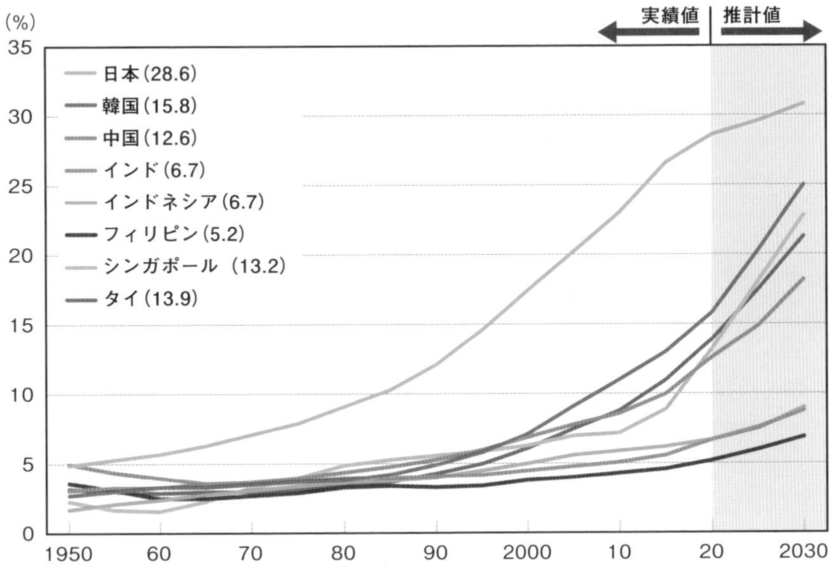

出典:UN. World Population Prospects:The 2022 Revision
※2020年以降は国立社会保障・人口問題研究所「日本の将来推計人口（平成29年推計）」の出生中位・死亡中位仮定による推計結果による。

日本式介護を海外展開する際の３つのハードル

出典：髙山善文『中国及び日本の高齢者介護システム・介護サービスの比較研究』(2023年）を改変

COLUMN 11

中国の介護産業の特徴

中国は世界最大の高齢者人口を持ちます。2022年、65歳以上の高齢者が全人口の14.9％を占め、2億978万人に達しました。そこで、中国の介護産業に参入する場合に抑えておきたい特徴を紹介します。

まず、広い国土を持つ中国は、地域差が大きいということです。経済レベルや生活習慣、言語、地方政府の財力など様々な面で異なり、年金も都市部と農村部で制度が違います。医療保険も各地で差があります。中国で介護事業を展開するなら地域の違いを認識する必要があるでしょう。

一方で、中国文化は多様性に富んでいるため、ビジネスモデルの自由度が高いということがあげられます。イノベーションに対する許容度は高いといえるでしょう。また、中国の高齢社会はまだ早期段階なので事業を試行錯誤する余地があります。

ただし、強い資本力と社会基盤を持つ多数の国営企業の存在は中国の特徴であることを認識しておかなければなりません。すでに多くの国営企業が介護事業に参入し、特に施設介護において民間企業より優位性を持っています。民間企業が参入する場合には社会的責任も国から求められるでしょう。

ただ、中国は職業教育システムが成熟しておらず、特に介護関連の専門人材や資格制度が乏しいという問題があります。介護人材の教育強化策も打ち出されていますが、産業ニーズとのギャップが大きいのも現状です。また、介護保険に相当する「長期護理保険」については、一部の都市で実験的に展開していますが、高いカバー率と充実した報酬体系を目指すよりも、社会保険を基本保障と位置付け、市場によるサービス・商品の開発を推奨しています。

今や中国は技術大国に成長し、AIやVR/ARなどの開発にとても関心があります。もし、中国で介護事業に参入しようと考えるなら、テック介護によるイノベーションを提案するのも良いかもしれません。

北京大学HSBC商学院　高齢社会創研所　執行所長　尓羽（上海）健康科技有限会社Founder
鈴木秋恵（趙宛秋）

各介護サービスにおける収支差率（利益率）

・介護事業経営実態調査：３年に１度、厚生労働省が介護事業所に対して実施している調査
・介護事業経営概況調査：介護報酬改定後２年間の間に毎年行われる調査

サービスの種類	令和４年度概況調査	令和５年度実態調査	
	令和３年度決算	令和４年度決算	対３年度増減
施設サービス			
介謹老人福祉施設	1.2%	▲1.0%	▲2.2%
	〈1.3%〉	〈0.1%〉	〈▲1.2%〉
	(1.3%)	(0.1%)	(▲1.2%)
介護老人保健施設	1.5%	▲1.1%	▲2.6%
	〈1.9%〉	〈0.0%〉	〈▲1.9%〉
	(1.3%)	(▲0.6%)	(▲1.9%)
介護医療院	5.2%	0.4%	▲4.8%
	〈5.8%〉	〈1.7%〉	〈▲4.1%〉
	(5.3%)	(1.2%)	(▲4.1%)
居宅サービス			
訪問介護	5.8%	7.8%	＋2.0%
	〈6.1%〉	〈8.1%〉	〈＋2.0%〉
	(5.5%)	(7.7%)	(＋2.2%)
訪問入浴介護	3.6%	3.0%	▲0.6%
	〈3.7%〉	〈3.1%〉	〈▲0.6%〉
	(2.5%)	(2.2%)	(▲0.3%)
訪問看護	7.2%	5.9%	▲1.3%
	〈7.6%〉	〈6.2%〉	〈▲1.4%〉
	(7.1%)	(5.8%)	(▲1.3%)
訪問リハビリテーション	▲0.4%	9.1%	＋9.5%
	〈0.6%〉	〈10.3%〉	〈＋9.7%〉
	(0.2%)	(9.9%)	(＋9.7%)
通所介護	0.7%	1.5%	＋0.8%
	〈1.0%〉	〈1.8%〉	〈＋0.8%〉
	(0.7%)	(1.4%)	(＋0.7%)
通所リハビリテーション	▲0.3%	1.8%	＋2.1%
	〈0.5%〉	〈2.8%〉	〈＋2.3%〉
	(0.2%)	(2.5%)	(＋2.3%)
短期入所生活介護	3.2%	2.6%	▲0.6%
	〈3.3%〉	〈3.3%〉	〈0.0%〉
	(3.3%)	(3.2%)	(▲0.1%)
特定施設入居者生活介護	3.9%	2.9%	▲1.0%
	〈4.0%〉	〈3.0%〉	〈▲1.0%〉
	(3.1%)	(2.2%)	(▲0.9%)
福祉用具貸与	3.4%	6.4%	＋3.0%
	〈3.4%〉	〈6.4%〉	〈＋3.0%〉
	(2.6%)	(4.8%)	(＋2.2%)
居宅介護支援	3.7%	4.9%	＋1.2%
	〈4.0%〉	〈5.1%〉	〈＋1.1%〉
	(3.1%)	(4.6%)	(＋1.5%)
地域密着型サービス			
定期巡回・随時対応型訪問介護看護	8.1%	11.0%	＋2.9%
	〈8.2%〉	〈11.2%〉	〈＋3.0%〉
	(7.8%)	(10.7%)	(＋2.9%)
夜間対応型訪問介護※	3.8%	9.9%	＋6.1%
	〈3.8%〉	〈10.0%〉	〈＋6.2%〉
	(3.3%)	(9.1%)	(＋5.8%)
地域密着型通所介護	3.1%	3.6%	＋0.5%
	〈3.4%〉	〈3.9%〉	〈＋0.5%〉
	(3.1%)	(3.7%)	(＋0.6%)
認知症対応型通所介護	4.3%	4.3%	0.0%
	〈4.4%〉	〈4.7%〉	〈＋0.3%〉
	(4.3%)	(4.5%)	(＋0.2%)
小規模多機能型居宅介護	4.6%	3.5%	▲1.1%
	〈4.7%〉	〈3.9%〉	〈▲0.8%〉
	(4.5%)	(3.6%)	(▲0.9%)
認知症対応型共同生活介護	4.8%	3.5%	▲1.3%
	〈4.9%〉	〈3.9%〉	〈▲1.0%〉
	(4.6%)	(3.6%)	(▲1.0%)
地域密着型特定施設入居者生活介護	2.8%	1.9%	▲0.9%
	〈3.0%〉	〈2.4%〉	〈▲0.6%〉
	(2.6%)	(1.8%)	(▲0.8%)
地域密着型介護老人福社施設	1.1%	▲1.1%	▲2.2%
	〈1.2%〉	〈▲0.4%〉	〈▲1.6%〉
	(1.2%)	(▲0.4%)	(▲1.6%)
看護小規模多機能型居宅介謹	4.4%	4.5%	＋0.1%
	〈4.6%〉	〈4.7%〉	〈＋0.1%〉
	(4.2%)	(4.2%)	(0.0%)
全サービス平均	2.8%	2.4%	▲0.4%
	〈3.0%〉	〈3.0%〉	〈0.0%〉
	(2.6%)	(2.6%)	(0.0%)

※括弧なしは、税引前収支差率（コロナ関連補助金および物価高騰対策関連補助金を含まない）
〈　〉内は、税引前収支差率（コロナ関連補助金および物価高騰対策関連補助金を含む）
(　) 内は、税引後収支差率（コロナ関連補助金および物価高騰対策関連補助金を含む）
※物価高騰対策関連補助金は令和３年度決算には含まれない

出典：厚生労働省「令和５年介護事業経営実態調査結果の概要」をもとに著者改変

索引

さ行

た行

な行

著者紹介

髙山 善文（たかやま　よしふみ）

東京都福祉サービス第三者評価評価者、介護支援専門員。30年以上の豊富な実務経験を活かし、介護ロボット、外国人介護人材、シニアビジネスに関するコンサルティング、執筆、講演活動を行っている。代表的な著書に「これ一冊でわかる！介護の現場と業界のしくみ」（ナツメ社）がある。ティー・オー・エス株式会社代表取締役。

会社ホームページ：https://www.jtos.co.jp/

■装丁　　　　井上新八
■本文デザイン　株式会社エディポック
■本文イラスト　浅羽ピピ／イラストAC
■担当　　　　落合祥太朗
■編集／DTP　株式会社エディポック

図《ず》解《かい》即《そく》戦《せん》力《りょく》

介《かい》護《ご》ビジネス業《ぎょう》界《かい》のしくみと仕《し》事《ごと》がこれ1冊《さつ》でしっかりわかる教《きょう》科《か》書《しょ》［改《かい》訂《てい》２版《はん》］

2021年 12月21日　初版　第1刷発行
2024年　8月　8日　改訂2版　第1刷発行

著　者　　髙山善文《たかやまよしふみ》
発行者　　片岡　巌
発行所　　株式会社技術評論社
　　　　　東京都新宿区市谷左内町21-13
　　　　　電話　03-3513-6150　販売促進部
　　　　　　　　03-3513-6181　書籍編集部
印刷／製本　株式会社加藤文明社

ISBN978-4-297-14275-9 C0034　　Printed in Japan

◆お問い合わせについて

- ご質問は本書に記載されている内容に関するもののみに限定させていただきます。本書の内容と関係のないご質問には一切お答えできませんので、あらかじめご了承ください。
- 電話でのご質問は一切受け付けておりませんので、FAXまたは書面にて下記問い合わせ先までお送りください。また、ご質問の際には書名と該当ページ、返信先を明記してくださいますようお願いいたします。
- お送りいただいたご質問には、できる限り迅速にお答えできるよう努力いたしておりますが、お答えするまでに時間がかかる場合がございます。また、回答の期日をご指定いただいた場合でも、ご希望にお応えできるとは限りませんので、あらかじめご了承ください。
- ご質問の際に記載された個人情報は、ご質問への回答以外の目的には使用しません。また、回答後は速やかに破棄いたします。

◆お問い合わせ先

〒162-0846
東京都新宿区市谷左内町21-13
株式会社技術評論社　書籍編集部
「図解即戦力
介護ビジネス業界のしくみと仕事がこれ1冊でしっかりわかる教科書［改訂2版］」係
FAX：03-3513-6185
技術評論社ホームページ
https://book.gihyo.jp/116